# 価値変容する世界

## 人種・ウイルス・国家の行方

外岡秀俊

朝日新聞出版

本書は、Ｊ－ＣＡＳＴニュースに２０２０年４月から連載されている「コロナ　21世紀の問い」をベースに加筆・省略して再構成しています。

本文に掲載の事実関係および年齢や肩書は、取材当時のものです。

目次

はじめに……13

第1章　ダイヤモンド・プリンセス号で何が起きていたのか……33

ダイヤモンド・プリンセス号で何が起きていたのか……34

船内で目立った「旅行弱者」……35
横浜帰港直前の船内であった決定的だったこと……37
「情報の非対称性」に抗して……39
キーワードは「主体」と「ニーズ」……42

「行動変容」から「価値変容」へ……45

社会の鏡としてのパンデミック……46
寺田寅彦の警告……47
グローバル、IT、都市過密……49
価値変容に向けて……52

隠喩としてのコロナ……54

スーザン・ソンタグの分析を吟味……55
エイズとその隠喩……56

ソンタグならコロナ禍をどうとらえるか……58

## 第2章　民間臨調報告書に見る失敗の本質……61

### 民間臨調報告書に見る「失敗の本質」……62
初の総力検証……63　「日本モデル」とは何か……64
「PCR検査」はなぜ目詰まりを起こしたのか……66　いくつかの膝を打つような「発見」……71
報告書のエディター・大塚隆さんと考える……76　メディアは、なぜ検証できないのか……78

### 3人の識者に聞く「民主主義の危機と地方分権の希望」……82
自粛要請は自治体から広がった……83　「出口戦略」を先導した「大阪モデル」……85
山口二郎・法政大教授が指摘する「政権の空洞化」が起きた理由……87
注目すべき「和歌山方式」……89
上田文雄・前札幌市長「議会ないがしろの風潮が危うい」……91
森啓・元北大教授「中央政府と自治体は横に補完し合う関係」……93

### 「自己責任」論とコロナ禍……95
齋藤雅俊さんと考える「自己責任」……96　コロナ禍における「自己責任」論……97
イラク人質事件……100　変わる世論……101

「自己責任」というキーワード……103　「責任」の正体とは……106
日本における「権力の二重構造」……108　「忖度」を生む風土……110
**ワクチン争奪戦に出遅れ　日本の「失われた20年」**……112
「失われた20年」の中身……113　「ヒトゲノム計画」への日本の貢献……116
小渕政権「ミレニアム・プロジェクト」の末路……117　日米中の違いはどうして生じたのか……120
**日本はなぜIT化に遅れてしまったのか　服部桂さんと考える**……122
「デジタル敗戦」の現実……123　迷走した「IT戦略」……125
コンピューターの進化……127　「権威」に対抗するパソコン……129
「神」への反逆としてのテクノロジー……132

**第3章　変わる働き方と地方の時代**……137

**変わる「働き方」と「地方の時代」**……138
「ウィズ」と「アフター」……139　いやおうなく「ジョブ型雇用」に向かう……141
「コロナ後」の二つの大きな変化……143　「リアルとオンラインの接続」が促す地方創生……146
雑誌「地域人」の編集長・渡邊直樹さんと考える……148

**アベノミクスの今と、資本主義の行方**……152
記録塗り替える打撃……153
立命館大名誉教授・高橋伸彰さんに聞く「アベノミクス」の現在……154
日銀「異次元緩和」の実態……156　緩む財政規律……157
「失われた20年」……159　「3本目の矢」が成果をあげられなかったのは……162
法政大教授・水野和夫さんに聞く「資本主義の終わり」……163　「ROE革命」で貯め込む……165
非常事態に備える名目で貯めた「内部留保」を今こそ危機対応に……167
メガロポリスの脆弱性……169　資本を増やすことからの解放……170

**坂東眞理子さんと考える「男女格差」**……173
日本はなぜ「変えられないのか」……174　世界女性会議　変わる世界の潮流……175
男女共同参画社会は打ち出されたが改革に遅れ……176　大学キャンパスから見たコロナ禍……178
森元総理にみる「無意識の思い込み」とは……180　「ブルー・オーシャンを探そう」……183

**精神科医・香山リカさんと考えるパンデミック下の心理**……186
「ループ化」するジレンマ……187　「自己有用感」……189
若い世代に向けて……191　「高品質社会」への失望……192
「気晴らし」の効用……193

第4章 歴史に学ぶ……195

哲学者・高橋哲哉さんと考える　歴史認識と「犠牲のシステム」……196
BLM運動の背後にある「構造的差別」……197　哲学者・高橋哲哉さんに聞く……200
日本型「犠牲のシステム」……202　「犠牲のシステム」の不可視化……205
「土人」という発想……206　知識人が提起、社会が長年吟味し政治が決断……208

歴史家・磯田道史さんと考える「過去の知恵」……212
見抜いたコロナ禍の展開……213　「歴史人口学」が培ったリアルな目……216
一生に一度のイベント「死」に着目……219　スペイン風邪、日本での犠牲……220
「歴史の知恵」……222　上杉鷹山の「知恵」に学ぶ……225

第5章 激変した米中……231

「中国式」の力と限界……232
春節の伝統行事で感染が一気に拡大……233
地方の責任は断罪しても中央への批判は許さない……236

追跡と監視の仕組みはこうなっている……238
「新冷戦」は起きるのか起きないのか……240
**世界一の感染国アメリカはどこへ向かうのか**……243
コロナ禍のなかで起きたフロイドさん事件の衝撃……244
国際政治学者・藤原帰一さんの見立て……246
かつての公民権運動支えた不服従抵抗……248
コロナ禍が浮き彫りにした分断線と「差別への覚醒」……249
**アメリカはバイデン政権下で分断を克服できるか**……252
抑圧された票の解放が高い投票率に……253
二転三転した2大政党の勢力範囲……255
124年前の選挙とトランプ登場との共通性……257
ポピュリズムは産業基盤転換期に台頭しやすい……260
コロナ禍とアメリカの歴史と伝統……264

## 第6章　パンデミック後の未来に向けて……269

**哲学者スラヴォイ・ジジェク氏と考えるパンデミックの意味**……270
冷戦時代、東西両陣営の境界線上の国……271
パンデミックが与えた衝撃……273
専制主義と民主主義、どちらが有効か……275
環境危機……276
コロナ禍における精神の危機……278
コロナ禍で変わった世界観……279
「サマラの約束」……280

**政治学者・宮本太郎さんと考える福祉のこれから……284**

過去30年の福祉改革と三つの政治潮流……285
「日本型生活保障」の三重構造……289
「日本型生活保障」ができるまで……290
限界を迎えた「日本型生活保障」……292
「福祉刷新論」の成果……293
多様化するリスク……294
「社会民主主義」の限界……295
「ベーシックインカム」論の問題点……297
「ベーシックアセット」の福祉国家……298
健康で文化的な最低限度の生活……300

**おわりに……302**

**新型コロナウイルス年表……305**

**配信日一覧……315**

# 価値変容する世界

人種・ウイルス・国家の行方

装幀　宮嶋章文（朝日新聞メディアプロダクション）

校閲　朝日新聞メディアプロダクション校閲事業部
（若井田義高、櫛田恵子、那須曜子）

# はじめに

2021年8月8日、東京五輪の閉会式が国立競技場で行われ、17日間の大会の幕を閉じた。

すべては異例ずくめだった。コロナ禍で開幕が1年延期されただけではない。「第5波」が広がる東京都には、7月12日に4度目の緊急事態宣言が出された。23日の開幕後もデルタ株の感染は急拡大を続け、8月2日からは首都圏や大阪府にも緊急事態宣言が広がった。開会式の日に4225人だった全国の新規感染者数は、閉会式の日には1万4472人にまで増えた。

1万1千人が参加した33競技339種目の大会はほとんどが無観客で行われ、地元で開かれながら国民の大半は「ステイ・ホーム」でテレビ観戦するしかなかった。

57年ぶりの東京五輪で列島には、二つの時間が同時に流れた。一つは日常における感染への脅《おび》えと不安。もう一つは、テレビ観戦で繰り広げられた「夢と感動」のドラマだ。

当然、世論は二分された。

朝日新聞社が開幕直前に行った世論調査で五輪開催に「賛成」は33％、「反対」は55％になり、菅義《すがよし》偉《ひで》首相が繰り返す「安全、安心の大会」について「できない」と答えた人は68％に上った。こうした世論から海外メディアは「日本人が望まない五輪」（仏紙ルモンド）などと報じたが、それは半分正しく、半分は正しくない。

「反対」の多くは、ワクチン接種が遅れるなど、コロナ対策で後手に回る失政を批判していたのであり、国民に厳しい制限を課しながら五輪関係者に「特例」を認める「二重基準」への不満を代弁していた。そこでは当然、競技の頂点に向かって渾身《こんしん》の努力を重ねてきたアスリートへのリスペクトと応援の気持ちが前提になっている。もちろん「賛成」の声には、何とかしてアスリートに活躍の場を提供したい、という思いが反映している。つまり、ここにいう「反対」と「賛成」は違った設問を想定して別の答えを出した結果であり、ベクトルとしては同じ方を向いている。「反対」は、五輪を政権浮揚につなげようとする五輪の「政治化」への「ノー」であり、「賛成」もまた、政治的な意図とはかかわりなく、アスリートを支持する「イエス」だろう。

この見立ては、閉幕直前に同社が行った世論調査でも裏付けられるように思う。五輪開催が「よかった」と答えた人が56％、「よくなかった」は32％。だが「よくなかった」のうち78％は、自粛ムードが「ゆるんだ」と受けとめ、「よかった」という人の半数もまた「ゆるんだ」と感じた。菅内閣の支持率は最低の28％に落ち込み、不支持率は53％にまで増えた。

## ――競技場内外の分裂

私は過去3度、夏の五輪を現地取材したが、競技場の内外で、これほど祝祭感と盛り上がりに落差のある大会はなかったように思う。

開会式からしてそうだった。開会式は、「夢と感動」をうたいあげるのではなく、コロナ禍で失われた人々を悼《いた》み、夢を絶たれたアスリートへの励ましを基調とせざるを得なかった。大仰《おおぎょう》な演出や派手さを競う演出が抑えられた分、開会式の主役はアスリートであること、そのハイライトが長く受け継がれた聖火の点火にあることが際立った。皮肉にも、コロナ禍が虚飾を剝《は》がし、五輪の原点に向き合うことの大切さを教えてくれる式典だったといえる。

阿部一二三《ひふみ》・詩《うた》兄妹の柔道同日金メダル獲得など、開幕と同時に、日本のメディア報道が五輪一色に染まったのは、ある意味で自然だった。4年に1度の五輪に向けて、調整と技の磨きを頂点に合わせようとする多くの選手にとって、その時を逃せば再度の挑戦は難しい。負けることより、勝負の機会を失うことの方が、彼らにとっては耐えがたいだろう。

もし大会が中止になっていれば、今回初めて行われたスケートボードやサーフィン、スポーツクライミング、空手で活躍する姿は見られなかったし、3大会ぶりに復活した野球とソフトボールも幻に終わっていたろう。

そうした同胞アスリートの地元での活躍を、最も見たいと望んだのもまた、私たちだった。

大会を通して、メダルを得た選手の多くが、勝利の喜びや嬉しさよりもまず先に、大会を開き、声援を送った「皆さん」への感謝を口にしたことが、心に残った。その「皆さん」は政治家や大会関係者よりも前に、現場でコロナ禍と闘う医療・介護関係者や、休業を余儀なくされた飲食店やイベント関係者、そして、日常を制限されながらもそれに耐え、巣ごもりをしながら応援を続けた普通の人々だった、と私は感じた。

だが大会が進むにつれ、日常の「不安」とテレビの中の「夢と感動」の分裂は、だれの目にも明らかになった。

選手ら関係者の「バブル」の穴が次々に見つかり、陽性になったテコンドー女子チリ代表、サーフィン男子ポルトガル代表らは棄権を余儀なくされた。

菅首相やＩＯＣのバッハ会長は、「大会開催と感染拡大は無関係」といい張った。だが、専門家が事前に指摘した通り、五輪熱の高揚とともに人流が増え、感染は急速に再拡大し、これまで最多だった冬の「第３波」を超えた。

もちろん、大会と感染の関係を直接裏付ける証拠を見つけるのは難しい。政府がやむなく採用した「無観客」方式が功を奏した面もあるだろう。だが、開催の必須の前提にすべきだったワクチン接種が大幅に遅れたこと、政府や大会関係者が開催の目的や意義を明確にせず、「自粛」の呼びかけに説得力がなかったことが「ゆるみ」を招いたことは、否定できない。

ともかくも五輪史に特異な歴史を刻んだ私たちは、その結果として生じた厳しい現実に、立ち向かうしかない。そして、専門家の忠告や医療関係者の警告にも従わずに大会を強行した菅首相らも、相応の政治責任を果たさざるを得ない。

## ――東京五輪の意義

海外で取材をしてみて、外国勢と比べ、日本のメディアだけが突出した扱いをする分野が三つあることを知った。ノーベル賞と、国連と、五輪報道だ。いずれも日本だけが異様なほど大きく扱い、重視してきた。

57年前の１９６４年に開かれた東京五輪は、「国際社会への復帰」の総仕上げの意味合いがあった。戦前の国際連盟脱退以来、国際社会から孤立し、無謀な戦争に突き進んだ日本は、惨《みじ》めな敗戦から立ち上がり、国際社会で再び評価されることを悲願とした。それを象徴するイベントが、１９４９年の湯川秀樹博士によるノーベル賞の初受賞、56年の国際連合への加盟、そして戦前に返上した「幻の東京五輪」の招致と実現だった。

東京五輪の年には日本人の海外観光渡航が自由化され、太平洋海底ケーブルTPC－1が開通した。日本は経済協力開発機構（OECD）への加盟が認められ、世界銀行の融資を受けて建設した東海道新幹線も五輪に合わせて開通した。

つまり東京五輪は、日本が通信、交通、経済すべてにわたって「世界」と再接続する象徴となったのである。東京五輪音頭が「オリンピックの晴れ姿」をうたいあげ、1970年の万博テーマソングが「世界の国からこんにちは」になったのも、戦争の影を振り払った当時の人々の素直な感情を伝えている。

では、今回の東京五輪の意義は何だったのだろう。東京五輪を招致した安倍晋三政権は「復興五輪」を理念に掲げたが、被災地をはじめとする国民からの理解は得られなかった。コロナ禍が広がって、東京五輪の1年延期を決めた際、安倍首相は「人類が新型コロナに打ち勝った証しとして、完全な形で開催する」といい換えた。その方針を引き継いだ菅首相は、足元で感染が拡大・再拡大を続ける事態を前に、さすがに「打ち勝った証し」とはうたわず、「安全・安心」としかいえなくなった。

では世界に向かって、どのような理念を発信しようとしたのか。開幕前夜の7月23日（日本時間）、菅首相は米テレビNBCとのインタビューで、「大会主催国として、世界の国々に対する義務を果たさなければならない」「世界中で40億人以上がオリンピックを観戦するだろう。そういう状況下で、コロナ禍を克服し、大会を開催することは、真の価値がある」と語るのみだった。これでは「開催ありき」の自己目的化にしかならない。

政権が決して語らなかったのは、実は東京五輪の大会理念「多様性と調和」だった。

それもそのはずだ。２０２1年2月には大会組織委の森喜朗会長が女性蔑視《べっし》発言で辞任。3月には開会式演出を束ねるディレクターが、出演予定の女性タレントの容姿を侮辱《ぶじょく》するメッセージをチームに送っていたことが発覚して辞任。開会式直前の７月19日には楽曲担当の作曲家が過去に同級生や障害者をいじめた経験を語っていたことが発覚して辞任。さらに前日の22日には、開会式の演出担当が、過去のお笑いコンビ時代に、ユダヤ人虐殺を揶揄《やゆ》する表現を使っていたことが発覚して、組織委から解任された。

女性蔑視や差別。障害者いじめ。人種への差別が殲滅《せんめつ》にまで暴走した歴史への揶揄。そうした人々が仕切る大会が、「多様性と調和」を看板に掲げられるはずもない。

いや、裏を返していえば、世界に受け入れられる「多様性と調和」を掲げたからこそ、こうした人々は馬脚をあらわし、東京五輪の舞台を去った、ともいえる。その多くは、内輪の「本音」がＳＮＳなどで拡散し、それを海外のメディアや識者が批判することで、退場をいい渡された。怒りが充満しても、「外圧」による着火がなければ、そのまま居座っていたかもしれない。

つまり、今度の東京五輪・パラの意義は、「多様性と調和」という美辞麗句で取り繕《つくろ》ってきた日本の社会が、いかに「多様性」の国際水準からほど遠く、恥ずかしい状態にあったのかを、私たちが知ることにあった、ともいえるだろう。と同時に、私たちはようやく過去の「五輪幻想」の呪縛から解き放たれ、他の国々と同じように、冷静な目で五輪に向き合うことができるようになった。遅ればせながら、行き過ぎた商業主義やＩＯＣの高圧姿勢に気づくようになったのは、かえって良かったとすら思える。

むしろ、大会理念の「多様性と調和」を私たちの目に焼きつけたのは、競技に参加する選手たちだった。女子バスケット日本代表の馬瓜《まうり》エブリン、オコエ桃仁花《もにか》選手、男子の八村塁《るい》選手ら複数のルーツをもつ選手の活躍は、「日本」をその内側から豊かな多様性ある国に変える可能性を私たちに教えてくれた。スケートボード女子では、転倒した岡本碧優《みすぐ》選手のもとに米、豪、ブラジルの選手らが駆けつけ、担ぎ上げて健闘をたたえた。

東京五輪・パラリンピックを、「パンドラの箱」にたとえる人もいる。コロナ禍の厄災がぶり返すという意味では、そうもいえる。だがそうだとしても、この感染を封じ込めた暁《あかつき》に、箱の最後に残るのは、「世界中のアスリートに託する希望」であってほしい。

## ――本書の成り立ち

国内で新型コロナウイルスの最初の感染が確認された2020年1月15日から東京五輪まで1年半。戦後の日本が、これほどの激動に見舞われた時期はなかったろう。そして、戦後社会がこれほど動揺し、「政治の貧困」と混迷をさらしたこともなかった。私たちが自明とみなしていた座標軸が揺らぎ、価値観が足元から崩れる日々は、まさに20世紀に通用した「パラダイム」が転換する兆しだろう。

新聞記者として34年間、その後フリーのジャーナリストとして10年間、私の取材の柱は「災害」と「国際紛争」だった。一言でいえば、「危機」に見舞われた人々の声を伝える仕事だ。すぐに現場に赴き、なぜ危機が生じ、人々はどんな状況に置かれ、何を必要としているのかを伝えるようにしてきた。

私が新型コロナ禍に遭遇したのは20年2月22日までの3日間、神戸市内で開かれた第25回「日本災害医学会」の総会・学術集会にたまたま参加したときだった。阪神・淡路大震災から25年にあたる総会のテーマは、「これでいいのか、災害医療！」。いわば学会の原点を再確認する機会で、私は「震災取材から考える災害時の医療活動」と題して話すよう頼まれた。

雲行きが怪しくなったのは、開会1週間ほど前のことだ。学会の主力会員に「災害派遣医療チーム（DMAT）」の皆さんがいらした。大災害の急性期にいち早く駆けつけ、救急医療を担当する医師や看護師らのプロ集団だ。そのDMATが、武漢からのチャーター便帰国者や、ダイヤモンド・プリンセス号の乗客乗員への医療対応に当たっているという。

学会には全国の一線から2千人以上の医療関係者が集まる。主催者は、懇親会など、不要不急の催しはすべて削《そ》ぎ落とし、感染対応に当たった会員には、参加の自粛を求めた。厚生労働省のガイドラインに沿って、発熱などの症状のある人にも参加を控えるよう呼びかけた。会場に消毒液を備え、手洗い励行を訴えた。

会場に行くと、学会は異様な緊張に包まれていた。自分たちの仲間が最前線で対応に当たっているのだから、当然だろう。主催者によると、自粛要請を知らず、当日学会に来て事務局に出席を断られ、やむなく引き返した会員もいたという。

海外からの参加者は来日できず、プログラムのいくつかは取りやめになった。それでも、あえて学会を開いた意義はあった。穴のあいたプログラムを埋めるかたちで、新潟大学大学院で国際保健学を担当する齋藤玲子教授が、「日本でいま起こっていること」と題する緊急特別講演を行い、最前線の医療従事者が新型コロナウイルスの特徴や対策、現状などについて、知見を共有できたからだ。

齋藤教授は疫学曲線や多くのデータを示しながら、その時点ですでに、クルーズ船では感染がピーク・アウトしつつあること、今後に市中感染が広がれば、医療崩壊を防ぐために、軽症者は自宅療養をしたほうがいいことなど、的確な見通しを語っていた。

だが、会議への出席で、私自身が濃厚接触者になる可能性があった。札幌に戻った2月23日から2週間、「自宅隔離」に入った。

外界との接触を断った2週間、まず始めたことは、コロナ禍の年表を作ることだった。感染症という性格から、このコロナ禍は波状的に押し寄せ、終息までに数年はかかるという見通しがあった。世界保健機関（WHO）が新型コロナを「パンデミック（世界的流行）」と認定したのは3月11日だったが、グローバル化の時代に感染が瞬時に世界規模に広がるのは、すでにその時点で明白だった。年表は、後から作ろうとすれば途方もない作業が必要になる。毎日、年表に追記することを、それ以後の日課にした。

たまたま参考のため知人に送ったその年表が拡散し、ネットの「J－CASTニュース」を主宰する蜷川真夫《にながわまさお》さんの目にとまった。サイトでコラムを連載しないか、と蜷川さんに誘われたのが4月8日で、同15日には蜷川さん、編集部の宇留間和基さんとZoomで打ち合わせをし、同25日には連載1回目の「ダイヤモンド・プリンセス号で何が起きていたのか」が配信された。

蜷川さんは、私が1995年に阪神・淡路大震災のルポを1年間、雑誌「AERA」に連載した当時の編集長、宇留間さんはその後の編集長だった。お二人の注文は、「国内外の識者や在住者にインタビューをして、政治・経済・社会から歴史・文化・環境に至るまで、あらゆる角度から、コロナ禍で何が起きているのかを記録してほしい」というものだった。

すでに4月7日には、当時の安倍晋三首相が1回目の緊急事態宣言を出しており、取材はおろか、身動きすら取れない状況になっていた。そのため、取材は主にZoomで国内外と結び、各地の識者や在住者に話をうかがっては現況をご報告するかたちになった。

これまで40回以上に及ぶ連載では、そのつど、各地の様子をご報告してきた。新聞やテレビでは報じられない細部を克明に記録しようとしたため、1回が400字詰め原稿用紙で20～30枚以上になる長文だ。

だが、時々の読者にとっては「リアルタイム」の報告であっても、振り返れば時系列に沿って、瞬を切り取った「スナップ・ショット」にとどまり、そのままでは全体の構図が見えない。書籍化の話をいただいたときに、まず本数・分量を絞り、すべて再構成することになった。時を経ても古びないテーマや、コロナ禍を通して記録しておきたいテーマだけを選んで順序を入れ替え、それぞれの文章の冒頭に取材の狙いやその後の経過を加えて一冊の本に編んだのが本書である。テーマの取捨選択や編集、構成については、朝日新聞出版の松岡知子さんに全面的にお世話になった。

## 「コロナ禍」の特異性

科学ジャーナリスト大岩ゆりさんの『新型コロナ制圧への道』（朝日新書）によると、表面に突起のある形状から「コロナ」と分類されるウイルスで、これまでヒトに感染するものは6種類あった。4種類は風邪の症状を引き起こすが、ほとんど重症化しない。5番目が重症急性呼吸器症候群（SARS）、6番目が中東呼吸器症候群（MERS）だった。今回「COVID－19」と命名された新型コロナウイルスは7番目になる。

ではなぜ、新型コロナがこれほど世界に混迷と混乱をもたらすに至ったのか。

語弊を恐れずにいえば、それは新型コロナの「あいまいさ」にあるのだと私は思う。新型コロナにかかった多くの人は無症状か軽症で済む。しかし、人にうつす力は高く、高齢者や基礎疾患のある人は急激に重症化し、死に至ることもある。その「特異性」が、さまざまな混乱をもたらしたのだ、と。

その意味はこうだ。致死率が高く、感染力も高ければ、人々は恐慌状態に陥り、外部から自分たちを完璧にシャットアウトするだろう。致死率が高く、感染力が低ければ、徹底した防疫と隔離で局地に限定できるかもしれない。厄介なのは、全体の致死率がそう高くなくても、感染力が比較的高く、一部の人たちが急激に重症化し、死に至ることもある、という今回のようなケースだ。いわば「グレーゾーン」に棲《す》むウイルスといっていい。

それは何を意味するのか。つまり、こうした「グレーゾーン」の危機に対しては、特効薬も正解もないということだ。経済活動の維持・再開と、感染拡大防止は常に天秤《てんびん》の両方の皿に置かれており、そのバランスは絶えず揺れ動く。二者択一の正解はなく、どちらに比重を置くかは感染状況をどう判断して対応するのか、それぞれの社会の合意に託されている。

ワクチン接種が広く世界に行き渡るまで、人が接触し、人流が増えれば、感染が拡大することは明らかだ。だが死をどこまで受け容《い》れるかという許容度、重症化が医療機関にどれほど負荷をかけるかという医療水準、経済停滞による痛みや犠牲をどこまで分かち合い、合意できるのかは、それぞれの社会によって異なる。

本書で取り上げたように、スーザン・ソンタグは『隠喩としての病い』の中で、病は医学的な意味とは別の「隠喩《がんゆ》」として立ち現れると指摘した。人々が単なる「病」にさまざまな意味を投射し、それが社会的な含意をもたらすのだ、と。それはすべての病においていえることだが、新型コロナの場合は、感染の広がり方や対策の方法に多くの社会的変数を呼び込むことになり、他の病よりもずっと「社会性」を帯びる。厳格なロックダウンから、「流行性インフルエンザ」との同一視、「社会的免疫」

獲得のための軽視に至るまで、各国の対応のスペクトラムが大きく分かれたのは、その「社会性」に拠《よ》るところが大きい。

## コロナ対策の三つのタイプ

新型コロナとコロナ禍は違う。新型コロナは自然界に実在するウイルスだが、コロナ禍は人や社会がそのウイルスにどう対処し、軋《きし》みや犠牲をもたらすかという「自然・人間・社会」の複合現象だ。一揺《ひとゆ》すりすれば模様が一変する万華鏡のように、それは人と社会の切片の付置がもたらす鏡の中の像だろう。

各国の対応は、大きく分ければ三つの類型になる。

第一は、最初に大規模感染が起きた中国・武漢市や欧州各国のように、当局が罰則や取り締まりなどの強制を伴う厳格な都市封鎖（ロックダウン）を行う類型だ。

第二は、中国や韓国、台湾のように、感染者追跡・接触アプリなどＩＴ技術を駆使して感染を抑え込み、封じ込める類型だ。これは、迅速な大規模ＰＣＲ検査と並行して進められることが多い。

第三は、罰則や取り締まりを伴わない「お願い」ベースの休業・時短要請を行い、業者には「協力金」の形で補償をする「ソフト・ロックダウン」の類型だ。日本は発症後だけでなく、発症以前にもさかのぼって感染者や濃厚接触者を割り出す「クラスター追跡」の手法を併用し、感染拡大を抑え込もうとした。

この三つの類型のどれが効果的であったか、即断することは難しい。独仏伊など欧州各国は、厳格な都市封鎖で一時の感染爆発を防ぎ、緩やかな措置にとどまった英米は、爆発的な感染と死者急増を招いた。しかし英米はワクチン開発と迅速な大規模接種で急速に巻き返しを図り、中国と並んで最も早く経済活動再開に向けて動き始めた。

当初は水際対策の徹底とＩＴ技術の活用で「優等生」ともてはやされた台湾や韓国も、ワクチン接種の遅れと変異型ウイルスの蔓延《まんえん》で再拡大を招くなど、必ずしも一つの類型が他よりも優位に立つという保証はない。

では、第１波の感染拡大を抑え込み、「日本型モデル」と政権が自画自賛した第三の類型はどうであったのか。第２波が収まらないうちに「ＧｏＴｏキャンペーン」を行って第３波を招き、さらに第４波のあとも東京五輪・パラリンピックの実施に向けて手綱を緩めた結果、東京五輪は、４度目の緊急事態宣言下で行われ、首都圏などの競技はすべて無観客という異例の事態に追い込まれた。その対応には、「日本型モデル」と呼べるような首尾一貫性はなく、多くは後手で、その場しのぎの対応に終始したといえるのではないか。

## 露呈した「後発」の実態

だが、それでも日本は、膨大な感染者・死者を出した米国、ブラジル、インド、メキシコなどに比べ、はるかに少ない数の感染にとどまっている。それが「ファクターＸ」と呼ばれる日本に特有の未知の要因によるものか、現場を支える医療・介護従事者らの奮闘によるものなのか、すぐには判断できない。だが、ここで重要なのは、今回のコロナ禍で、他国に比べ、日本の何が立ち遅れていたのかを、直視することではないだろうか。幸運や偶然が作用する「達成」や「成果」には再現性がないとしても、今回あらわになった構造的な問題や弱点は、来《きた》るべき感染症において、再び繰り返される可能性が極めて高いからだ。

本書をお読みいただければわかるように、日本の場合、大きく立ち遅れていた分野は「ＩＴ技術」と「バイオテクノロジー」だった。この30年間、歴代政権は「ＩＴ大国」「バイオ大国」の看板を掲げ、メディアもその輝かしいイメージを社会に広めてきた。

だが、世界が同時に巻き込まれる「パンデミック」は、同じ脅威に対し、それぞれの社会がどのような科学技術で立ち向かうのかを、残酷なまでに如実に映し出した。接触確認アプリ「ＣＯＣＯＡ《ココア》」の度重なる不具合や、感染者数の集計に手書きやファックスを使う実態など、コロナ禍があぶり出したＩＴの水準は、目を覆わんばかりに遅れていた。「ＩＴ先進国」ゆえに国や自治体の縦割りシステム作りが先行し、個人情報保護ゆえにその統合が困難だったという事情を割り引いたとしても、ＩＴ技術の普及や活動が、これほどまでに世界の水準から遅れていたことに、唖然《あぜん》とした方も多いのではないか。

もう一つは、ワクチンの開発・製造など、バイオテクノロジーの遅れだ。今回早期にワクチンを開発した米、英、独、中国、ロシアから大きく水をあけられていることは歴然としている。日本のワクチン調達、接種の遅れは、単なる政治・外交交渉の拙劣《せつれつ》さというより、各国が自国や影響圏の国々を優先させる中で、独自開発・製造の力を失った日本が、孤立した結果だといえなくもない。

こうした分野での日本の凋落《ちょうらく》の原因が、歴代政権のみにあったとは、私には思えない。より大きな責任は、日本が常に世界の「トップ・ランナーズ」の位置にいると喧伝《けんでん》し、あるいはそう信じ込んできたメディアにあるように思う。

今回のコロナ禍について、メディアは常に政権に対策の「エビデンス」の開示を求め、対策の効果について「検証」の必要性を説いてきた。それ自体は間違っていないし、必要なことだろう。しかし、それだけでは足りない。政権の宣伝に鋭い批判を加えず、「技術大国」の幻想を振りまいてきた責任はメディアにある。「検証」の必要性を説くなら、メディアは率先して、自らの過去の報道の在り方を含め、コロナ禍を徹底検証すべきではないだろうか。

## 日本の限界と可能性

コロナ禍はまた、日本社会の限界と可能性をも浮き彫りにした。

危機によってあらわになったのは、まず、この10年近くに及ぶ安倍晋三政権、後継の菅義偉政権のもとで進行していた政治力の空洞化だった。官邸への権力の集中化という掛け声が、議会によるチェックの軽視や、官僚による政策競争の沈滞化を招き、かえって政権の求心力や行政へのグリップ力を弱める結果になっていたことが、明らかになった。異論や批判を封じ、「仲間内」で官邸を固める政権は、世論の変化に応じて柔軟に政策を調整する政権よりも、内側から壊れやすい。「王様は裸だ」の一言で、うわべの権威を失う権力ほどに、か弱いといっていいだろう。

議論や合意に手間暇がかかる民主主義だから、危機対応に遅れが出たのではない。民主主義の基本が損なわれ、きちんと作動しなかったからこそ、対応が遅れたのだ。

この間に、「専制主義」と「民主主義」のいずれがコロナ禍により効果的に対処できるのか、という設問が出された。大方は、厳格な統制でコロナ禍を封じ込めた中国と、民主主義の「本家」を自認しながら、感染が世界最多の犠牲を出した米国を念頭に出された問いだった。

しかし、トランプ政権下の米国で、民主主義が十分に機能していたかどうかは疑問だし、20世紀の末近くになって「民主化」に転じた韓国や台湾も、かなり効果的にコロナを抑え込んできた。コロナ禍対処の「成果」や「不首尾《ふしゅび》」を、政体に結びつけて論じることには慎重であるべきだろう。

同じように、コロナを「政治化」することには、強く警戒すべきだろうと思う。中国はコロナの感染拡大を理由に香港の民主化運動を封じ込め、言論の自由を統制したばかりか、民主政治そのものを骨抜きにした。タイではコロナ禍が反政府運動の抑圧の口実に使われ、ミャンマーでは、国軍によるクーデターに対する「不服従運動」が、医療従事者の不足やワクチン接種の遅れとなって感染拡大を招いている。新型コロナが、これまでの感染症よりもずっと社会の変数を呼び込むこと、従って政権にも市民にも選択の余地が広いことを自覚し、私たちがどこまで、自らの価値観を守りながら感染を抑え込めるか、自覚的に問うことが必要になるだろう。

次にあらわになった日本の「限界」は、「中央集権制」や「申請主義」がもたらす行政の欠陥だ。政府が「緊急事態宣言」や、「まん延防止等重点措置」を発出し、自治体がその実施の細目を決めるという特措法の立てつけは、さまざまな面で混乱を招いた。政権中枢の決定と、現場の判断とでは、利害が相反する場合が多く、その調整に時間がかかるのはやむを得ないし、むしろ自然な対応とすらいえる。

だが平時にはそれでいいにしても、即断即決が求められる緊急時には、スピードが必要だ。各州政府の権限が強いドイツでは、メルケル首相が各州首相と緊密に連携し、連邦政府と各州の政策をすり合わせる機会を頻繁に設けた。日本では、全国知事会がしばしば緊急提言を出したが、首相と自治体首長が対策をすり合わせる場面はほとんどなかった。

同じように対策の遅れを招いたのは、日本の行政に特有の「申請主義」だ。行政から支援金や給付を受ける人は、膨大な書類を準備し、個別に「申請」することを前提とする。そもそも受給資格のある人が、複雑な制度の設計や条件を知らず、必要な書類を準備する暇もないことが多い。さらに行政にも人員や作業に重い負荷がかかり、事務手続きそのものが遅れる原因になる。その典型が、緊急事態宣言下で休業や時短要請に伴う「協力金」の支払いが遅れ、資金が回らなくなった飲食店などが、やむなく、「要請」に従わなかった例だろう。とりあえず必要とする人に必要な給付をして、事後にそうでない人の不正をチェックするという手法が、これからは必要になる。

第三にあらわになった「限界」は、日本型「成長主義」と、「男性稼ぎ主」を柱とする日本型福祉の行き詰まりだろう。これは、高度成長経済のもとで作られたワンセットの戦後日本の礎《いしずえ》だった。「成長なければ福祉なし」という「刷り込み」であり、一時はやった「トリクルダウン」論の変奏ともいえる。本書に収録した高橋伸彰さん、水野和夫さんへのインタビュー報告は、その「成長主義」の限界と、成熟社会における新たな活性化への指標を示してくださる。

また、戦後の日本社会がいかに「男性優位」のまま形づくられてきたのかについては、坂東眞理子さん、宮本太郎さんへのインタビュー報告をお読みいただければ、と思う。

コロナ禍によって、こうした日本の戦後社会のひずみがあらわになったのは、決して偶然ではない。あらゆる災害は、その社会の弱点や死角を浮き彫りにする。被害はその社会の最も脆弱《ぜいじゃく》な部分に集中して出るからだ。非正規の労働者やシングル・マザー、エッセンシャル・ワーカーにリスクが集中するのは、彼らが社会的に弱い立場に置かれ、それゆえリスクを回避できず、引き受けざるを得ないからだ。まさにコロナ禍は、「社会的な病」なのである。

朝日新聞は7月23日付朝刊で、上場約2400社のうち、日本企業で役員報酬が1億円以上になった人々が21年3月期で前年より11人増え、過去2番目に多い544人に上った、と報じた。株高が続き、株式報酬が下支えした結果だという。

その一方、従業員給与は冷え込み、20年の1人当たり月間の現金給与は前年より1・2％減って約31万8千円。とりわけ休業や時短を余儀なくされた飲食サービス業が5・9％減、工場の操業調整の影響が出た製造業3・4％減など、コロナ禍に直撃された業種で下落が目立った。

ウイルスは等《ひと》し並みに人々のリスクを高めるが、コロナ禍は、平等ではない。社会的な病は、社会のひずみを、さらに拡大させる。

## ――「アフター・コロナ」の可能性

だが「ピンチはチャンス」という格言通り、この「限界」は「可能性」も指し示している。

今回のコロナ対応で最も注目されたのは、都道府県知事によるリーダーシップだったろう。戦後の日本社会で、自治体による独自性や工夫が、これほど発揮された例は、あまり見当たらない。協力金を求める自治体の声が、政府の当初方針を押し返すなど、「現場」を預かる首長は、歯に衣着せずに政府に異議申し立てをした。ワクチン接種の遅れを厳しく批判したのも、住民の命と安全に責任を負う首長ならではの真摯《しんし》な姿勢だった。こうした積み重ねが、「地方分権」に向けた基盤づくりにつながるなら、大きな災いの後で、かすかに差す光明《こうみょう》になるだろう。

コロナ禍は「働き方」や「暮らし方」にも大きな影響を与えた。コロナ禍が加速したオンラインへの移行は、職場滞留時間を競う日本型組織に特有の「働き過ぎ」を緩和し、組織の在りようを変える可能性がある。村木太郎さんがインタビューで指摘するように、「ジョブ型」の働き方が広がり、組織への忠誠心や、会社本位の男性優位社会を変えるきっかけになるかもしれない。

また、オンラインへの移行は、大都市圏に集中する人口を分散し、地方への移住や、少なくとも複数拠点の暮らしへの転換を促すかもしれない。

だが、なんといっても大きな可能性は、今回のコロナ禍が浮き彫りにしたこの社会の限界、ジェンダーや人種、民族、障害の有無などに基づく差別や偏見をなくしていくこと、つまり、２０２０東京五輪・パラリンピックが掲げた「多様性と調和」に向けて、着実な歩みを続けることだろう。

コロナ禍はこの社会の課題を可視化した。これほど大きな犠牲を、無駄に終わらせてはならない、と思う。

第1章

# ダイヤモンド・プリンセス号で何が起きていたのか

## ダイヤモンド・プリンセス号で何が起きていたのか

新聞記者をしていたころ、社会部の先輩から、「大きな事件事故の取材で出遅れたときには、地図か年表を作れ」といわれた。締め切り直前の取材は人海戦術で、編集部に駆け付けた記者から、早い者がちで取材が始まる。遅れて駆け付けた記者は何をしてよいかわからず、手持ち無沙汰になる。そうしたときは、迷わず地図か年表を作れ、という教えだ。実際、先に取材をしている記者に、そうした作業をしている暇も、心のゆとりもない。

これまで大きな災害の取材を重ねて、その教えの真意が、「できるだけ早く取材の当事者になれ」という教訓だとわかった。当事者意識を持たなければ、いつまでも他人事にとどまり、災害が「自分事」にはならない。被災者につかず離れず密着し、しかも客観的に報道するには、いち早く現場に赴くしかない。

1995年の阪神・淡路大震災は初日から、2011年の東日本大震災では発災1週間後に現地に入り、その後継続取材を続けた。

今回のコロナ禍は、発災時に最大の被害が出て、その後被害が緩やかに減衰し、復旧・復興に向かう通常の自然災害とは違う。感染は地域によって、時期によってまちまちで、しかも波状になって繰り返し押し寄せる。

だが、そうした不定形・複雑な災害でも、「できるだけ早くに、取材の当事者になる」ことは必要だ。コロナ禍が広がって1年半が過ぎ、私にそのきっかけを作ってくれたのが、ここに紹介する千田《ちだ》忠《ただし》さんの講演だったことに気づく。これがコラム連載の初回になった。

「ダイヤモンド・プリンセス号」の集団感染は、国内で最初にコロナ禍の衝撃を、目に見える形で示した。だが千田さんの話は、感染の不安や恐怖だけでなく、コロナ禍が人々や社会にもたらす本質的な変化にも及んでいた。感染症は人々を孤立化させ、受け身にさせる。隔離によって横のつながりが断たれ、圧倒的な「権威」の前に受け身に立たされる。

それが千田さんの直観だった。その言葉通り、列島はその後、巨大な「ダイヤモンド・プリンセス」になって漂流を始めた。

＊＊＊＊＊

## ――船内で目立った「旅行弱者」

中国の武漢に始まり、韓国やイラン、欧州や米国でも広がった新型コロナウイルスは、今や日本でも深刻さを増している。

今身の回りで起きつつあることを、冷静にとらえるために、ぜひとも考えてみたいことがある。それは、日本で最初に起きた爆発的な感染の場、「ダイヤモンド・プリンセス号」（以下「ＤＰ号」と表記）で何が起きたのかを検証することだ。

２０２０年4月13日夜、「さっぽろ自由学校 遊《ゆう》」で、注目すべき講演があった。演題は「ＤＰ号の真相」。北海道・札幌市が12日、緊急共同宣言を出して自粛を呼びかけたため、主催者は参加人数を絞り、会場に来たのは、メディアを含め15人。それがもったいないと思えるほど核心に迫る講演だった。

講演したのは札幌在住で、ケアリング・コミュニティ研究会代表の千田忠さんだ。

地元では元酪農学園大教授の教育学者として知られるが、ここでは2度にわたって厚生労働省に「要請文」を出した「ＤＰ船内隔離生活者支援緊急ネットワーク」代表として、その体験談をご紹介したい。

初めに、千田さんがなぜＤＰ号に乗り合わせたのかを書いておきたい。ＤＰ号にはつねに「豪華客船」の形容がつきまとい、偏見や誤解を招きがちであるからだ。

千田さんは大学を退職した十数年前から、高齢者の生活環境を探るフィールド調査の場として岡山県真備《まび》町に通い詰めた。２０１８年7月、西日本豪雨に見舞われたあの真備町である。往復にはいつも、片道約2万円で心身が寛《くつろ》げる小樽—舞鶴の新日本海フェリーを利用し、船旅のよさを知った。

「初春の東南アジア大航海16日間」のＤＰ号に夫妻で乗船したのも、若者の反中デモで揺れ動いた香港や、若いころに反戦運動で関心を寄せたベトナムを見たいと思ったからだ。

「豪華客船」と呼ばれるクルーズ船だが、最高級の特別室もあれば、小さな部屋もある。正規料金で売り出しても空き部屋があれば、次々に小規模、零細代理店が引き継いで割引きをし、最安値では1人十数万円になる。

千田忠：北海道大学大学院教育学研究科修了。元酪農学園大学教授。現在はケアリング・コミュニティ研究会代表を務める。著書に『地域創造と生涯学習計画化』（北樹出版）がある。

ＤＰ号は船籍が英国、所有が米社、建造は日本の三菱重工長崎造船所である。乗客定員２７０６人、乗員１１００人。部屋は旅行直前まで安値で取引されるので、今回もほぼ満員だった（国立感染症研究所のＨＰによると、帰港時に乗客２６６６人、乗員１０４５人）。ＤＰ号と同じ18階建てのマンションがほぼ満室だった状態を想像すればイメージをつかみやすい。

千田さんによると、乗客のうち日本人は5割以下。米・豪の旅行客が多かった（20年2月5日付朝日新聞夕刊によると乗客は56か国・地域に及ぶ）。乗員のうち管理部門は欧米系だが、長時間労働をする大半はフィリピンやインドネシアなどアジア系だった。アジアの労働者に支えられ、多国籍の乗客が乗り込み、欧米資本が潤うという構図だ。

目立ったのは、高齢者や車イスの客、杖をついて歩くパーキンソン症候群の人などの「旅行弱者」だった。移動する必要が少なく、いつでも休むことのできる環境が、いざ感染になると裏目に出てこうした人々を疲弊させた。

船内には日本の領海外で開かれるカジノ会場や、ショーを公演する大きなステージ、ダンスホール、ジム、映画館などがあり、「参加・創造型」とは対極にある「享楽・享受型」のエンターテインメントが主流だった。

## ――横浜帰港直前の船内であった決定的だったこと

ＤＰ号は1月20日に横浜を出港し、鹿児島、香港、ベトナム、台湾、沖縄を経て2月3日に横浜に帰港した。千田さんらが異変を感じたのは、2月1日の沖縄寄港時だ。下船した乗客は、武漢での感染拡大の影響で、午後6時まで4〜5時間の検温、問診などの検疫を受けた。那覇市内に行けないまま再びＤＰ号に戻る人も少なくなかった。

実はこの日は、ＤＰ号から1月25日に香港で下船し、同30日に発熱した客が、新型コロナウイルスに感染していると確認されていた。米紙ニューヨーク・タイムズによると、香港当局は直ちに船会社に緊急メールを送ったが、それが翌日まで放置され、感染者確認を知った船会社も、2月3日に清掃の強化という低レベルの感染対策を取っただけだった。

この2日から横浜に帰港する3日までが感染拡大においては決定的だった、と千田さんはいう。その間、船内では下船直前の祝賀イベントが盛大に行われ、ショーやダンス、音楽会などで、どこも人が混みあい、立錐《りっすい》の余地がないほどだったという。

乗客は翌4日に下船予定で、荷造りをしたスーツケースを廊下に出して準備する人も多かった。しかし、船側からは何の連絡もなく、午後3時半近くになって突然、「検体を持ち帰って調べるので今夜は停泊します」とアナウンスがあった。

5日に加藤勝信・厚労相は、発熱やせきなどの症状がある人とその濃厚接触者273人の検体を採取し、うち31人の結果から、10人の感染が確認されたことを明らかにし、検疫期間の14日間は船内にとどまるよう求めた。

厚労省は7日までに全検体の検査結果が判明し、陽性が計61人に達し、うち重症が1人だと発表した。厚労省は陽性が判明した人々を下船させて東京、埼玉、千葉、神奈川、静岡5都県の医療機関に入院させた。陰性になった残りの人々は、検査を受けていない人と共に引き続き船内にとどまり、原則船室待機になった。

だが、乗客は5日に船室待機と14日間の検疫を知らされて以降、ほとんどまとまった状況説明や支援内容、下船までの見通し（ロードマップ）について説明を受けなかった。厚労省の連絡先に電話しても、いつも通話中で、たまにだれかが電話に出ても「担当者がいないのでわかりません」といわれ、「後で連絡するから」と告げられても返事は返ってこなかった。陽性が判明した人は、30分前に電話で知らされ、電話から30分後には救急車で搬送されるという慌ただしさだったという。

悪化する船内環境に不満や非難の声が出始めたころ、7日の午前中に千田さんは、スマホに流れた1枚の写真に衝撃を受けた。

## ――「情報の非対称性」に抗して

「くすりふそく」と書いた日の丸を掲げた日本人女性の報道写真だった。

自分たちの焦りや不安は、「ニーズの届け先がない」からだ。千田さんはそう気づいた。

一方では厚労省の医系技官、事務官、医療関係者という絶対的な権威が船を支配し、他方で個々の客は自らの状況も見通しも教えてもらえない。互いの状況もわからない。つまり、権力・権威と船客には圧倒的な「情報の非対称性」があった。これは何かに似ている。そう考えたとき、千田さんの脳裏に浮かんだのは、かつての監獄のイメージだった。そこでは権力・権威が場を支配し、囚人は情報も、その先の見通しも教えてもらえない。他の房にいる囚人とは連絡がつかず、互いの状況についても知らない。

ではいったい、どうやって彼らは連絡を取り合ったのか。客は船室に隔離され、互いの状況を知らない。ワンセグでテレビを見られるスマホを持っている人もいれば、そうでない人もいる。テレビはBSプレミアムしか見られず、定時のNHKニュースが船内の様子を詳報してくれるわけでもない。

客室を結ぶ電話はあるが、そもそも互いに知己《ちき》というわけではないし、部屋番号を知らないのがふつうだ。

幸い、千田さんは乗客と知り合って電話番号を交換したり、部屋番号を控えたりした知人が10人前後いた。すぐに連絡を取り合い、今必要なことや日用品、薬などのニーズを集約する作業に取り掛かった。知人はそれぞれ別の知人に連絡を取り、推定でグループのメンバーは150人ほどに増えた。もちろん互いに顔も知らない「DP船内隔離生活者支援緊急ネットワーク」が形成され、10日に千田さんが手書きの「支援要請書」をまとめ、厚労省に提出し、報道各社に公開した。

要請の内容は1週間も行われていないシーツの交換や室内清掃の実施、健康対策の実行、医療専門家の派遣、情報提供、ニーズ対応窓口の設置など多岐に及んだ。一言でいえば「検疫」一辺倒の処遇に対し、高齢者や既往症《きおうしょう》を持つ人など弱者への配慮と情報提供を求める当然の要求だった。

この要請によって、政府の対応は劇的に変わった、と千田さんはいう。医療支援団が大幅に増強され、不足していた薬が届き、室内環境は良くなった。窓口対応も迅速化した。

14日には橋本岳《がく》・現地対策本部長が船内放送をしたが、千田さんらが「現地対策本部」の肉声を聞いたのは、それが初めてだった。

14日にはアイフォーン貸与も始まったが、機器に不慣れなお年寄りも多く、ちぐはぐな対応でしかなかった。

千田さんらは16日、2通目の緊急要請を厚労省の政府対策本部、現地対策本部に送り、対応を求めた。表題は『DP号は『コントロールされていない』』というもので、一刻も早く検査を終え、下船の措置を取るよう求める内容だ。この要請文によれば、船内は感染の爆発的な拡大（アウトブレイク）

の様相を呈しており、①各種支援の内容の告知　②重症化した乗客への早急の対処と検証　③権限ある広報体制の確立　④一刻も早い検査終了と19日の下船手続きの完了などを求めた。そして、こう結んでいる。

「そもそも今回の政府による隔離対策は、船内での感染拡大を防げていないばかりか、感染していない健康な乗客の感染および疾病のリスクを高めるなど、重大な欠陥を有しています。感染の拡大にいたった責任の所在を明らかにし、国民に説明することを求めます」

ＮＨＫサイトによれば、４月18日までにＤＰ号での感染は７１２人、死亡13人、重症４人、退院６４５人。一つの空間としては前例のない大規模感染だったといえる。

講演で千田さんは、「被災当事者主体の独自検証」の必要性を訴えた。これは情報の全面開示を前提として、「専門家だけによる第三者検証ではなく、被災当事者の視点も取り入れた、支援の問題点を検証する協同作業」のことである。

コロナ禍は自然災害に準じる災厄であっても、その広がりにはヒューマン・ファクターが絡む。救援や支援の側が自前で検証しても、被災側の視点がなければ、せいぜいが「反省」か「改善点」の提示に終わるだろう。当然の主張だが、ふだん見過ごされている重要な問題点の指摘だと思った。

最後に千田さんは、「健康」について、世界保健機関（ＷＨＯ）の考え方を紹介した。ＷＨＯ憲章の前文にはこうある。「健康とは、完全な肉体的、精神的及び社会的福祉の状態であり、単に疾病又は病弱の存在しないことではない」。さらにＷＨＯは２００１年、保健、医療、福祉関係者や障害・疾病を持った人々や家族のために、「国際生活機能分類」（ＩＣＦ）と呼ばれる指標を採択した。これによれば、「健康」であることは、心身機能や身体構造だけでなく、個人的な「活動」や、社会的な「参加」も考慮しなくてはいけない、とされている。つまりＤＰ号の対策の場合でも、こうした「活動」や「参加」がどこまで考慮されていたかを検証してみるべきだ。それが千田さんの講演の締めくくりだった。

ここまでが千田さんの講演のご紹介であり、以下はその話を聞いて私が考えたことだ。

## ――キーワードは「主体」と「ニーズ」

ＤＰ号は、コロナ禍の大波に揺さぶられる今の日本の縮図といえる。思い起こしてみよう。千田さんがＤＰ号で感じたように、そこで行われていたのは「参加・創造型」の文化活動とは対極にある「享楽・享受型」の祝祭的なエンターテインメントだった。つまり乗客は「受け身」のまま、それを楽しんだ。

それが突然暗転し、「検疫」によって人々は隔離された。情報も先の見通しもなく、行政や医療関係者という権力・権威のもとで、「受け身」でいることを強いられる。そこで出現するのは、権力・権威と結びついた圧倒的な「情報の非対称性」だった。乗客同士が互いの状態を知らず、連絡も取れない状況に風穴を開けたのは、ある女性が掲げた「くすりふそく」という日の丸だった。千田さんらはそこで「ニーズの届け先がない」ことが不安や焦りの原因であることに気づき、知人と連絡を取り、ネットワークを形成した。つまり、「受け身」の存在から、積極的に発信する「主体」へと転換したのだった。

これは、今日本の社会で起きていることについて、きわめて示唆的だろう。私たちはコロナ禍の前から「享楽・享受型」のエンターテインメントに居心地よさを感じてきた。それがコロナ禍によって暗転し、「万人による万人からの隔離」を強いられ、社会活動は急速に緊縮した。政府による情報公開や先の見通しはきわめて限られ、私たちは疑心暗鬼にとらわれている。つまり、権力・権威との圧倒的な「情報の非対称性」が、不安や焦り、恐れを倍加させている。それなのに、私たちは依然として「受け身」のままだ。以前は「享楽・享受型」の典型だったテレビのワイドショーを見て、コメンテーターの疑問に相槌《あいづち》を打ち、一喜一憂するしかない。

たとえていえば、この状態は、ミシェル・フーコーが指摘する監獄などの一望監視システム「パノプティコン」に近い。囚人はつねに監視されているという意識を抱いて規律を内面化し、それが社会規範となって人々を圧倒的な「受け身」の状態に置く。千田さんが船内の個々の状況を「監獄」になぞらえたことを思い起こそう。互いに連絡を取れず、互いが置かれた状態もわからない。環境はどんどん悪化しているのに、それが自分だけなのか、全員に当てはまるのか、それすらわからない。

もちろん、この「パノプティコン」は感染爆発を遅らせるための対策で、自分や愛する人、知人や社会のすべての人の命を救うためのやむを得ない処置の結果、出現した。

しかし、その場合も、キーワードは「主体」と「ニーズ」だ。物理的、社会的な距離は置かざるを得ないとしても、私たちは横のコミュニケーションを活発にして、私たちの暮らしにどんな歪《ゆが》みやひずみが生じ、苦しんでいるのかを語り合い、「ニーズ」をSOSとして発信していくべきではないか。感染の特徴や速度、その結果や防止策については、医療関係者にしかわからないことも多いだろう。しかし、現に我が身や家族、友人、知人、同業者に起きつつあることや、その苦境、苦悩は、政治家や官僚よりも、当事者である私たちの方がよく知っており、私たちにしか発信できないことなのだから。

そして、「健康」には、精神的、社会的な側面があることをいま一度、想起しよう。もし私たちが、「受け身」のままこのコロナ禍を過ごしていけば、多くの弱者の命や暮らしが絶たれ、ずたずたになり、コロナ禍のあとも、「パノプティコン」は常態化する恐れがある。

この厳しい時期を我慢して乗り切る。それが社会の合言葉であるべきだ。ただし、「受け身」ではなく、主体的に連絡を取り合い、互いにニーズも発信して支え合っていくことを大切にしたいと思う。

## 「行動変容」から「価値変容」へ

大きなテーマの取材に取り組むときは、できるだけ事前に「設計図」を描くようにしてきた。これは「取り上げるテーマ」「取材対象」「どのように取材するか」という三つの座標軸を設定し、途中で方向を見失ったときに立ち返るための立体地図といってもいい。

コラムを連載するにあたっては、まずインタビューを始める前に、この座標軸を定める予備作業として、内外の研究機関や雑誌の論評をネットで読み漁《あさ》った。

当時はまだ感染の初期段階にもかかわらず、英米の大学やシンクタンクが総力を挙げて発信を始めていた。英国ではオックスフォード大やロンドン大、米国ではジョンズ・ホプキンス大やブルッキングス研究所などだ。こうした機関は所属する研究者や専門家を動員し、自然科学から社会・人文科学まで、驚くほど広範な分野にわたってデータやケース・スタディを公開し、政策提言を行っていた。当時の日本の大学やシンクタンクの多くが、学内向けに感染防止対策や行事変更などを告知するだけに終わっていたのとは、対照的だった。

「行動変容から価値変容へ」と題するこの文章は、そうした予備的なリサーチで見つけた雑誌「ニューヨーカー」掲載の論文を下敷きに、今後「取り上げるテーマ」を絞ったコラムだった。

当時は日本の疫学専門家が、「行動変容」という言葉を使い始めた時期だ。とりあえずは感染防止のために、これまでの行動を変えねばならない。だが感染が波状的に襲い、長期化する以上、目先の

「行動変容」だけでなく、コロナ禍を瞬く間に「パンデミック」にさせてしまった「価値」そのものを問い直す必要があるだろう。ここではその「社会的培養器」としてグローバル化、IT化、都市過密化という3点を取り上げた。

この第1章に収めた初期の論考を書き終えるころには、座標軸が固まった。文明論を中心に国内外の研究者や専門家にZoomで話をうかがい、ご報告する。第2章以下の文章がその具体例だ。

＊＊＊＊＊

## ――社会の鏡としてのパンデミック

ウイルスは人類登場と共に存在する。そう説く人も多い。ペストやコレラ、結核などが繰り返し発生したことを指摘し、いずれ私たちは有効なワクチンを開発し、あるいは集団免疫によってこの災厄を克服できる、という識者もいる。その通りだろう。

だが、今回の新型コロナウイルスと、過去の疫病は、同じようなものと考えていいのだろうか。その克服の先に出現する社会は、感染が大流行する前の、あの懐かしい、数か月前には自明と思えた社会と同じ姿なのだろうか。そのことを考えるうえで、参考になるインタビューが、「パンデミックはいかに歴史を変えるか」という表題で、米誌「ニューヨーカー」(電子版)に2020年3月、公開された。

同誌がインタビューしたのは、イェール大で歴史・医学史を教えてきたフランク・M・スノーデン名誉教授だ。近著に『流行病と社会　黒死病から現在まで (Epidemics and Society : From the Black Death to the Present)』がある。その著書で教授は、流行病は気まぐれに、警告もなく人を襲って苦しめるものではない、と説く。反対に、すべての社会は特有の脆弱性《ぜいじゃくせい》を備えており、その脆弱性を考えるに当たっては社会の構造や生活水準、政治的な優先事項を理解しなくてはいけない、という。

これはどういうことだろう。自然界に存在するウイルスが、人間関係や社会にどうかかわっているというのだろうか。その問いに対する教授の答えはきわめて明快だ。

「流行病は、人類がいかなる者かを映し出す鏡だ。なぜなら、病原菌は人類がつくりだした生態的な地位（niches）を求めて選択的に拡大し、拡散するからだ」

教授はその例として、今日のコレラや結核が、貧困や不平等がつくりだした断層線に沿って広がることを指摘する。誰もが平等に、死に恐怖するが、結果は平等ではない。社会的、経済的に最も弱い人々が数多く犠牲になり、私たちの脆弱性をあらわにする。それが名誉教授の見方といっていいだろう。

教授はインタビューの別の箇所で、流行病は「個人」に似ているともいう。人はすべて個人であり、誰とも違っている。それは置き換えができず、それぞれの特性や、科学者らがいかに対応するかにかかっている、という。つまり、新型コロナウイルスの拡大には、はっきりと21世紀が刻印されており、私たちもまた、新たな挑戦と対応を迫られている。

## ――寺田寅彦の警告

このインタビューを読んで私は、寺田寅彦が１９３４(昭和9)年11月に書いた『天災と国防』の一節を思い出した。

国際折衝をめぐって、「非常時」という不気味な、しかし曖昧《あいまい》な言葉がはやっていたこの年は、函館大火や北陸の水害、近畿の大風水害などが立て続けに起きた。国際関係をめぐる「非常時」はまだ実証できないが、天変地異の「非常時」は眼前の事実だ。

そうした前置きに続いて寺田は、災害が多発する日本で忘れられがちな2点を指摘した。

一つは、「文明が進めば進むほど天然の暴威による災害がその劇烈の度を増すという事実」である。頑丈な岩山の洞窟《どうくつ》に住んでいた大昔なら、たいていの地震や暴風でも平気だったろうし、天変で破壊されるような造営物もなかった。もう少し進んで小屋に住むようになっても、テントか掘っ立てのようなものなら、地震はかえって安全で、風に飛ばされても復旧はたやすい、という。

だが文明が進むにつれて人間には自然を征服しようという野心が生じ、重力に逆らい、風圧水力に抗する造営物を作った。自然の暴威を封じ込めたつもりになっていると、檻《おり》を破った猛獣の大群のように自然が暴れ出す。「その災禍を起こさせたもとの起こりは天然に反抗する人間の細工であると言っても不当ではないはずである」。寺田はそう指摘した。

二つ目は、「文明の進歩のために生じた対自然関係の著しい変化」である。これは国家あるいは国民の有機的結合が進化し、その内部機構の分化が著しく進展してきたために、「その有機系のある一部の損害が系全体に対してはなはだしく有害な影響を及ぼす可能性が多くなり、時には一小部分の傷害が全系統に致命的となりうる恐れがあるようになった」。寺田はそう警告した。

寺田はこうして、「文明が進むほど天災による損害の程度も累進する」傾向があるとして、陸海軍の他にもう一つ「科学的国防の常備軍」を設け、「日常の研究と訓練によって非常時に備えるのが当然ではないか」といい、「○国や△国よりも強い天然の強敵に対して平生から国民一致協力して適当な科学的対策を講ずるのもまた現代にふさわしい大和魂の進化の一相」ではないかと結ぶ。

この文章が書かれたのが五・一五事件の2年後、二・二六事件の2年前であることを思えば、慎重に言葉を選びながらも寺田の発言は、時勢に斬りこむ「果断なる合理性」だったように思える。

スノーデン教授のインタビューを読んで寺田の文章を思い出したのは、自然に起因する災厄であっても、そこにはヒューマン・ファクターが加わり、社会の進化によって自らが抱え込む脆弱性が、被害を拡大するという認識で共通しているからだ。地震では、同じエネルギーが放出されても、地形や地盤、地上の構築物によって、まったく違う被害が生じる。天然の脅威であっても、その脅威が社会にもたらす様相は、時代によって、社会構造によって、まったく異なるのだと思う。

では今回のコロナ禍で、私たちの社会が抱え込んでいた脆弱性とは何だろう。

## グローバル、IT、都市過密

21世紀になってから、世界は2003年の重症急性呼吸器症候群（SARS）、09年の新型インフルエンザ（A／H1N1）、12年の中東呼吸器症候群（MERS）という感染症を経験してきた。しかし、これらはいずれも局地的なものにとどまり、あるいは重篤化することなく鎮静した。では、今回はいったい、どこが違うのだろうか。

それは多くの人が指摘するように、幾何《きか》級数的に広がり、緊密に相互の社会が結びつくグローバル化とIT化、そして都市過密化が一つの臨界点に達したことと無縁ではないだろう。

グローバル化はいうまでもない。ヒト、モノ、カネが国境を越えて行き交い、一国一地域の成長が、他のそれと不可逆的に結ばれ、その被害もまた、同じように蒙《こうむ》るかかわりのことだ。2020年の東京夏季五輪に向けて「観光立国」を成長戦略の柱に掲げた日本は、海外、とりわけアジアからの旅行客によるインバウンドの恩恵を受けてきた。日本を訪れた外国人は２０１３年から7年連続で最多を更新し、19年には３１８８万人のピークに達した。政府は20年の東京五輪をバネに、４千万人を目標としていた。

さらに入国規制を緩和して海外からの技能実習生を増やし、２０１８年12月には出入国管理法も改正して「特定技能」の在留資格を創設し、事実上の「移民大国」への舵《かじ》も切った。

こうしたグローバル化は、もちろん日本だけの施策ではない。今回の新型コロナウイルスによって、各国の国境は閉じられ、ヒト・モノ・カネの流れは一時的にせよ停止を余儀なくされた。初めは中国、やがて欧州、米国へと感染は急速に拡大し、相互に部品供給を依存し合うグローバル企業は、製造の中止や減産に追い込まれた。感染の拡大地が時間差を置いて地球を移動したため、一部で収束しても他地域の活動が麻痺《まひ》し、影響は長期に及ぶ見通しだ。歯車が停止、あるいは逆回転すれば、それまで受けてきた恩恵は災厄に、成長はショックに転化することを示したかたちだ。

ＩＴ化については相反する二つの側面がある。一つは、ＩＴ化の進展によって、誰もが、どこでもネットにつながる環境が出現し、それまでのパッケージ商品が売れなくなり、あるいは収益構造が変化して、音楽やスポーツ、演劇など、大勢の人々が集まるイベント事業に比重を移してきたことだ。「今、ここで、みんなが集まる」という臨場体験が、これまで以上に求められ、また収益をあげることになった。いわゆる「モノ」から「コト」への消費者ニーズの変化である。この動きもまた、行動制限や「社会的距離」を強いる新型コロナウイルスの出現によって、逆流し、緊縮することになった。

ＩＴ化をめぐる第二の現象は、ＩＴ技術やＳＮＳの普及によって、社会の反応や対応が大きく変わったという現実だ。台湾政府は、マスクの在り処《か》をリアルタイムで示し、混乱を防いだ。中国政府は、人々の動向を把握し、感染の経路を追跡するネットワークを構築した。あるいは、今回の感染防止の一環として急速に拡大したテレワークやオンライン講義によって、多くの人々は、自宅で待機しながら仕事や学業を続け、自粛と経済・社会活動を両立させようとしている。これもまた、ＩＴ化によって初めて実現した現象だろう。

こうしてＩＴやＡＩの進化によって感染防止や経済活動の維持に効果をあげた一方、ＳＮＳの普及によって、デマや風評、偽《にせ》情報も驚くほどの勢いで拡散され、政府や既成メディアによる介入があるまで、それが人々を惑わし、不安に陥れるというイタチごっこが続いている。

都市の過密化について、国連サミットが２０１５年に採択した「持続可能な開発目標（ＳＤＧｓ）」は、第11の目標に「住み続けられるまちづくり」を掲げた。それによれば、今は人口の半数にあたる35億人が都市に暮らし、地球の陸地の３％に過ぎない都市がエネルギーの６〜８割を消費し、炭素排出量の75％を占めている。この都市人口は、ＳＤＧｓが行動指針の目標とする２０３０年には50億人になると予測されている。

日本では３大都市圏への人口集中が高止まりしたままだ。総務省が２０１９年にまとめた18年10月1日現在の人口推計によれば、東京圏の人口が約３６５８万人、名古屋圏が約１１３２万人、大阪圏が約１８２２万人。３大都市圏の合計は約６６１３万人で、全人口約１億２６４４万人の過半数を占める。

総務省統計局の2019年末時点の人口移動報告によると、3大都市圏では約13万人の転入超過だったが、東京圏では24年連続の転入超過だった一方、名古屋圏、大阪圏では7年連続の転出超過となった。まさに「東京一極集中」が続いていることになる。

21世紀になって、世界は年々都市人口を増やし、過密化が進み、それを経済成長の原動力にしてきた。裏を返せば、それは、ウイルス感染に対する脆弱性という社会リスクを高め続けてきたともいえるだろう。

## ——価値変容に向けて

ここにあげた三つの要因は、直接、今回のコロナ禍に結びつくものではない。だが、感染拡大をここまで深刻にした「社会的培養器」とはいえるかもしれない。世界の各地をネットワークで結ぶ高度資本主義と消費主義は、グローバル化をその成長エンジンとし、ITをツールとして加速し続け、都市に資本やサービス、労働力を集積してきた。「もっと成長を」「もっと消費を」という欲求はやむところがなかった。

だが、私たちが科学や医療の高度化によって、すでに克服したと信じ込んでいた感染症は、パンデミックとなり、今も暴風は吹き荒れている。

行き過ぎたグローバル化は、2016年に米国大統領選でのトランプ氏当選、英国の国民投票によるEU離脱という形で、すでにその矛盾を顕在化しつつあった。戦後に根づいた国際協調路線は、「自国第一主義」によって揺らぎ、欧米では内向きの排外主義を唱えるポピュリズムが台頭しつつあった。

ではこのコロナ禍は、そうした分断をさらに強めるのか、あるいは新たな国際協調を築くきっかけになるのか。私たちはまさにその瀬戸際に立たされている。

前に紹介したインタビューで、スノーデン教授は、どのような価値観であれば、この災厄に対処できるのかを問われ、発火源の中国を訪れてスイス・ジュネーブの本部に戻ったWHOのブルース・アイルワード事務局長補佐官の言葉を引用した。

「今、あるいは将来必要なことは、私たちのマインド・セット（価値観や思考様式）を根底から変えることだ」

スノーデン教授はさらにいう。

「我々は同じ一つの種として共に働き、互いを助け合い、我々すべての健康にとって、社会の弱者の健康が決定的な要因であることを理解しなくてはならない。もしそうしないなら、我々は決して、人類に対するこの破壊的な挑戦に立ち向かうことはできない」

至言と思う。

## 隠喩としてのコロナ

インタビューを始める前に、もう一点、決めておきたい問題があった。それは「方法論」だ。あるいは、「どのようにコロナ禍にアプローチするか」といい換えてもいい。

新型コロナそのものは、自然界に実在するウイルスだ。だが「コロナ禍」は、より広く、人とウイルス、あるいは人と人、人と社会の相互作用を含む複合体であり、社会現象だ。ウイルスに対しては医学や疫学の専門家に委ね、その指示に従うしかない。だが複合的な社会現象については、だれもが発言できるし、社会は開かれた対話を進めるべきだと思う。

念頭に浮かんだのが、スーザン・ソンタグの著作だった。私は古今の本を読むときに、「この著者なら、この問題をどう考え、発言するだろう」という想像上の対話をしながら読み進む。時代の文脈に即してテキストを読む正統派からすれば、自分が直面する問題のヒントを得るためのこうした読書は、邪道なのかもしれない。当時、私がソンタグの本をひもといたのは、コロナ禍に伴う偏見や差別に直面したからだった。

２０２０年2月下旬、私は神戸で開かれた「日本災害医学会」に呼ばれ、「災害時の倫理」をテーマに講演を頼まれた。学会は直前まで開催が危ぶまれた。主力会員の「災害派遣医療チーム（ＤＭＡＴ）」が中国・武漢からの帰国者、ダイヤモンド・プリンセス号の乗客乗員の医療対応に携わったからだ。万全の対策をして学会は無事終わった。だが最終日、学会が採択した声明文を読んで愕然《がくぜん》とした。

ＤＭＡＴなど危険に身をさらした医療者が職場で「バイ菌」扱いされたり、子どもの登園自粛を求められたりした。職場の管理者から、現場で活動したことに謝罪を求められた例もあった。そうした「信じがたい不当な扱い」に対する抗議声明だった。

ソンタグはこういう。人は病に「意味」を与える。病そのものは医者に任せるとして、私たちは社会が病に対し、過剰に投射した意味を解体すべきだ。私はそれを、コロナ禍に向き合う私の「方法論」にしようと思った。

＊＊＊＊＊

## ――スーザン・ソンタグの分析を吟味

米国の文芸批評家スーザン・ソンタグは、１９７５年にガンに罹《かか》っていると知り、78年に「隠喩としての病い」を書き、89年にはその続編というべき「エイズとその隠喩」を発表した。『隠喩としての病い　エイズとその隠喩』（富山太佳夫訳、みすず書房）はその翻訳の合本である。

ソンタグの仕事は写真論や映画論など多岐にわたり、「文明批評家」の呼称がふさわしい。人の病をテーマに取り上げたこの本も、彼女という大樹が伸ばした多くの枝の一つであり、その後、この「病の文化誌」という枝から無数の小枝が茂り、花々を咲かせている。

彼女の批評のターゲットと、方法論は明快だ。病は病ととらえ、患者はその時々の医療水準に応じた治療を受けるしかない。だが、真に病に向き合うには、そこに投射されるさまざまな不安や恐れ、意味づけを剝《は》ぎ取り、病にまつわる「神話」を解体しなければならない。

自らガンになったソンタグは、患者が社会からスティグマ（烙印《らくいん》）を押され、差別や偏見の対象となることを知った。なぜ、どのようにして病はスティグマとなるのか。それを、文化史や文芸史にたどって考察したのがこの本だ。

「隠喩（メタファー）」についてソンタグは、アリストテレスが「詩学」で用いた簡潔な定義を引用する。「隠喩とは、あるものに、他の何かに属する名前をつけることである」

あるものを、それとは違う何かに似ている、と思うこと、そう想起させることが隠喩ということになる。つまり人は病に対し、病ではない何かの意味を投射している。それがソンタグの批評の出発点だ。

## エイズとその隠喩

15世紀末に欧州を席捲《せっけん》した梅毒は、イギリス人にとっては「フランス病」、パリの人間にとっては「ゲルマン病」、フィレンツェの人々にとっては「ナポリ病」だった。ソンタグは、流行病を「外来性」とみなすこうした比喩は、自分たちとは異質の「外部」を「悪」とみなす太古の時代の感覚に由来しているかもしれない、という。

エイズもまた、欧米にとっては、そうした外来性の「悪」と受け止められた。それは「暗黒大陸」に発し、次いでハイチに、米国に、欧州に波及した熱帯性の病気とされてしまった。欧州では、自分たちが侵略者、あるいは植民者として、過去に南北アメリカやオーストラリアに天然痘《とう》などの疫病をもたらしたことについては驚くほど無感覚だ、とソンタグはいう。

さらにソンタグは、疫病の隠喩は道徳のたるみや背徳を明るみに出し、社会の危機に即決の審判を下すための必需品だという。それは怒号とともに、反リベラル、反歴史的な思考を後押しする。さらに流行病は、外国人、移民の流入を禁止せよという声を引き出す。これまでも外国人嫌悪のプロパガンダでは、移民は必ず病気の運び屋とされてきた。フランスの政治家ジャン＝マリ・ルペンは外来のエイズが蔓延《まんえん》すると主張して不安を煽《あお》り、国家規模で保菌者全員の強制的な検査と隔離を求めた。

恐ろしい病気の流行は、必ず寛大さや態度の甘さへの批判をかきたてる。国家や文明社会、世界そのものが存亡の危機に直面しているという「緊急事態」においては、「思いきった手段」が抑圧の口実にされがちだ。そうソンタグは警告する。

こうして負のイメージを投射されたエイズは、それ自体が強烈な隠喩となって人種差別や偏見を煽り、社会を動かしていくことになる。

そうした考察を重ねたソンタグは、すでにある疫病と、やがて来るはずの世界病の違いは、現在の限定戦争と、やがて起こりかねない想像を絶するほど恐ろしい戦争との違いに似ているだろうという。

「容赦なく死者の数を増やし続けている現実の疫病のむこうに、われわれが起こると思い、かつ起こらないと思っている、質的に異なる、はるかに大きな災厄が待っているのだ」

こうした予告を述べたうえでソンタグは、病をめぐる言説について、「ぜひとも退却してほしい」隠喩が二つあるという。一つは病気の人々を排除し、烙印を押すにあたって、過剰動員をかけ、過剰描写をする「軍事的な隠喩」だ。そしてもう一つは、その逆の「公共の福祉」の医学的モデルだ。「それは権威主義的な支配をたくみに正当化するだけでなく、裏でこっそりと国家のヒモつきの抑圧と暴力の必要性を示唆したりするからだ」

これには補足が必要だろう。「公共の福祉」や「公衆衛生」には、「人々の安全安心のため」という大義があるため、一見、「戦争」とは全く逆の「平和」なイメージがつきまとう。だが、使い方によっては、これも「強制」を伴い、人々を萎縮させることがある。ソンタグはそう指摘している。「安全安心を守るために」という口あたりのいい惹句《じゃっく》で、基本的な人権の剝奪《はくだつ》や制限を続けることにも、注意しなければならない、という意味だろう。今の日本のように、政治家が専門家に判断を「丸投げ」していると、政治家が責任を取らないばかりか、専門家のいい分を借りて権利を抑え込んだりして、社会に過度な同調圧力が広がりかねない。

病に対しては、医療で向き合うしかない。病に投射された負のイメージに恐れおののき、不安になってはいけない。やがて病それ自体が強烈な隠喩になって独り歩きするときは、戦争と抑圧の合理化に使われることを疑え――。

病をめぐるソンタグの考察を、そう要約してもいいだろうと思う。

## ――ソンタグならコロナ禍をどうとらえるか

ソンタグがもし生きていたなら、今回のコロナ禍をどうとらえるだろう。

新型コロナウイルスは、かつて登場した流行病の初期段階と同じく、治療薬もワクチンもまだない。厄介なのは、感染力が強いのに、無症状や軽症で終わる人もいる一方、急速に重篤化して死に至る人も多い点だ。誰が感染しているのか、自分が感染しているのかすらわからないという宙づりの感覚が、不安の根源にある。

その不安は、感染者や濃厚接触者、さらには、あろうことかその治療にあたる医療従事者にまで投射され、差別や偏見を生み出す。

「万人の万人に対する不信」という全方位型の対人不信が、日常に根をおろして歯止めがきかなくなってしまう例といえる。

さらに、平穏な日常をかき乱す「外来性」の流行病という隠喩は、外国人や移民に対する敵意や拒否をかき立てがちだ。

多くの国家指導者は今回のコロナ禍に「戦争」という比喩を持ち出し、行動制限や営業制限を訴えた。強力な感染力には隔離が必要で、一時的には強硬措置もやむを得ない。だがその一方で、経済活動が停滞し、困窮が進んで社会の不安が高まれば、「感染防止」の旗印のもとに、強硬措置が常態化する恐れも否定できないだろう。

「新型コロナウイルス」と「コロナ禍」は違う。前者に対して私たちは、医療や公衆衛生の専門家の助言に従って「正しく恐れる」しかない。だが人間や社会がかかわる「コロナ禍」に対しては、ソンタグの考察にならって、さまざまな隠喩を剝ぎ取り、批判し、警戒を緩めてはならないと思う。

まず私たちが「生と死」という日ごろ忘れていた問いを眼前に突きつけられ、恐れおののいていることを認めよう。その根源的な恐怖は、気晴らしや紛らわし、他人を非難することでは消えることがない。その恐れに向き合い、醒《さ》めたまま耐えることが第一歩だろう。

私たちは誰もが早く平穏な日常、平穏な社会を取り戻したいと、切に願っている。だが、その「平穏」さは、ただ「健康」だけを意味しているのではない。この困難な中でも「健全」な社会を保ち続けること。それが「平穏な日常」に戻る唯一の道だろうと思う。

# 第2章

# 民間臨調報告書に見る失敗の本質

## 民間臨調報告書に見る「失敗の本質」

冷戦終結から数年経った1990年代前半、雑誌「AERA」で「日本の情報力」という特集を組んだことがある。欧米と日本の情報力を比較して、際立った点が二つあった。対外諜報《ちょうほう》機関とシンクタンクだ。日本にも警察庁、公安調査庁、防衛省などの防諜《ぼうちょう》組織はあるが、欧米のように海外で合法・非合法に活動する諜報機関はない。もう一つはシンクタンクだ。

欧米には政府から独立して調査・政策提言する民間シンクタンクは数多い。米国の戦略国際問題研究所（CSIS）やブルッキングス研究所、英国の王立国際問題研究所（チャタムハウス）や王立防衛安全保障研究所（RUSI）がその典型だ。世界各国の地域専門家や、下野した政党の高官の受け皿となる研究所も少なくない。

他方、日本のシンクタンクは金融系が中心で、自治体や企業の企画・調査担当を請け負うところが多い。欧米のシンクタンクに当たる機能は、むしろ一部の政策大学院や大手メディアと系列の研究機関が代替してきたといえるのではないだろうか。

そうした中で注目されるのは、ここでご紹介する一般財団法人「アジア・パシフィック・イニシアティブ」（API、船橋洋一理事長）だ。同財団は2011年9月、「日本再建イニシアティブ」として発足し、東京電力福島第一原発の事故について、12年3月に『福島原発事故独立検証委員会（民間事故調）調査・検証報告書』を出版した。17年にはAPIに発展的に改組し、原発事故についても10

年目の2021年2月に『民間事故調最終報告書』を出した。「真実、独立、世界」を旗印に、独立系シンクタンクとして初めて欧米系に匹敵する地歩を築いたといえる。

この項目は連載2年目に執筆したが、あえて本書では前半に掲げる。検証の対象は2020年7月までだが、これほど包括的に「日本モデル」を検証したプロジェクトはほかにない。むしろその後の「第3波」「第4波」の経過を踏まえて読み直せば、その意義はさらに増す。今に至る「失敗の本質」が、浮き彫りになっているからだ。この文を、全体像をつかむための「総論」としたい。

＊＊＊＊＊

## ――初の総力検証

昨秋、コロナ対応について初めて包括的な検証をした民間臨調の報告書について、エディターを務めた大塚隆さんに話をうかがった。

この本は、『新型コロナ対応・民間臨時調査会　調査・検証報告書』(ディスカヴァー・トゥエンティワン社刊)だ。

アジア・パシフィック・イニシアティブが民間臨調を設立し、調査・検証作業を行い、昨年10月に466ページの報告書を刊行した。船橋氏がプログラム・ディレクターになり、小林喜光《よしみつ》・三菱ケミカルホールディングス会長が委員長、大田弘子・政策研究大学院大特別教授、医師の笠貫《かさぬき》宏・早稲田大特命教授、弁護士の野村修也・中央大法科大学院教授の3氏が委員を務めた。

検証の対象は2020年1～7月。官邸はじめ各省庁や組織の幹部ら83人に延べ101回のインタビューやヒアリングを重ねて検証した。

検証した期間は、チャーター便による中国・武漢からの邦人帰国、クルーズ船「ダイヤモンド・プリンセス号」の検疫などの初動対応から、4月の第1次緊急事態宣言の発出、その解除をしたあとの約2か月間である。

## 「日本モデル」とは何か

この検証作業が優れているのは、テーマと方法論がきわめて明快である点だ。

統一テーマは「日本モデル」とは何かを明らかにし、その正体を見極めることだ。方法論は、各分野において効果があった「ベストプラクティス」と、失敗を通して浮かび上がる「課題」を明らかにし、最終的な「提言」を導くというものだ。つまり、責任の所在を明らかにして政治・道義責任を追及するのではなく、有効な対応策と機能不全の原因を明らかにして今後に活かす、という方針に貫かれている。

それでは、テーマとなった「日本モデル」とは何か。

安倍晋三前首相は、昨年5月25日、緊急事態宣言を全国で解除するにあたって、「日本モデルの力を示した」と語った。麻生太郎財務相は「(他国とは) 民度が違う」とまでいい放った。

報告ではこの「日本モデル」を次のように定義する。

「法的な強制力を伴う行動制限措置を採らず、クラスター対策による個別症例追跡と罰則を伴わない自粛要請と休業要請を中心とした行動変容策の組み合わせにより、感染拡大の抑止と経済ダメージ限定の両立を目指した日本政府のアプローチ」

つまり、平たくいえば、こうなる。

「日本モデル」の目的は、感染拡大の抑止と経済活動の打撃の極小化である。その手段としては、強制や罰則を使わず、「自粛」や「要請」といったお願いベースで行動変容を促し、その間にクラスター追跡で感染拡大を封じ込める。

つまり「ソフト・ロックダウン」と、「クラスター追跡」によるコロナ禍抑え込みといっていい。

周知のように、この検証作業を終えた2020年9月時点で、日本の感染者数、死者数は欧米諸国に比べきわめて低く、「日本ミステリー」という言葉すら使われた。アジアで比較すれば感染者数・死者数は必ずしも低くはないが、それでも強制措置を伴わずに抑え込みに成功した理由、つまり「ファクターX」を探る試みが活発化した。

結論を急げば、この検証報告が明らかにしたことは、「日本モデル」は、「モデル」と定式化できるような明瞭な対策の組み合わせではなく、「場当たり的な判断の積み重ね」でしかなかった。官邸中枢スタッフがヒアリングでいみじくも表現したように、「泥縄だったけど、結果オーライだった」のである。

報告書が「場当たり的な判断には再現性が保証されず、常に危うさが伴う」と指摘したように、その後の第2波のときに、政府は経済浮揚策の「GoToキャンペーン」にこだわり、結果的に感染拡大を防げなかった。その現状は、報告書末尾に置かれた次のような「警告」を裏書きするものだ。

「同じ危機は、二度と同じようには起きない。しかし、形を変えて、危機は必ずまたやってくる。学ぶことを学ぶ責任が、私たちにはある」

## ――「ＰＣＲ検査」はなぜ目詰まりを起こしたのか

この報告書の構成は、第1部で「日本モデル」というテーマを明らかにし、第2部で「ダイヤモンド・プリンセス号」や武漢からの邦人救出、緊急事態宣言など、節目ごとの対応を詳細に報告する。そして第3部で官邸や厚生労働省、医療・介護施設、専門家会議など分野別の対応から「ベストプラクティス」と「課題」を摘出し、第4部の「総括と提言」を導く、という流れになっている。ここでは、議論を呼んだ「ＰＣＲ検査」に絞って、検証が明らかにした内容をご紹介しよう。いまだに議論に決着がついたとはいえず、多くの人に疑心や猜疑《さいぎ》、不安やわだかまりを残したままだからだ。

ＰＣＲ検査をめぐっては、その備えがほとんどなされていなかったことを議論の前提にする必要がある。

２００９年の新型インフルエンザ流行の後に厚労相が設置した対策総括会議（以下、総括会議）の報告書は、感染症危機管理の体制強化のために、国立感染症研究所、保健所、地方衛生研究所などの組織や人員の大幅強化を提言した。さらに感染症サーベイランス（監視体制）強化の点から、地方衛生研のＰＣＲ検査体制の強化や、地方衛生研の法的位置づけの検討を求めた。

だが、これらの提言は棚ざらしにされ、むしろ現場は弱体化に向かっていた。

１９３７年、軍からの国民体位向上の要求を受けて整備された保健所は、戦後は総合衛生行政機関に生まれ変わり、蔓延《まんえん》する急性伝染病対策、とりわけ結核への対策に力を入れるようになった。47年に日本国憲法が施行になると、公衆衛生の向上への努力義務を定める25条2項を踏まえた保健所法が制定され、公衆衛生全般を受け持つ第一線機関になった。

だが、経済成長や衛生環境の改善により、社会防衛的な機能は弱まり、包括的な健康づくりへと軸足を移す。１９９４年には保健所法が地域保健法に改正され、都道府県の保健所は、第一線機関である市町村保健センターを「広域的・専門的・技術的」観点から支援する役割を担うことになった。都道府県の保健所は統廃合され、全国の保健所数は94年の８４７か所から２０２０年の４６９か所へと、ほぼ半減した。全国の保健所医師数も96年の１２６５人から２０１８年の７２８人へと、約20年で6割程度にまで減少した。

全国に83か所ある地方衛生研は、法律上の設置根拠がなく、自治体の条例に委ねられているため自治体間格差が指摘されていた。かつての調査では、03～08年の5年間で平均職員数13％減、予算30％減、研究費47％減というデータもあり、10年以上も前から検査機能は著しく低下していた。国立感染症研究所ですら、「総括会議」の提言前後の09年と翌年は増員になったものの、あとは年々減少をたどった。

こうした背景から、国立感染研や地方衛生研によるＰＣＲ検査能力は、２０２０年2月12日時点で1日当たり約３００件程度にとどまっていた。つまり、総括会議の提言にもかかわらず、全く備えが不足していたのである。

検査分析能力が不足している以上、厚労省は入院や治療を必要とする重症者に資源を集中するほかなかった。こうして厚労省は2月3日、「37・5度以上、または呼吸器症状があり、かつ感染者と濃厚接触歴がある」などの検査基準を定め、対象範囲を絞った。

今回の検証でＡＰＩの報告書は、医療提供体制の負荷を考慮して対象を絞った可能性に触れつつも、流行地以外の感染連鎖を見逃し、無症状者による感染連鎖を発見できなかった可能性がある、と指摘した。

国立感染研は遅くとも2月7日までに、無症状の感染者からウイルスがうつる可能性を認識していたが、同日に公表した文書ではＷＨＯの発表を引用し、「無症状者からの伝播《でんぱ》が報告されているものの主要な経路ではない」と表明した。厚労省も初期には同じ見解をとった。その立場は、5月4日に専門家会議が「感染しているのだけれども無症状の人が、人に感染させるリスクが高くなったということがエビデンスでわかってきている」と表明するまで続いた。

これが、2月17日に厚労省が公表した「風邪の症状や37・5度以上の発熱が4日以上続く」など「相談・受診の目安」を出した背景である。つまり、検査分析能力に限りがあるため、重症化する恐れのある人に検査を集中させるしかなかった、ということだ。

だが官邸が、手を拱《こまね》いていたわけではない、と今回の検証報告書は指摘する。政府の対策本部は2月13日には検査体制を拡充する方針を表明し、同18日には1日当たり約３８００件、３月10日時点で６２００件、４月１日時点で約１万件まで拡充された。

だが、検査能力の拡充にもかかわらず、実際の実施件数は伸び悩み、安倍前首相は5月4日の記者会見で「目詰まり」があると認めざるを得なかった。その背景として今回の検証報告が指摘するのは、①保健所の人員不足　②検体採取を行う医療関係者の不足　③医師が手書きで保健所にファックスで送信し、さらに保健所がその情報をデータベースに入力するなど手間がかかった——など、「ボトルネック」が生じた要因だ。

厚労省は、3月13日に「相談・受診の目安」に該当しなくても、相談者の状況を踏まえて受診調整を行うべきと述べ、5月8日には目安を大幅に緩和して、無症状者の一部に対してもPCR検査の実施を認めるに至った。こうしてようやく、検査体制の強化に本格的に取り組むようになった。保険適用の臨床検査ができる医療機関を増やし、5月に抗原検査、6月には唾液によるPCR検査も導入し、「新型コロナウイルス感染者等情報把握・管理支援システム」（HER－SYS）も開発した。

だがこうした方針転換ののちも、無症状者の検査をどの範囲まで行うかについて、専門家や政府部内でも見解は分かれた。

日本医師会は「公衆衛生上の感染制御」や「患者の診療」に加え、「社会経済活動のための利用」「政策決定上の基礎情報」としてPCR検査を活用するよう提言した。これに対し、専門家会議のメンバーの多くは実施件数を増やせば、重症者への検査に支障が出る懸念があるとして、対象者の拡大には慎重だった。

厚労省も消極的な立場だった。民間臨調では厚労省が5月ごろに作成した「（補足）不安解消のために、希望者に広く検査を受けられるようにすべきとの主張について」という内部文書を入手し、報告書に掲載している。

この文書によれば、検査を広範に行うと、感染していないのに陽性となる「偽陽性《ぎようせい》」の人が、「真の感染者よりも非常に大きくなり、医療資源を圧迫し、医療崩壊を招くことになる」とした。さらに、「本来必要のない行動制限を多くの者に強いるなど、社会的損失も大きくなる」という。

また、PCR検査での見落とし、つまり感染しているのに陰性となる「偽陰性《ぎいんせい》」の率は3割程度あり、広く検査を行えば「検査で陰性とされた陽性者が自由に活動することによって感染を拡大させる危険性が増大する」と述べ、「広範な検査の実施には問題がある」と結論づけている。

単純に考えても、前者の場合は何度か検査を繰り返せば問題が片付くし、後者の場合は、そもそも無症状の陽性者が感染を拡大させている可能性を棚に上げた議論だろう。

だが厚労省関係者は、この文書を作成したうえで国会議員らに、反論の理由を説明して回ったという。報告書はそのころの政府内の状況について、「PCR等検査の対象者を拡大することに積極的な立場を表明すると『首が飛ぶ』雰囲気だったと指摘する内閣官房関係者もいる」と記している。この文書の発見は、メディアが報じれば「スクープ」ともいえるだけの価値がある。

こうした混乱の中で重要な役割を果たしたのは専門家だった。尾身茂・分科会会長は7月6日の分科会に「検査体制を拡充するための、基本的考え・戦略」という、たたき台案を出し、分科会は10日後に「検査体制の基本的な考え・戦略」をとりまとめた。

これは検査対象を、①有症状者　②無症状者（感染リスクおよび検査前確率が高い場合）③無症状者（感染リスクおよび検査前確率が低い場合）に分けたうえで、①と②は公費負担で検査する一方、③については企業活動の推進や不安の解消など個別の事情に応じて、自費負担で検査することはあり得る、とまとめた。

こうして、基本戦略がまとまるまでに、検査開始からすでに約半年が過ぎていた。今回の検証報告は、その混乱について、当初の検査体制逼迫《ひっぱく》が解消した5月以降も政府が戦略を立てられなかったのであり、戦略の不在を「備え不足」のせいだけにはできない、と総括している。

## ――いくつかの膝を打つような「発見」

ＰＣＲ検査以外にも、報告書を読んで膝《ひざ》を打つような発見が、いくつもあった。私は年表を作成するため、コロナ関連の新聞記事は比較的丹念に目を通しているつもりだ。それでも「膝を打つ」ということは、メディアがいかに厚労省発表や既往の出来事を報じることに追われ、その発表や出来事の意味を掘り下げる体力がないかを裏返しに物語っているように思える。ご参考までに、いくつかの事例を項目別にご紹介したい。

●クラスター対策

2月中旬の累計感染者数を前提にすると、感染者の濃厚接触者から本来発見されるべき数の感染者が確認されないことがわかった。一部の専門家はこのころ、多くの感染者は誰にも感染させないものの、非常に多くの人に感染させる集団「クラスター」が存在する可能性に気づいた。国立感染研は2月27日にコロナに対する「積極的疫学調査実施要領」を出し、日本では諸外国が実施する「発症後に感染者が接触した人の調査（前向きの調査）」に加え、「発症前に感染者が接触した人の調査（さかのぼり調査）」も行うことを決めた。

これは、複数の感染者の過去の行動を調べ、共通の感染源になった「場」を見つけ、その場にいた濃厚接触者を網羅的に把握し、感染拡大を防止する、という手法だ。厚労省は2月25日にクラスター対策班を設置した。この班はデータチームのもとに接触者追跡チーム、サーベイランスチーム、データ解析チームを置き、疫学調査だけでなく、専門家会議が議論を行うにあたって基礎資料を提供するなど、いわゆるバックオフィスとしての機能も果たした。

私自身、クラスター追跡は諸外国でも実施している、と思い込んでいたので、日本に特有の手法を加味していると知って、驚かされた。

## ●「3密」

発足以来数日間で、クラスター対策班は110人の感染者を分析し、感染者の80%が、他者への感染を引き起こしていないという特徴をとらえた。また、疫学調査の分析を通して、クラスターの発生には、密閉された空間で、人が多く密集し、かつ密接した関係で発話するなどの条件が重なることがわかった。クラスターの発生が目立ったのは、スポーツジムなど換気量が増大する活動、ライブハウスやカラオケなど大声を出す活動、1人が不特定多数を接待する「接客を伴う飲食業」などであることも判明した。

こうした分析を踏まえて専門家会議は3月9日、感染拡大防止の方針を①クラスターの早期発見・早期対応 ②患者の早期診断、重症者への集中治療の充実と医療提供体制の確保 ③市民の行動変容の3本柱にすることを決めた。専門家会議はこの日、「感染症対策の見解」を発表し、これまで集団感染が確認されたのは以下の三つの条件が重なった場であることを示した。

換気の悪い密閉空間
多くの人が密集
近距離（互いに手を伸ばしたら届く距離）での会話や発声

専門家会議は「3密」という言葉を使っていないが、その考えを聞いた官邸スタッフの一人が、三つ目は「密接」でいいのではないか、と提案したのがきっかけで「3つの密」というフレーズが生まれた、という。こうして官邸ツイッターが「3つの密を避けましょう」と呼びかけ、広く使われるようになった。これは世界に先駆けて提唱された具体性のある仮説で、昨年7月7日付のウォール・ストリート・ジャーナル紙が紹介し、WHOも同月18日にフェイスブックで「3密」を「3Cs」という言い換えて全世界に紹介した。

この「3Cs」とは、「Confined and enclosed spaces」「Crowded places」「Close-contact settings」の略である。

私は「3密」のコンセプトは広く知られた公衆衛生学の概念か、海外の標語の翻訳と思い込んでいたので、クラスター対策班による分析の結果、日本が独自に考案したと知って、認識を新たにした。

●特措法の限界

政府は当初、感染症法、検疫法という枠組みで新型コロナに対応していたが、その後の社会的緊張の高まりで、2012年に公布された新型インフルエンザ等対策特別措置法（以下、特措法）を改正してコロナ対応に適用することになった。これは基本的に「お願いベース」で強制措置や罰則を伴わないが、より強力な新法を策定するのでは時間がかかるため、政府の議論の俎上《そじょう》に載ることはなかった、という。検証報告は、官邸内の一部には特措法が民主党政権時代に作られた法律であることから、「同法改正案を国会審議にかけた場合に、野党が審議に応じる可能性が高いとの考えもあった」と指摘している。

だが検証報告は同時に、「法案審議当初から、当時の立法者は、国民の自発的な自粛を当然視していたことに加え、要請・指示を行った場合には国民は協力するだろうという国民の善意と良識を当てにしていた。また、その想定期間は1～2週間という短期間であった」と指摘する。こうした法律の立てつけのため、「要請」や「協力」に従わない場合には、実効性を持たせることが困難な場合もあった。また首相は都道府県知事らに「指示権限」はあるが、首相の指示に都道府県知事が従わなかった場合の規定がなく、その場合の対応は不透明なままだった。

自粛・協力要請といった「お願い」で実効性を確保するには、休業などへの金銭的な補償が欠かせないが、財源には限りがあり、いつまで続けられるのかという保証もない。今なお解決されていない重要な問題の指摘だと思う。

●ITとバイオテクノロジーの遅れ

今回のコロナ禍で多くの人が驚いたことは、ITによるデジタルトランスフォーメーションの遅れと、PCR検査、ワクチン開発に見られるバイオ産業の遅れにあっただろう。

検証報告はデジタル化の遅れの一因として、個人情報「分散管理」の方針から、他のデータベースに紐《ひも》づけや照合ができず、2008年の住民基本台帳ネットワークの最高裁判決以降、マイナンバーに厳しい用途制限を強いることになった点を挙げる。結果として自治体レベルで1700の異なるシステムが運用されているのだという。

ワクチンの開発製造の遅れについて検証報告は、ある外務省関係者の話として、「厚労省はワクチン製造企業をしっかりと育ててこなかった」と述べ、ワクチン産業は非常に高リスクなので、積極的に推進してこなかったこと、また、「厚労省は規制官庁なので産業を育てようという意識が非常に低かったことなどが問題であった」と指摘する。外務省関係者の表現を借りれば、今回のワクチンの研究開発競争も、日本は「いわば3周半遅れ」なのだという。

ITにしてもバイオにしても、政治家は口を開けば日本が先頭集団にいると喧伝《けんでん》し、メディアも日本の優位性や先進性を報じてきた。こうした日本の「遅れ」をなぜ課題と指摘してこなかったのか、メディアにも自己検証が求められているように思う。

なお、検証報告が打ち出した提言は以下の通りだ。私はそのすべてに賛成の立場ではないが、指摘したテーマはそれぞれ、傾聴に値すると思う。

1. 政府としても緊急事態下における専門家助言組織のあり方について総括・検証を行う
2. 省庁横断的な司令塔機能の下、行政のデジタル基盤を抜本的に強化する
3. 「事業の継続」から「事業の強化」へ。構造改革を事業支援の条件とする
4. パンデミック対策などの国家的なテールリスク事案への備えについては各省予算とは別枠で予算確保する
5. 感染症危機発生時における政府および地方自治体の十分な有事対応体制を確保するため、感染症危機管理に関する予備役制度を創設する
6. 罰則と補償措置を伴う感染症危機対応法制の見直し

## ――報告書のエディター・大塚隆さんと考える

今回、報告書のエディターを務めたのは科学ジャーナリストの大塚隆さんだった。3月15日、東京在住の大塚さんにＺｏｏｍで話をうかがった。ちなみに大塚さんは、私が新人記者として当時の新潟支局に赴任した際の1年先輩で、ずぶの素人の育成と指導にあたってくださった。

ＡＰＩの前身である「日本再建イニシアティブ」理事長の船橋洋一さんに請われて、大塚さんは福島原発事故独立検証委員会（民間事故調）の立ち上げに関わり、検証委員会のワーキンググループとして参加、報告書のエディターとして一人で検証報告書を取りまとめた。ちなみに船橋さんは、大塚さんがアメリカ総局員だった時代の総局長だ。

大塚さんは日本再建イニシアティブが２０１５年にまとめた『吉田昌郎の遺言――吉田調書に見る福島原発危機』でもエディターを務めた。吉田氏は福島原発事故の処理に当たった当時の所長。前年に公開された吉田氏の政府事故調へのヒアリング調書（いわゆる「吉田調書」）を、民間事故調のワーキンググループメンバー有志が検証したフォローアップ調査だ。

つまり、大塚さんにとって、検証作業のエディターを務めるのは3度目ということになる。

インタビューはまず、3度にわたる検証作業の比較や違いの話から始まった。大塚さ

大塚隆：科学ジャーナリスト。京都大学工学部数理工学科卒業後、電子機器会社、ソフトウェア会社などでシステムエンジニアとして活動。1976年に朝日新聞に入社。核問題、宇宙、医学など科学分野を中心に取材し、東京本社科学医療部長、アメリカ社社長、日立支局長などを歴任。2010年に退社後、東日本大震災の被災地の取材にも力を注ぐ。

んは原発の事故調について次のようにいう。

「原発事故については政府事故調、国会事故調、さらに、我々の民間事故調と、主なものでも三つの事故調が鼎立《ていりつ》し、競い合った。さらに東京電力も調査をしていたので、四つの報告があったことになる。政府や国会事故調と民間事故調の違いは、我々には強制的な調査権限がなかったこと。フクイチ（福島第一原発）の見学や事故収拾に当たった幹部や担当者への取材などを再三申し入れたが、東京電力からの協力は全くなかった。幸い、民主党政権は協力的で、事故当時の菅直人首相、枝野幸男官房長官ら、官邸や経産省の幹部は詳細に証言してくれた」

ワーキンググループは弁護士、メディア出身者、原子力の専門家を目指す博士課程の大学院生、社会学や政治学の専門家ら二十数人。いずれも本職をこなしながら、週末の朝から夕まで長時間の議論を重ね、政治家らを招いてヒアリングを続け、情報を共有した。メンバーは若手や中堅が中心で、事故検証のための熱気がたぎり、原子力専攻の博士課程の大学院生と原発に批判的な社会科学系の若手研究者との間では「つかみあわんばかりの侃々諤々《かんかんがくがく》の議論をしていた」という。

こうした作業の過程で、「最悪のシナリオ」などの貴重なスクープが生まれた。

これは菅首相が作成を指示し、細野豪志《ごうし》・首相補佐官が依頼して原子力委員会の近藤駿介委員長が作成した極秘の内部文書だ。

「福島第一原子力発電所の不測事態シナリオの素描」という表題で、最悪の場合には、1号機で水素爆発が再び起き、作業員が退避すると想定。爆発の6日目から4号機の使用済み核燃料プールの燃料が溶融し、8日目から2、3号機の格納容器も破損。放射性セシウム汚染は、チェルノブイリ原発事故で旧ソ連が定めた住民の強制移転基準の地域が原発から170キロ圏、自主移転基準の地域が25

0キロ圏に広がり、首都圏にまで影響が及ぶ可能性があると試算した。まさに「恐怖のシナリオ」であり、原子力の専門家が事故直後に、そうしたシナリオも想定しなければならなかった事態の深刻さを、初めて明るみに出した。

今回のコロナ対応の検証作業は、緊急事態宣言下ということもあって、メンバーが集まり、共同作業をするというわけにはいかなかった。だが検証作業に当たる20人足らずのメンバーの士気は高く、ごく短期間のうちに集中的なＺｏｏｍによる聞き取りや資料収集に力を入れた。当時の安倍晋三首相、菅義偉官房長官もヒアリングに応じ、巻末には西村康稔《やすとし》・コロナ感染症対策担当相、専門家を束ねる尾身茂・地域医療機能推進機構理事長への特別インタビューも収録している。

前述したように、今回のコロナ検証でも、厚労省が政治家らに説明する際に使ったＰＣＲ検査拡大方針への「反論」など、貴重な文書をいくつも発掘した。

## ――メディアは、なぜ検証できないのか

今回の検証報告を読んで私が感じたのは、以前であればこうした本格検証は、メディアが担っていた、ということだった。

以前は大きな事件・事故が起きたときには決まって取材班を立ち上げ、徹底的に検証してきたはずのメディアの影が、このコロナ禍においては、著しく薄いように思う。もちろん、緊急事態宣言など、大きな節目ごとに政治・官庁・経済界や医学界の動きを追って克明に報じてはいるが、ＰＣＲ検査の「目詰まり」の構造的な問題や、ＩＴ・バイオ産業の決定的な遅れなど、コロナ禍が鮮明にした日本の

問題や課題に迫った検証は、数少ないように思う。

かつて新聞社でさまざまな検証に携わった大塚さんは、日本のメディアには専門家にアドバイザー役を担ってもらうことはあっても、専門家の知見を十分に活用したり、その協力を全面的に仰いだりするという発想そのものが希薄だったのではないか、という。それは自らの力を過信しているという側面もあったのかもしれない。私の知る範囲でも、外交文書の公表に当たって歴史研究者と協力したり、政治動向調査に当たって政治学者の協力を仰いだりするなど、ごく一部にとどまっている。大塚さんはさらに、今回は記者クラブ制度の弊害が、もろに出たのではないか、とも指摘する。

「役所の発表文書を横縦《よこたて》に文章に書き換えるだけで、一日に何本かの記事を書き、仕事をした気になってしまう。厚労省のPCR検査抑制の方針に批判的な視点を持って取材するという記者がどれほどいただろうか」

あえていえばコロナのような専門性の高い分野では、記者の側の専門知識の不足という問題も指摘できるのかもしれない、と大塚さんはいう。さらに原発事故調では大手紙のほか地方紙、週刊誌の元記者も参加していたが、「一番突破力があったのは週刊誌の記者だった」という。

ある日、検証プロジェクトに事故直後の原発の緊迫した状況について有力な情報提供があった。だれを確認に向かわせるかというときに、大塚さんが託したのは元週刊誌記者だった。海外でも有名になった、後に『フクシマ50』と呼ばれる事故収拾に当たった「決死隊」の様子を「防護服姿の作業員はみな、顔面蒼白《そうはく》だった」などという詳細な証言を入手してくれた。こうした事実がまったく報じられていない段階だった。この話は報告書の巻頭を飾った。

今回、コロナ禍を通じて大塚さんが感じたのは、欧米の感染症医学の層の厚さだったという。

「かつて熱帯感染症が多い熱帯、亜熱帯に植民地を多く持っていた英、仏、スペインなどでは、もともと感染症研究の蓄積があり、人材も豊富だ。米国も海軍や陸軍に大きな研究機関があり、研究者も多い。日本にも国立感染症研究所のほか、北大人獣《じんじゅう》共通感染症リサーチセンター（現・人獣共通感染症国際共同研究所）、東京大学医科学研究所、大阪大学微生物病研究所、長崎大学熱帯医学研究所など専門機関はある。しかし、欧米に比べ、予算や人員は圧倒的に限られている」

これは公衆衛生にもいえることだ。今回の検証報告でも、「日本の医師は、臨床医学系、基礎医学系、社会医学系の3系統に分類できるが、層の厚さは社会医学系が最も劣る。日本には医学部医学科を持つ大学は82あるが、2020年3月現在、公衆衛生大学院（SPH）を持つのは5大学、医学系大学院に公衆衛生学に関する修士号を授与するプログラム校も14校にすぎない」と指摘している。

「日本の厚生行政では、これまで公衆衛生に高い位置づけがなされてこなかった」と大塚さんはいう。

日本は幸いにも2003年の重症急性呼吸器症候群（SARS）や、12年の中東呼吸器症候群（MERS）では感染の拡散を免れた。SARSの感染が拡大した香港や台湾では、その体験から感染症の深刻さを実感し、将来への備えに怠りなかった。MERS感染を経験した韓国も備えを重ねてきた。たまたまの「幸運」で被害の拡大を免れた日本は、その教訓をその後に活かすこともできずに終わった。

だが、日本でも感染が拡大した09年の新型インフルエンザについて、厚労省が設置した対策総括会議では、翌年に問題点をまとめ、提言をしたにもかかわらず、その後も提言は置き去りにされたままだった。今回一線で活躍している専門家は尾身氏をはじめ、09年の新型インフルエンザ対応に当たった経験者が多いが、その司令塔を支える保健所、地方衛生研などの予算や人員は削減され、乏しい人材資源や装備、検査体制を「現場の頑張り」で補うしかなかったことになる。

「緊急事態宣言は、医療や検査体制を強化するための時間稼ぎだったはず。でも宣言が解除されると警戒心が緩み、政府は経済回復に前のめりになった印象がある。この間に、病床をもっと増やしたり、医療機関同士の連携を深めたりするなど、やれることはいくらでもあったはずだ」

大塚さんに話をうかがって、改めて検証作業の重要性を思い知った。どの対策が有効で、どの対策に効果がなかったのか。そして対策がうまくいかなかった点はどこにあり、その背景にどんな構造があるのか。

今回、委員を含めて二十数人の専門家や研究者は、それぞれの本職をこなしながら、短期間に集中して検証作業を仕上げた。数百人規模の陣容を抱えるメディアは、日ごろから数多くの専門家や研究者に取材を重ねてきたはずだ。そのメディアが検証をできないというのなら、できないことの理由と構造を、まずは自己検証するべきではないだろうか。

# 3人の識者に聞く「民主主義の危機と地方分権の希望」

今回のコロナ禍が始まって誰もが驚いたことの一つは、地方自治体の首長、とりわけ都道府県知事の存在感が際立ったことだろう。

戦後日本にはこれまで、何度か地方発の政治改革の波があった。1970年代末に、長洲《ながす》一二《かずじ》・神奈川県知事らが中心になって唱えた「地方の時代」。80年代に平松守彦・大分県知事、細川護熙《もりひろ》・熊本県知事が主導した地方からの「異議申し立て」。90年代になって地方からの改革を訴えた浅野史郎・宮城県知事、北川正恭《まさやす》・三重県知事、橋本大二郎・高知県知事ら「改革派」の登場。

だがこうした「地方分権」への歩みは総じて全国へのうねりとはならず、「独自色」を打ち出すにとどまったといえる。それは、戦前から続く中央集権制があまりに強固なことに加え、「3割自治」と呼ばれたように、地方自治の自主財源が乏しく、国の中央省庁の差配に左右されたためでもあった。また、政令指定都市を抱える都道府県では、人口や財源が集中する主要都市に権限が移され、「権限の空洞化」が進んだ背景もある。

では今回、なぜ知事が政治舞台の前面に出てきたのか。むろん、国が緊急事態宣言を出すが、その実施の詳細は知事に委ねる、というコロナ特措法の立てつけによる理由が大きい。だが、それだけでは説明がつかない。東京都や大阪府の知事の言動がこれほど注目を集め、全国知事会の会合が生中継されるという異例の展開は、たぶん戦後初めてだろう。

政治学者の山口二郎さんは、地方が脚光を浴びる現象は、安倍晋三・長期政権がもたらした中央省庁の弱体化や、政治による事態対処のグリップ力の弱さと表裏一体だと指摘する。地方自治の実務に詳しい上田文雄・前札幌市長は、政府の機能不全の裏返しとしたうえで、地方議会の存在感の希薄さにも警鐘を鳴らす。「官治・集権型」の地方自治を「自治・分権型」に切り替えるよう提唱してきた森啓《けい》さんは、コロナ禍で直面した危機が、今後の民主主義の新しい芽になる可能性に期待を寄せる。変化は始まったばかりだ。

＊　＊　＊　＊　＊

## ――自粛要請は自治体から広がった

新型コロナウイルスの感染が拡大してから、この間、政治の構図が変わりつつあることを示す兆しがいくつかあった。

第一は、これまで中央政府の号令一下《いっか》、中央官庁の指示に従って全国一律に動いてきた地方自治体が、その本来の姿を取り戻し、感染状況や地方の実情を踏まえた独自の動きを見せ始めたことだ。

早くは2020年2月28日、当時感染者が計66人と全国最多になった北海道の鈴木直道知事が、全国に先駆けて独自の緊急事態宣言を出し、道民に週末の外出自粛を呼びかけた例だ。

これは安倍晋三首相による同26日の「イベント2週間自粛」、同27日の「週明けから春休みまでの全国の小中高校の休校」要請と同じく、法的な根拠はなかったが、国の特措法改正や緊急事態宣言の発出に先駆けて行った自治体の要請だったという点では突出していた（道の宣言は3月19日にいったん終了)。

3月13日には国会で改正特措法が成立するが、同24日に安倍首相がIOCのバッハ会長と電話で協議し、夏季五輪・パラリンピックを1年延期すると決めるまで、政府の対応は鈍かった。

むしろ先に動いたのは自治体だ。大阪府の吉村洋文知事は同19日、20日からの3連休に兵庫県と大阪府の不要不急の往来を自粛するよう住民に対し、異例の要請をした。この要請は、改正特措法に基づくものではなかった。

夏季五輪・パラリンピックの延期が決まるのを待っていたかのように東京都の小池百合子知事も同25日、「感染爆発の重大局面」だとして平日の在宅勤務、夜間の外出自粛、週末の不要不急の外出自粛を都民に要請した。翌26日には東京、神奈川、埼玉、千葉、山梨の1都4県の知事がテレビ会議で共同メッセージをまとめ、住民に不要不急の外出自粛や時差出勤、在宅勤務を求めた。

首都圏の動きは同27日には各地に広がり、大阪府と岐阜県は不要不急の外出自粛を求め、愛知、福島両県は東京など首都圏への行き来を控えるよう呼びかけた。こうして外出自粛要請は、むしろ自治体から、個別に出されて全国に広がっていったといえる。

その後、国は4月7日に東京、神奈川、埼玉、千葉、大阪、兵庫、福岡の7都府県を対象に1か月間の緊急事態宣言を出し、同16日に対象を全国に拡大した。その間、東京都や大阪府を中心に、国への緊急要請が相次いだ。

同8日にテレビ会議で開かれた全国知事会は、NHKで中継されたが、これも異例のことだ。全国知事会では、自粛で事業者が負った損失や軽症者・無症状患者のホテルの借り上げ費用などで国の支援を求める緊急メッセージをまとめ、国に要望した。

東京都は同10日に休業要請する業種を明示して、2店舗以上を持つ事業者に100万円、1店舗の事業者には50万円の「協力金」を支払うことを決めた。都ほどの財源を持たない自治体の中には、「協力金は国からの臨時交付金の一部を充てる」（神奈川県・黒岩祐治知事）という案もあったが、新型コロナウイルスの対応に当たる西村康稔・経済再生相は同13日の参院決算委員会で「国が自治体に配分する臨時交付金は休業補償には使えない」と、これに消極的だった。だが西村経済再生相は、緊急事態宣言が全国に拡大した後の同19日、地方自治体に配る1兆円の臨時交付金について、休業した事業者への「協力金」の体裁なら、事業者への休業支援に充てられる、と明言した。地方自治体からの切実な要求に対し、事実上、方針を転換したかたちだ。

## 「出口戦略」を先導した「大阪モデル」

改正特措法による緊急事態宣言が出されると、各自治体の個性や特色、そのばらつきは顕著になった。これは改正特措法の法的な立てつけに根差している。諮問委員会の報告を得て政府は「全国的かつ急速な蔓延により国民生活、国民経済に甚大な影響を及ぼす恐れがある」と判断し、緊急事態宣言を発出し、「基本的対処方針」を決める。今回の場合は、医療体制の維持、高齢者や障害者ら支援が必要な人の保護の継続、電力・ガス、飲食店など安定的な生活の確保や、物流・運送、行政サービスなどの維持要請がそれにあたる。

だが感染防止について定めた「基本的対処方針」には明確な「出口戦略」は書かれていない。政府は5月6日までの緊急事態宣言の期限が迫る4日、宣言を同31日まで延長すると決めた。自粛要請によって地元経済が深刻な打撃を受けたのを背景に、大阪府の吉村知事は、これに先立つ同1日、休業と外出自粛の要請について、段階的な要請解除の独自案を打ち出した。

続いて大阪府は同5日に対策本部会議を開き、段階的な解除に向けた基準を決めた。これは①感染経路が不明な新規感染者が10人未満　②検査を受けた人に占める陽性者の割合（陽性率）が7％未満　③重症病床の使用率が6割未満として、この3点を「警戒信号の消灯基準」とした。①と②は日々の変動があるため、過去7日間の平均（移動平均）を見るという。

感染状況が悪化した場合の「再入り口」基準についても、大阪府は①1週間の経路不明者の平均が前週と比べて同じか増加　②経路不明者の人数がおおむね5人以上　③陽性率が7％以上という三つの基準をすべて満たすことを条件とした。これに関連して吉村知事は、政府に、「具体的な基準を示さず、単に（宣言を）延長するのは無責任」と指摘した。

自粛要請解除に向けて厚労省は慌ただしく動き始める。5月8日には、PCR検査の相談目安から「37・5度以上の発熱が4日以上続く」などを削除し、息苦しさや強いだるさ、高熱などの強い症状のいずれかがある場合や、基礎疾患のある人で比較的軽い風邪症状のある人はすぐに相談する、と改めた。

厚労省はさらに、同10日付で都道府県に、PCR検査を実施できる医療機関の対象拡大を通知し、13日にはPCR検査と併用する「抗原検査」を承認した。さらに15日には、過去の感染歴を調べるために、6月にも1万人規模の抗体検査を東京、大阪、宮城で実施すると発表した。遅ればせながら、ようやく客観的データをつかむ基礎作業が本格化したというところだろう。

政府の専門家会議は39県の宣言解除にあたって、同14日の提言で、解除基準の条件として①感染状

況　②医療提供体制　③検査体制の構築を挙げた。①は直近1週間の新規感染者数がその前の1週間を下回り、直近1週間に報告された10万人当たりの累計新規感染者数が0・5人未満程度になることを挙げた。感染が拡大する場合に再宣言する際の基準も、直近1週間の①10万人当たりの累計感染者数　②感染者が2倍に増える日数（倍加時間）　③感染経路が不明の割合を総合的に判断する、とした。

一方、東京都も翌15日に段階的な緩和の基準「ロードマップ」の骨格を発表した。

こうした経過を振り返れば、「大阪モデル」が先例となって、具体的なデータ、具体的な指標による解除の基準を明確化する動きが始まり、それが東京都や国の態勢づくりに大きな影響を与えたことがわかる。

## ――山口二郎・法政大教授が指摘する「政権の空洞化」が起きた理由

こうした国と地方自治体の関係の変化をどう考えればよいのだろうか。

長く北大で教えた山口二郎さんに5月15日、Ｚｏｏｍインタビューでそう尋ねた。山口さんは、この変化の根底には、安倍政権のガバナンス（統治能力）の危機があり、それに対する国民の不信がコロナ禍によって増幅された結果だろうと指摘する。

クルーズ船「ダイヤモンド・プリンセス号」での感染拡大が続いた初期段階、国会での論戦の中心は、「桜を見る会」の「政治枠」や、前日の夕食会での経費をめぐる疑惑、森友学園をめぐる公文書改ざん問題で財務省近畿財務局の職員が自殺した問題の責任の所在などにあった。

「政府が情報を公開し、国民と情報を共有し、公文書に残して検証に耐えるようにするというのは、近代の民主国家の基本動作だ。数々の疑惑を通して、安倍政権が、そうした基本動作ができていなかったことが明らかになったところに、コロナ禍が広がり、さらに政府への不信が広がった」という。

だが、歴代最長の宰相で、「1強」をうたわれた政権が、なぜこれほど重大な危機管理で力を発揮できないのか。私がそう尋ねると、山口さんの答えは明快だった。

それは、90年代以降の選挙制度改革で政党の求心力を高め、内閣府の強化を進めた一方で、政権中枢の立案能力が低下し、脆弱化するという「政権の空洞化」が進行した帰結だという。

戦後日本の政治システムは、長く権力の多元的分散を基調とし、予定調和的に政策の落としどころを探るというスタイルをとってきた。経済が右肩上がりで成長する時代はそれでよかった。だがバブル崩壊と少子高齢化、人口減少の難題に直面した90年代に、日本の政界は二つの局面で統治システムを改革し、打開を図ろうとした。

一つは94年にそれまでの中選挙区制から小選挙区比例代表並立制に移行し、政党交付金を導入したことだ。これによって派閥の力は弱まり、政党指導部の求心力が飛躍的に高まった。

もう一つは90年代の橋本龍太郎政権以来続いた官邸の権限強化の流れだ。これは08年の内閣人事局創設の法成立で加速し、官邸が各省庁の幹部の人事を掌握するまでになった。

だがこうして法成立、内閣の求心力が高まったのに、それが社会に対するグリップを強め、政策で社会を誘導する能力を強化する方向には結びつかなかった。官僚たちは政策能

---

山口二郎：政治学者。法政大学法学部教授。東京大学法学部卒業。北海道大学教授を務めたのち、2014年から現職。『戦後政治の崩壊──デモクラシーはどこへゆくか』『政権交代論』（ともに岩波新書）など、政治に関する著書多数。

力で競うよりも、「忖度《そんたく》」競争で内閣に取り入ろうとするようになり、経済産業省や警察など出身の一部の官邸側近が力を握るようになった。つまり、政権の求心力の強化と、それとは裏腹の政策能力の低下が同時に進行したのが「1強」の内実だったのではないか。

市井の人々の苦労がわからないという点で、「アベノマスク」の配布は、今回のコロナ禍で、安倍政権の人心遊離を喜劇的に象徴する出来事だった。補正予算の経済対策の中身を見ても、政府はコロナ危機に直面する人々の苦境や希望に応えているとは思えない。そう山口さんは指摘する。

「その点でいえば、政権の無策を埋める形で自治体の首長が登場し、その指導力が住民の安心・安全に直結するという事態は、戦後初めての体験だったのではないか」

## 注目すべき「和歌山方式」

だが山口さんは、メディアで注目を集める大阪府や東京都よりも、むしろ目立たないが毅然《きぜん》とした態度をとって住民を守る首長に目を向けるべきだという。

その代表として山口さんが挙げるのが和歌山県の仁坂《にさか》吉伸知事だ。和歌山では2月13日に済生会有田病院で医師と患者の初感染が確認されたが、県は陽性患者を別の病院に移送して隔離し、医師や患者以外の出入り業者も含む関係者470人余全員にPCR検査を実施し、陰性を確認したうえで病院を再開させた。仁坂知事は「早期発見、早期隔離、徹底した行動履歴のトレース」という「和歌山方式」を打ち出し、「体温37・5度以上が4日間」という国の方針に公然と反旗を翻《ひるがえ》し、かかりつけ医への受診やPCR検査を進めてきた。

山口さんは、対策がうまくいっている自治体には、首長が先頭に立って発信し、積極的に情報を公開するという共通点がある、と指摘する。

「感染やクラスター発生は住民にとって『恐ろしい情報』だが、広げないためにどうするかという対策と共に公開すれば、無用な不安を生まず、行政への信頼を培う」

危機はリーダーの資質を浮き彫りにする。その点では、日本の自治体の首長に限らず、世界の指導者にも共通する、と山口さんはいう。

「戦争を除けば、各国政府の対応が問われるこれほどの世界的危機は、近代民主主義の歴史でも初の出来事だろう」

さらに山口さんは、今後は社会のインフラを支える公共サービスをどう再構築するかが大きな課題になる、という。政府与党は補正予算に景気刺激策を盛り込んでいるが、今回の問題で浮き彫りになったのは、医療、物流、運送といったインフラを担う人々や、教育、保育、介護といった現場で働く人々の大切さだ。

こうした分野は、これまでの成長戦略のもとでは「安あがりに済ませる」方針で非正規化や労働環境の劣化が進んできた。

「小泉進次郎環境相が、ごみ収集に感謝して、袋にメッセージを書くよう提案した。いいことには違いないが、政治がすべきなのは、最低賃金を引き上げ、劣悪な労働環境を改善し、尊厳をもって働けるようにすることだろう」

マスコミの脚光を浴びる大阪府にしても、このコロナ禍の前まで、大阪維新の会が、公共セクターのリストラを進め、医療の対応能力を弱めてきたことも含め、総合的に判断する必要がある、と山口さんは指摘する。

「この危機を通して有権者は、政治家が問題をすり替えたり、やったふりをしたりすることを、冷静に見透かしている」

## ――上田文雄・前札幌市長「議会ないがしろの風潮が危うい」

実際に首長を経験した人は、コロナ禍における自治体の在り方をどうみているのか。5月12日、3期にわたって札幌市長を務めた上田文雄弁護士に会って話を聞いた。

今回の改正特措法による緊急事態宣言では、国が大きな「基本的対処方針」を決め、実際には知事が要請・指示の権限を担う。その前提で、上田さんは、「地方自治が独自色を出すのは好ましい傾向だが、それは政府が十分な情報提供をせず、あまりにだらしがないことの裏返しではないか」という。

上田さんが市長時代に真っ先に心がけていたのは「市民自治」の原則だ。そのためには情報公開はもとより、情報を迅速に提供し、市民と共有し、熟議を徹底して市民参加を促すことが必要だ。

そうした「市民自治」の視点でみると、今回の危機にあたって政権の対応は、政策決定のプロセスを公開し、多様な意見を出し合うというシステムの構築には程遠いのが現状だ。

「専門家会議の議論も、それをきちんと公開し、政権外の専門家に批判の場を保障することで、初めて市民が判断できる。現状では、権威によるいいっ放しの情報提供にとどまり、マスコミもそれを垂れ流すだけに終わっている」

上田文雄：弁護士。北海道出身。中央大学法学部卒業。2003年から2015年まで3期にわたって札幌市長を務める。

住民に「安全安心」を保障する自治体にとっても、科学的知見に依拠して政策を決める場合には、その知見をさまざまな角度から検証したうえで市民にわかりやすく説明し、納得してもらうことが大切だ。期限が限られる緊急時だからこそ、「これをやれ」というのではなく、丁寧さや根気強い説得が必要になる。

さらに上田さんは、首長が脚光を浴びる半面、それぞれの議会の存在感が希薄なことに注意を促す。

「住民の安全を守るために、その行動や権利を制限することがやむを得ない場合にも、要請や指示の必要性や、求める施策が妥当な範囲にとどまっているかどうか、チェックする必要がある。その意味で、緊急時に議会をないがしろにする風潮が広がるのは危うい」

上田さんは、2020年1月末、「道警ヤジ排除事件」をめぐる国家賠償訴訟の第1回口頭弁論に際し、弁護団長として意見陳述で次のように述べた。これは19年7月、参院選挙運動中に札幌を訪れた安倍首相にヤジを飛ばしたとして市民が道警に排除された事件を指す。

「だれかに向かって話し、共鳴したり批判したりすることは、社会的な『表現の自由』のみならず、自分の思想や内心を豊かにするという点で、『内心の自由』にもつながっている」

権力は、人々を説得し、その批判にさらされることで初めて施策を実行できる。それが民主主義の原則であるべきだ。しかし、「自粛」によって批判の場が失われ、「内心の自由」さえ奪われるようになれば、権力に対する抵抗力が弱まり、権力の専横《せんおう》を招くことになる。「危機における民主主義」の原則を見失えば、「民主主義の危機」になりかねない。上田さんはそう警告する。

## ――森啓・元北大教授「中央政府と自治体は横に補完し合う関係」

森啓さんは一貫して「官治・集権型」の地方自治を「自治・分権型」に転換するよう提唱し、まちづくりや情報公開、環境アセスメント、政策評価などの動きを後押ししてこられた。5月17日、その森さんに電話で話を聞いた。

森さんの答えは明快だった。

「今の日本で問われているのは、自治体は、住民の命と暮らしを守るために、何を根拠に、どこまで施策を打ち出していいのか、という問題だ。私は、その根拠はあるし、独自の施策を打ち出していい、むしろやるべきという考えだ」

森さんはその「根拠」を二つ挙げた。第一は、橋本政権下の1996年12月6日の衆院予算委員会で、当時の大森政輔《まさすけ》・内閣法制局長官が、菅直人議員に対して答えた内容だ。大森長官は「行政権は、内閣に属する」という憲法第65条の意味について、「行政権は原則として内閣に属する。逆にいいますと、地方公共団体に属する行政執行権を除いた意味における行政の主体は、最高行政機関としての内閣である」と答弁した。森さんは、この答弁によって、従来は上下の関係にあるとされた中央政府と自治体が、横に補完し合う関係として認められた、と指摘する。

第二の根拠は、2000年に施行された「地方分権一括法」だ。これによって、国の機関委任事務は廃止され、国と地方自治体は法的にも上下関係ではなく、対等・協力の関係に切り替わった、と森さんはいう。もちろん、財源が乏しく、実質的には中央政府

森啓：自治体学の研究者。「日本自治体学会」の創設にも関わる。中央大学法学部卒業後、神奈川県庁に入庁し、県職員として長く勤務したのち、北海道大学や北海学園大学教授を務める。北海道移住後、1995年から21年間にわたって地方自治の在り方を学ぶ講座を主催。

の力が圧倒的に強いのが現実だ。国の方針に盾突《たてつ》けば、国から、しっぺ返しをされる恐れもある。

しかし、今回のように国の対応が後手に回り、行政の責任者が緊急事態宣言の基準を明確に示せない場合は、北海道のように独自に宣言を発したり、大阪府のように独自のモデルを示したりすることは、やってもよいし、やるべきだ、と森さんはいう。

「自治体によっては、国からの指示待ちが習い性《せい》になっているところもある。しかし、命と暮らしを守る緊急事態の場合は、憲法8章の地方自治の本旨に即して責任と義務を果たすべきだろう。国レベルの全国基準を尊重する必要はあるが、地域には独自の事情や条件、環境がある。都道府県、市町村それぞれが、地元の大学と連携し、専門家や有識者と相談しながら、きめ細かな実効性ある基準を打ち出して競い合い、感染防止に役立ててほしい」

コロナ禍は、この国にとって、あるいは「民主主義の危機」と「民主主義の新たな可能性」の分岐点になるかもしれない。3人の話をうかがって、そう思った。

## 「自己責任」論とコロナ禍

コロナ禍を通して、日本は「自粛」や「要請」といったお願いベースの「ソフト・ロックダウン」と、「クラスター追跡」を併用した。いわゆる「日本モデル」だ。この方式は２０２０年秋の「第３波」まで、ある程度の効果を挙げたが、「ＧｏＴｏキャンペーン」で年末の感染拡大を招き、その後、年明けでも、一進一退の感染高止まりを続けた。

だが、初期には機能した「日本モデル」で気になったのは、感染者やその家族、学校のみならず、自らのリスクも顧みずに対策に当たった医療・介護従事者への非難や差別が各地で続いたことだ。あるいは、自粛要請に従わない事業者や個人をバッシングする「自粛警察」の動きも報じられた。

その背景には、感染した人を、「誰もがそうなる可能性のある被害者」としてではなく、社会のルールに違反した「自業自得」の結果とみなす「自己責任論」があるのではないか。あるいは「自粛警察」の動きにも、自らを「世間の常識」の体現者とみなし、「自己責任」を盾に同調圧力を強める心理が働いているのではないか。漠然とそう感じていたところに出会ったのが、ここに紹介する齋藤雅俊さんの著書だった。

齋藤さんは、テレビ局のパリ支局長としてイラクで取材をしていた２００４年、ファルージャ郊外で起きた日本人人質事件を知った。当初は人質に同情的だった国内世論が、一夜にして「自己責任論」を唱えるバッシングに変わったことに、衝撃を受けた。私も当時、ロンドンに駐在してイラク戦争を取材していたので、その異様さに目をみはった。当時、米英ではすでに、「大量破壊兵器の開発」と「アルカイダとの連携」という対イラク戦の口実が揺らぎ、政権批判が強まっていた。イラク戦争を「支持」した小泉純一郎政権は、人質に「自己責任」のレッテルを貼ることで、批判の矛先をかわそうとしたのではないか。そんな疑問を抱いた。齋藤さんはその後も長くこの問題に取り組み、コロナ禍にも通底する「自己責任論」の根深さに迫っている。

＊＊＊＊＊

## ——齋藤雅俊さんと考える「自己責任」

２０２０年9月16日に首相に就任した菅義偉氏は、その夜の就任演説で「自助・共助・公助」を唱え、その後も繰り返しこの政治信条を口にしている。この「自助」という言葉に、04年のイラク人質事件以来、この国で頻繁に使われるようになった「自己責任」を思い浮かべた人もいるかもしれない。21世紀になって強まった「自己責任」論とは何か。それはコロナ禍の文脈でどのような意味を担っているのか。

２０２０年8月末、未來社から『自己責任という暴力——コロナ禍にみる日本という国の怖さ』という本が出版された。著者は当時ＴＵＹ（テレビユー山形）の取締役を務めていた齋藤雅俊さんだ。9月22日、Ｚｏｏｍで山形在住の齋藤さんにインタビューをして、コロナ禍と「自己責任」について話をうかがった。

実は、この本の下敷きになったのは、フランス国立東洋言語文化学院（ＩＮＡＬＣＯ）に提出したフランス語の修士論文「イラクの人質事件から考える日本の自己責任論」だった。ここでの「自己責任」の訳語には、「La responsabilité individuelle」を当てた。日本研究のため２００４年に日本に滞在し、イラク人質事件のニュースを見て帰国していたフランス人研究者に尋ねたところ、「個人責任」がいいのではと助言されたからだという。後で詳しく触れるが、「自己責任」という言葉自体が、外国語への翻訳が難しい特殊日本的な考え方であることを示す一例といえるだろう。

そもそも齋藤さんが多忙の毎日を縫ってＩＮＡＬＣＯで学んだのは、ＴＢＳパリ支局長時代にしばしば現地を取材したイラクで、04年に起きた日本人人質事件の国内での反応に衝撃を受けたからだ。はじめは人質になった日本の若者３人に同情的だった国内の世論は、やがて「自己責任」というバッシングに変わり、３人に激しい非難が寄せられた。外務省が繰り返し入国を控えるように警告したにもかかわらず、イラクに入って拉致されたのは本人たち自身の責任だという理由だ。報道機関とはいえ、齋藤さん自らもイラクに入っていた。齋藤さんには、その非難が他人事とは思えず、「自己責任論」のルーツはどこにあり、なぜこれほどのバッシングにつながったのか、その背景を熟考したいと思うようになった。

## ――コロナ禍における「自己責任」論

思索の原点となったイラク人質事件について触れる前に、齋藤さんがコロナ禍で注目

齋藤雅俊：東京外国語大学を卒業後、TBSに入社。報道局取材部、パリ特派員を経たのち、ディレクターとして「報道特集」などを担当したほか、社会部デスク、取材センター長、編集主幹、「報道特集」プロデューサーを歴任。TUY(テレビユー山形)元取締役。2002～2006年のパリ支局長時代には、INALCOの日本学科修士課程を修了。

した二つの点をご紹介したい。

第一は、感染者への攻撃が、感染者本人を超えて家族や所属集団にまで向かったことだ。なかには、人権侵害の防波堤になるべき公的機関が、逆に偏見や差別を助長してしまったケースもある、と齋藤さんは指摘する。

◎愛媛県新居浜市では東京や大阪を行き来する長距離トラック運転手2家族の子どもたち3人に対し、市立学校の校長が市教委と相談のうえ、登校しないよう求めた（毎日新聞、東京新聞2020年4月9日）。

◎岩手県花巻市では、東京から引っ越した70代の男性が、入居が決まっていたマンションの住人から「2週間はここに住まないで」といわれた。さらに市に転入届を出そうとしたところ、「2週間後に来てほしい」と、その場で受け取りを拒まれたという。男性は契約したマンションに入れず、転入届も受けてもらえず、気の毒に思った大家が元店舗の空き家を提供したが、その2日後、男性は隣の店舗兼住宅で起きた火事に巻き込まれて亡くなった（毎日新聞4月18日）。

齋藤さんが指摘するもう一つの論点は、「要請」があぶり出した一般の人々の「正義感」と同調圧力だという。

◎徳島県では県外ナンバーの車に暴言、煽《あお》り運転、傷つけなどの被害が発生した。県は「来県お断り」として数十人の県職員が双眼鏡を使い、県内のインターチェンジや商業施設などで県外ナンバーのチェックをした。県外ナンバーの利用者に対して誹謗《ひぼう》中傷が相次いでいることから飯泉嘉門《いいずみかもん》知事は徳島市長と共同で会見を開き、「県外ナンバーの調査をしたことが強いメッセージになりすぎた」と語った（朝日新聞4月23日、NHK4月24日）。

齋藤さんは、そもそも各自治体が出したのは特措法に基づくとはいえ休業の「要請」であり、法的義務がないお願いだったことを指摘したうえで、「休業十割を目指すなら、法律に伴う命令を出し、その休業に伴う補償を打ち出さなければならない」という。

そして、社会で従うべき判断の基準は、あくまで合法か否かであって、暗黙の「掟《おきて》」や「空気」任せにしてはならないだろう、という。

特措法による「要請」は、外国の「ロックダウン」とは違って、強制力を伴わない「お願い」ベースだ。外国に比べて規制が甘いという批判もあったが、強制に拠《よ》らない「要請」が機能することを、日本の誇りと考える向きも多い。だがそれは危険なことではないか、と齋藤さんは警告する。

著書の中で齋藤さんはそれが「危険」だという理由を、こう書いている。

『要請』が機能するのは市井の人々のいびつな正義感や陰湿な相互監視、逸脱を許さない同調圧力といった、法に拠らない暗黙の掟が広く共有されている証左でもあるからだ」

齋藤さんがそう危惧する理由を理解するには、2004年のイラク人質事件で広がったバッシングにまでさかのぼる必要がありそうだ。

## ――イラク人質事件

２００4年4月7日、ヨルダン・アンマンからイラク・バグダッドに向かう途中、日本の若者３人がファルージャ郊外でイラクの武装勢力に拉致され、人質になった。

人質になったのは、東京都のフリーカメラマン（当時32）、札幌市のフリーライター（同18）、千歳市のボランティア活動家（同34）の３人だった。

武装勢力は翌８日、サマワに駐留していた自衛隊を３日以内に撤退するよう求め、従わないと３人を殺すと主張した。日本政府はこの要求に応じずにいたが、３人は拘束から８日後の15日、現地の宗教指導者らでつくるイスラム宗教者委員会の保護のもとに解放され、その後バグダッドの日本大使館に移送された。

朝日新聞が同日付の電子版で伝えたところでは、カタールのアラビア語衛星放送アルジャジーラのインタビューに答えた宗教者委の幹部は、次のように解放の経過を明かした。

それによると、15日未明に武装グループ側から人質を解放するとの連絡があり、バグダッド市内のモスクを解放場所に指定した。同日午後３時半、上村司・駐イラク臨時代理大使が同市アメリア地区のクベイシー・モスクに着き、アルジャジーラのカメラマンとともにいた３人を確認して、同４時10分に日本大使館に保護したという。

同紙によると、宗教者委のムハンマド・ファイジ師は解放後に記者会見し、人質だった３人が「サラヤ・ムジャヒディン・アンバル（アンバル州の聖戦士軍団）」との署名がある武装グループの声明文をそれぞれ受け取っていたことを明らかにした。

声明は、人質事件が明らかになった後、日本人が自衛隊の撤退を求めるデモを行ったり、アラーの神を称賛してくれたりしたことを評価し、この日本人の態度に共感して決断したと主張。引き続き自衛隊やその他の外国軍の撤退に向けて日本政府に圧力をかけることなどを求めた。

こうして3人は、アラブ首長国連邦のドバイを経由して無事帰国したが、羽田空港に降り立った3人を待ち構えていたのは、報道陣の激しいフラッシュと、「税金泥棒」「自業自得」などと書かれた手製のプラカードだった。空港近くのホテルに設けられた記者会見場では、病気を理由に欠席した3人に代わって家族がそれぞれのメッセージを読み上げた。

「日本の皆様、世界じゅうの皆様に大変なご迷惑をお掛けしましたことを伏してお詫び申し上げます」

「このたびは国民の皆様に多大なるご迷惑をお掛けしたことを反省しております」

「みなさま、ご心配をお掛けし、申し訳ありません」

## ――変わる世論

拉致事件の発生直後、世論は3人にむしろ同情的だった。しかしある日を境に空気は変わる。齋藤さんが注目したのは、4月27日付毎日新聞朝刊の「イラク邦人人質：読者の声からみた事件」という特集記事だった。これは東京本社の読者室に寄せられた電話、ファックス、電子メール、手紙などの投書450件を分析した記事だった。

武装勢力が最初に出した声明で「自衛隊撤退期限」とした4月11日までは、自衛隊撤退の是非を論じた意見が主流で、うち7割を撤退賛成論が占めた。つまり、3人を救出するために、自衛隊を撤退させるべきという意見が大勢だった。

ところが12日になると、撤退論と撤退不要論の比率が逆転する。この日は期限を過ぎても人質が解放されず、外務省などに詰め寄る家族らの焦りや心を痛める様子がテレビで大きく報道された日だった。

そして13日以降は、「家族や本人は調子に乗り過ぎている。自己責任であり、かかった費用は本人たちが負担すべきだ」（男性）など、ほぼ7対3の割合で人質や家族への批判が大勢となった。

潮目が変わるきっかけになったのは、4月10日、大勢の報道陣が見守る中で、外務省の担当者が待機する家族のもとに行き、話し合いの場をもったことだった。

「すみません、時間がないんです。そんなことをいっている場合じゃないんです」

「今、普通の状況じゃないんじゃないですか。そういう認識なんですか。今、普通だと思っているんですか」

強い調子で担当者に問いただすそうした家族の様子は、当日は土曜日ということもあり、控えめに報じられただけだったが、週明けの12日にはワイドショーやニュースで繰り返し流された。

バッシングが始まったのは、それからだ。自宅や家族、待機場所にはおびただしい数の非難や中傷の電話やファックスが寄せられた。

一方ではメディアも、拘束事件が自衛隊撤退論に結びつくことを恐れた政府の誘導に利用された感は否定できない、と齋藤さんはいう。その最たるものが「自作自演説」で、共同通信は同じ日、武装勢力の声明文を分析した政府関係者の話として「日本の国内事情に詳しすぎ、不自然だ」「まるで日本人が書いたような違和感を持つ部分が多すぎる」という談話を紹介し、「日本国内の人間とつながっている可能性も否定できない」という見方を配信した。この記事は、インターネットの掲示板「2ちゃんねる」などで繰り返し流されていた「自作自演説」に勢いをつけた。

## 「自己責任」というキーワード

齋藤さんが調べた限り、メディアに「自己責任」という言葉が登場したのは、事件発生3日後の産経新聞だった。外務省は再三、最高危険度の「退避勧告」を行ってきたことを指摘したうえで、記事は「同情の余地はあるが、それでも無謀かつ軽率な行動といわざるを得ない。確かに、国家には国民の生命や財産を保護する責務はある。しかしここでは『自己責任の原則』がとられるべきだ。危険地帯に自らの意志で赴くジャーナリストにはそれなりの覚悟が、またNGO（非政府組織）の活動家らにもそれぞれの信念があったはずだからである」と主張した。

次にこの言葉が登場したのは、4月12日に行われた外務省の竹内行夫《ゆきお》事務次官の会見でのことだ。「日本政府は外国においても邦人保護に全力を尽くす責任がある。我々の同僚が命を賭けてというと大袈裟かもしれないが、治安情勢を収集し、分析し、国民の皆さんに周知している。私たちはNGOの役割を重視しており、協力関係にある。しかし、安全、生命の問題となると、自己責任の原則を自覚して、自らの安全を自ら守ることを改めて考えていただきたい」

この前日、武装勢力は3人の人質を24時間以内に解放するという声明を出していたが、動きのないまま36時間が経過していた。会見は、まさに落胆の色が濃くなった時期に開かれた。齋藤さんは、著書でこう指摘する。

「竹内次官の発言は、交渉に行き詰まった政府が自己責任を強調することで、人質救出に失敗した場合の責任回避を意図したものであったとも解釈された。さもなければ、このタイミングであえて『自己責任の原則』を強調する必要はなかったからだ」

齋藤さんによると、この発言の翌日、読売新聞は次のような記述を含む社説を掲げた。

「3人は事件に巻き込まれたのではなく、自ら危険な地域に飛び込み、今回の事件を招いたのである。自己責任の自覚を欠いた、無謀かつ無責任な行動が、政府や関係機関などに、大きな無用の負担をかけている。深刻に反省すべき問題である」

だが、当時、読売新聞は、紙面で見る限り2人の記者をバグダッドに派遣していた。大手メディアの記者がよくて、フリーランスのジャーナリストはダメというのでは矛盾している。当時バグダッドにいた齋藤さんは、著書でそう指摘している。

イラク開戦前からロンドンに駐在し、人質事件の反響を、送られてくる国内各紙で知るほかなかった私も、その異様なバッシングには驚かされた。ただ私は、当時の日本社会で、「自己責任論」が突出するには、それなりの理由があるように感じていた。

というのも、2003年3月20日、米英が国連安保理決議も北大西洋条約機構（NATO）の承認もなく攻撃に踏み切ったイラク戦争は、当時すでに、「大義」がなかったことが強く推認されるようになっていたからだ。

これには前段がある。

その年の1月20日、国連安保理で外相級会合が開かれた。議題は「国際テロ対策」だったが、議論はイラク問題に集中し、米国が武力行使が必要な「決定的証拠」を開示するという触れ込みだった。パウエル米国務長官はパネルを示しながら、イラクが大量破壊兵器を隠し持っていること、フセイン政権が、9・11同時多発テロの実行グループ・アルカイダなどのテロ集団とつながりがあることなどを示し、「我々は義務と責任から萎縮してはならない」と演説した。

しかし、議長国フランスのドビルパン外相は武力行使に慎重な姿勢を打ち出し、「査察には時間がかかる。今は武力行使は適当ではない」と突っぱね、ドイツ、ロシア、中国の3理事国もこれに同調した。

その日を境に世界各地では、大規模反戦デモが繰り広げられ、米国は国連の安保理決議なしに、有志連合で戦争に突き進んだ。

だがバグダッドが陥落し、米軍がイラク国内を捜索しても、開戦の大義とされた大量破壊兵器は見つからなかった。

04年1月28日、国連に代わってイラクで大量破壊兵器の捜索に当たっていた米調査団のデビッド・ケイ前団長は、米上院軍事委員会の公聴会で証言し、開戦時点でイラクが生物・化学兵器を保有していたと判断した米情報機関の分析は誤りだったと語った。ケイ氏は、アルカイダなどテロ組織と旧フセイン政権の協力についても「証拠は見あたらない」と発言した。

こうしてケイ氏ら、さまざまな当事者の証言が積み重なり、米英政府が情報操作をしていたのではないか、という疑惑が生じたところに、イラク人質事件が起きた。

米英はその後、検証委員会を発足させ、いずれもイラクには当時、大量破壊兵器がなかったことを認めるに至ったが、それについては詳しく触れない。

ここで指摘しておきたいのは、開戦に際して即時にイラクに対する武力行使を「支持」すると表明した小泉純一郎政権の政治責任が問われることはなく、その後も検証が行われなかったという事実だ。イラク人質事件をきっかけに「自己責任論」が日本で突出したのは、たぶんイラクで大量破壊兵器が見つからず、「この戦争に大義はなかったのでは」という疑問を封じ、その矛先をかわしたいという政権の狙いがあったためではなかったろうか。

もちろん、それは推論に過ぎない。政権の意図がどうあれ、バッシングをした人々は政治的な思惑とは別に、個々の言動を通して「空気」を作り上げたのだろうから。

## 「責任」の正体とは

齋藤さんの著作に戻って、この国の「責任」の在り方を振り返ってみたい。

齋藤さんは、近代以前の日本社会では主に犯罪の予防を目的として、重大犯罪には集団責任が制度化されていた、という。犯罪者の親族にも責任を求める「縁座《えんざ》」や、職務上の犯罪で上司や同僚など一定の範囲の他人にまで連帯責任を求める「連座《れんざ》」などだ。こうした制度は1882年(明治15年)の旧刑法施行によって廃止され、明治から大正にかけては「集団責任から個人責任へ」という流れが定着していく。

1870年には、中村正直が英国のサミュエル・スマイルズの『自助論』を『西国立志編』に翻訳して100万部のベストセラーとなり、「天は自ら助くる者を助く」という言葉が広く使われるようになった。こうして、「お上」の助けや近隣の厚意には頼れないという「自主自立」の精神は、社会や経済の分野に浸透していった。

齋藤さんが、明治末から昭和45（1970）年までの約50万件の新聞記事を集めた神戸大学新聞記事文庫で検索したところ、「自己責任」のワードを使った記事は13件あり、明治末から1920年代にかけてが9件と多かった。

これについて齋藤さんは、大正期にはデモクラシーと共に、弱肉強食の論理が幅を利かす、今でいう「新自由主義経済」の時代潮流が始まったからでは、と分析している。

だがその後に続く戦前期は、再び「個人責任から集団責任へ」という逆流が始まる。関東大震災や昭和恐慌などの社会不安が続き、大衆の不満は、労働運動とナショナリズムという二つのはけ口を求めるようになった。戦時色が強まるにつれ、自立した「個人」は「国家」という大義に吸収され、「国家」がすべてに優先されるようになる。総力戦に向けて終身雇用、年功序列、ボーナス、企業内組合、メインバンク、源泉徴収などが制度化され、集団体制が強まった。

こうした戦時体制は、アメリカ占領軍による戦後改革でも維持され、「日本型経営」として高度成長の原動力となった。日本企業は「家族主義的経営」を旨とし、「一億総中流」という意識と経済状況を生んだ。こうした「横並び」や「護送船団方式」の下では、個人という単位での責任の在り方を深く掘り下げられることはなかった、と齋藤さんは指摘する。

齋藤さんの修士論文のタイトルで、「自己責任」にあたる仏語訳が定まらなかったのは、日本では「責任」そのものが、こうした複雑な変遷を遂げ、多義化されているためだろう。

日本で為政者が「自己責任」を唱えれば、そこには「因果応報」や「自業自得」といったニュアンスがまとわりつく。本来の「自助」の精神とは反対のベクトルに向かって意味が働くということだろう。日本で人質事件のニュースを見たフランス人研究者が齋藤さんに「個人責任」という訳語を勧めたのも、そうしなければフランス人には理解できない、と考えたためではなかったろうか。

### ――日本における「権力の二重構造」

こうした責任をめぐる小史を振り返ったあとで、齋藤さんは、日本に特有の現象として、「権力の二重構造」があるという。

「ひとつが国家権力で、法律という明文化されたルールに従って社会が機能する。判断の基準は違法かどうかであり、処罰権は国家に独占されている」

「もうひとつの権力は世間である。世間には明文化されない暗黙の掟が存在し、裁判とは別の情緒的処罰がまかり通る。その処罰の重さはときに圧倒的な威力を発揮し、法律での処罰を凌駕《りょうが》する。裁判の判決ではしばしば世間による処罰が考慮され、そのことが判決そのものに盛り込まれるほどだ。世間で暗黙の掟を司《つかさど》るのは市井の人々で、彼らの正義感や道徳が法律にとって代わるときにメディアがこれに加担し、この国を覆う逸脱を許さない空気ができあがる」

ここには重要なキーワードが二つ、埋め込まれている。「世間」と「空気」だ。

齋藤さんによれば、「世間」とは次のようなものだ。

「世間はその時々でその広がりを自在に変える。使う人の都合、受け取る側の都合、周囲の環境で七変化を遂げる。普段は意識に上ることはそうないが、世間は事あるごとに人々の言動を縛り、世の中を動かす大きな権力をもっている」

これは国家権力とは別に、法律で定められているわけではない暗黙のルールによる権力であり、明確に意識されることなく人々の価値観、身の処し方をコントロールする力だ。

阿部謹也《きんや》の「世間学」などを参考にしつつ、齋藤さんはこう指摘する。

「家族、ご近所、学校、会社といった利害を同じくする共同体がひとつの『内』として世間を構成する。『内』の存在は『外』が意識されることで成り立つ。外との関係次第では日本という国全体がひとつの世間ともなり得る。イラク人質事件や戦時中の『非国民』で意識された世間はこれに近い」

では「空気」とは何か。齋藤さんはまず、丸山眞男の「無責任の体系」を参照して、意思決定において判断を放棄し、「既成事実への屈服」によって自らの責任を矮小化《わいしょう》する戦時下の軍人や政治家の「思想と行動」を指摘したうえで、山本七平の『「空気」の研究』を引用する。

山本は日本の意思決定の在り方について「論理的思考」の基準と、「空気的判断」の基準の二つが存在する、と指摘した。山本はその例として戦時下の戦艦大和の出撃について、それを無謀とするデータや根拠があると知りながら、専門家が「空気」を正当性の根拠として出撃を決めた、と指摘した。

齋藤さんはこう書く。

「日本は判断の基準が集団のなかで鍛えられてきた。集団への依存は高く、集団は結束し、それだけ排他的になる。だから所属する集団・組織のなかでマジョリティに逆らい、自分だけが浮いてしまうことに過剰な恐怖を抱く。集団への反逆は、組織人としての証しを失うことにもなる」

その結果、私たちは「反対できる空気ではなかった」と言い訳を述べ、「自分自身は反対だったのだが……」と、しばしば無念をにじませる、と齋藤さんはいう。これは、誰でも身に覚えのある身近な経験だろう。

## ――「忖度」を生む風土

こうして、準拠集団としての「世間」の「空気」は、強い同調圧力を生み、過剰な「忖度《そんたく》」や権力への「従順」を生む。

最近、公共施設や大学などが、「憲法」「平和」などをテーマにした催しを拒否する例が相次ぎ、言論空間がどんどん狭まっているのがその例だ。「別に権力者がそうせよというわけではない。権力の意向が勝手に忖度されてしまうのだ」と齋藤さんはいう。

私たちが気をつけねばならないのは、この国にある二重権力、つまり国家権力と、暗黙の「掟」に支配され、裁判とは別の情緒的処罰を下す「世間」という権力とが重なり、増幅し合うことだ。そう齋藤さんはいう。

その典型がイラク人質事件だった。

「自己責任」という言葉が、本来の意味とは別に独り歩きし、世間は、「逸脱者」とみなした若者たちにバッシングという鉄槌《てっつい》を下した。そして、為政者たちもこのバッシングを増幅し、利用し、「二つの権力が重なり合ったときに生じる凄《すさ》まじい力をまざまざと見せつけた」と齋藤さんはいう。

ではその後、この国でそうした風土は改まったのだろうか。冒頭で取り上げたように、コロナ禍で「世間」による同調圧力はさらに強まり、「世間」の正義感を体現する「自粛警察」という「空気」が生じるなど、その体質は変わっていないように思える。

齋藤さんは、「自戒を込めていえば、その同調圧力や増幅に加担していないかどうか、メディアはつねに意識しているべきだと思う。日本では為政者が命じるのではなく、一般の人が勢いづいてしまうと、その勢いが止められず、その勢いに追随して一切の異論を許さない空気が醸成されてしまう怖さがある。メディアは、マイノリティの声や少数意見に耳を傾け、勢いが止まらなくなる前に、冷静な判断ができるようにする責任があるのではないでしょうか」という。

戦時中の大本営発表は、軍部の自作自演ではなかった。「ジャーナリズム」の集合体であるメディアが伝えたからこそ、人々はそれを信じた。戦後75年を経て、その本性は、果たして変わったのだろうか。

齋藤さんの話を聞いて、その問いを、つねに自分に向けて発していなければ、と強く思った。

## ワクチン争奪戦に出遅れ　日本の「失われた20年」

世界の多くの人は２０２０年、先進国として定評を得ていた米国と英国が、パンデミックの「失敗国」とみなされたことに、驚かされたのではないか。そして同じほど多くの人々は、２０２１年早々に米英がワクチン開発で世界の先頭に立ち、瞬くうちに巻き返して活動再開の先陣を切ったことにも、驚かされたのではないだろうか。米英にとどまらない。同じように中国やロシアは、独自のワクチン開発に乗り出し、「ワクチン外交」に力を入れた。「発展途上国」とみなされることが多かったインドも、ワクチン製造については「先進国」だったことが明らかになった。

では、製薬やバイオテクノロジーでは世界トップクラスにいるはずの日本は、どうだったのか。日本人の多くは、日本が世界のワクチン開発競争に出遅れ、その調達や接種においても、先進国では最下位に近いスタートだったことに、驚いたのではないだろうか。

経済力では中国に「世界第2位」の座を譲ったとはいえ、最先端技術の分野で日本は常に世界水準のトップクラスにいる。ノーベル賞の実績を見よ。スパコン開発世界一の偉業を見よ。小惑星探査「はやぶさ」や「はやぶさ2」、宇宙ステーション補給機「こうのとり」の活躍を見よ。どの国も真似はできない――。

歴代政権のみならず、メディアも「世界一」に胸を張り、私たちもそう信じてきた。

だがコロナ禍で蓋《ふた》を開けてみれば、見えてきたのは「技術大国」のお寒い現状だった。もちろん、日本が今も世界に長じる分野は少なくない。だが、少なくとも今回のコロナ禍で見えてきたのは、暮らしに最も密着し、生死の境を分けるワクチン開発やそれを支えるバイオテクノロジーの分野で、日本は周回遅れの位置にいるという現実だ。

私は、「国力」への自尊心をくすぐる政治家よりも、その言動の真偽を、事実に照らして明らかにすべきメディアの怠慢に、より重い責任があると思う。メディアは、目先の事象だけでなく、より深く背景を掘り下げる責務がある。この文章を書きながらそう思った。

＊　＊　＊　＊　＊

## ――「失われた20年」の中身

熾烈《しれつ》化する世界のワクチン争奪戦で、日本は大きく出遅れている。その背景に、バイオテクノロジーの分野で明確な戦略目標を持たなかった日本の「失われた20年」がある。

そう指摘する日本医学ジャーナリスト協会の浅井文和会長に、2021年2月27日、Ｚｏｏｍで話をうかがった。ちなみにその日の朝刊は1面で、高齢者3600万人分のワクチンを、6月末までに自治体に配送するという政府方針を伝えていた。浅井さんへのインタビューはその話から始まった。

「このデータを見てください」

浅井さんが示したのは「Our World in Data」というサイトに掲載された新型コロナ・ワクチン接種の各国別ランキングだ。少なくとも1回の接種を受けた人が国民の何パーセントかを示している。（以下

は3月2日現在として当時公開された数値。人口100万人以下の国・地域を除く）

(1) イスラエル　55・6%
(2) アラブ首長国連邦　35・2%
(3) 英国　30・2%
(4) チリ　18・8%
(5) バーレーン　17・8%
(6) 米国　15・5%
(7) セルビア　14・3%
(8) トルコ　8・4%
(9) デンマーク　7・8%
(10) ノルウェー　6・2%

もちろん、面積の大きさや全人口の規模、資金力などに大きな違いがあり、一概に比較はできない。さらに安全性や副反応の可能性を考えれば、ただ早ければいいというものでもないだろう。

それにしても、3月2日時点で日本は0・03%。大きく出遅れていることは歴然としている。3月には医療従事者向け接種を進めていたものの、高齢者向け接種はまだ始まっていなかった。5月以降に急速に追い上げたが、6月末時点でもG7諸国で最下位のま

浅井文和：NPO法人日本医学ジャーナリスト協会会長。京都大学理学部在学中に、ニホンザルの発達過程について研究。朝日新聞に入社後、経済部、学芸部、科学医療部などを経て、編集委員（医療担当）を務める。早期退職後、東京大学大学院に入学。医学博士課程に在籍中。2020年から現職。

まだ。

もちろん、こうしたデータは各国別に事情を探る必要があるが、浅井さんはこのランキングに「バイオテクノロジー」の勢力分布を感じるという。

接種率トップのイスラエルは、ネタニヤフ首相が米ファイザー社のCEOと17回にわたって直接交渉をし、他国に先行して契約を結んだ。高値をつけたとみられるだけでなく、全国民の医療情報をデジタル管理するシステムを通し、各種統計を提供する条件で思惑が一致したとみられる。「モデル国」として、どの程度の接種で集団免疫が実現できるかなど、「社会実験」の意味合いがある。

接種率第2位のアラブ首長国連邦は米ファイザー、英アストラゼネカ、中国シノファーム、ロシアのスプートニクVなどを手広く入手して上位につけた。

ワクチン開発国は当然、自国優先でワクチンを確保している。EUを離脱した英国はEUの共同調達の枠組みには加わらず、接種で先行した。さらに120億ポンド（約1兆7620億円）の巨費を投じて米ファイザー社製など7種類のワクチンを調達した。

中国は巨大経済圏構想「一帯一路」にかかわる国を中心に53か国・地域にワクチンの無償援助を表明し、アジア諸国など14か国に先行援助を始めた。

これとは対照的に、共同調達の枠組み作りで出遅れたEUは、後塵《こうじん》を拝し、域内製造ワクチンを域外に輸出する際には、毎回数量を報告させて許可するという「輸出管理」に踏み切った。当座はEUに供給を頼るしかない日本が大幅に出遅れているのは、そのせいだ。

こうした事情を顧みれば、ワクチン開発・製造能力のある国が、ワクチン確保で優位に立つばかりか、他国への供与配分で有利な「ワクチン外交」を展開していることがよくわかる。浅井さんはこう嘆く。

「米英はバイオテクノロジー大国。中国、ロシア、インドもバイオテクノロジー大国を目指すという明確な国家戦略を立ててきた。一方この間の日本は、『失われた20年』だった」

## ――「ヒトゲノム計画」への日本の貢献

浅井さんによると、1990年代にバイオテクノロジーの機運を盛り上げたのは、ヒトの全遺伝情報を読み解く「ヒトゲノム計画」だった。

ヒトゲノムは、人間の全遺伝情報のことだ。DNAは4種類の塩基（アデニン、グアニン、シトシン、チミン）から成っている。ヒトゲノム計画はヒトの細胞に含まれている30億個の塩基対《つい》の並び方を順に読み取って、いわば地図を作ることを意味する。

DNAの二重らせん構造を明らかにしてノーベル賞を受けたジェームズ・ワトソン博士らが1986年、米国で開いたヒトの遺伝学に関する大規模な会議で「ヒトゲノム計画」推進論を提案し、論争になった。

その背景には、当時すでに、遺伝情報をめぐる発見や技術開発が相次ぎ、医療や医薬品開発に役立っていたという事情があった。

がんを引き起こしたり抑制したりするヒトの遺伝子が次々と見つかり、遺伝情報解析ががん治療に役立つという期待が高まった。80年代半ばにはDNAを大量にコピーするPCR（ポリメラーゼ連鎖反応）の技術や遺伝情報を読み取る自動配列解読装置（シーケンサー）も開発されていた。

米国は1990年、15年間で全遺伝情報を解析する「ヒトゲノム計画」を発表した。この計画は、翌年以降、英国を中心とする欧州、日本などの協力を得て「国際ヒトゲノム計画」に発展し、世界で3千人以上の研究者が協力する態勢が生まれた。

一方、こうした公的研究とは別に、ゲノム解読を医薬品開発などに役立てたいと、米国の民間企業も独自の解読に挑み、競争は激化した。

日米欧の国際チームは2000年、ヒトゲノムの大まかな内容を示す「概要版」を発表。さらにワトソンとフランシス・クリックがDNAの二重らせん構造を発見して50年の節目となる2003年4月、米・英・独・仏・日・中6か国首脳はヒトゲノムの解読完了を宣言した。

当時、ゲノム解読の最前線を米英などで現地取材していた浅井さんは、「その後の展開が日本とはまるで違った」という。

## ――小渕政権「ミレニアム・プロジェクト」の末路

日本では1998年に政権の座に就いた小渕恵三首相が99年12月、情報化、高齢化、環境対策などを柱にした「ミレニアム・プロジェクト」(新しい千年紀プロジェクト)を策定し、その中にゲノム解読を位置づけた。このプロジェクトは、以下のように格調高いものだった。

新しいミレニアム(千年紀)の始まりを目前に控え、人類の直面する課題に応え、新しい産業を生み出す大胆な技術革新に取り組むこととし、これを新しい千年紀のプロジェクト、すなわち「ミレニアム・プロジェクト」とする。具体的には、夢と活力に満ちた次世紀を迎えるために、今後の我が国経済社会にとって重要性や緊要性の高い情報化、高齢化、環境対応の三つの分野について、技術革新を中心とした産学官共同プロジェクトを構築し、明るい未来を切り拓《ひら》く核を作り上げるものである。

その目標の一つが、「高齢化社会に対応し個人の特徴に応じた革新的医療の実現（ヒトゲノム）」と、「豊かで健康な食生活と安心して暮らせる生活環境の実現（イネゲノム）」だった。具体的には、「2004年度を目標に、高齢者の主要な疾患の遺伝子の解明に基づくオーダーメイド医療を実現し、画期的な新薬の開発に着手する」などの事業計画を掲げた。ヒトゲノム解析についても、「ヒトの遺伝子約10万個のうち、ヒトの体内で発現頻度が高い約3万個について解析を実施（2001年度目標）」など、具体的な期限も設定している。

もっともこのプロジェクトには、「2001年度までに、全ての公立小中高等学校等がインターネットに接続でき、すべての公立学校教員がコンピュータの活用能力を身につけられるようにする」とか、「2005年度を目標に、全ての小中高等学校等からインターネットにアクセスでき、全ての学級のあらゆる授業において教員及び生徒がコンピュータを活用できる環境を整備する」などの目標も掲げられており、コロナ禍でIT導入の遅れの惨状が明らかになった今読むと、「画餅《がべい》」か「夢物語」に近い。

周知のように小渕首相は2000年4月に脳梗塞《のうこうそく》で意識不明となり、昏睡《こんすい》状態のまま5月に62歳で亡くなった。その間、執務不能のため首相臨時代理に指名されたとする青木幹雄氏らが中心になって、後継に森喜朗政権を誕生させた。もしあのまま小渕政権が続いていたら、ミレニアム計画はどうなっていたか。いっても詮無《せんな》い事でしかないが、その後のプロジェクトは一転、「喪家《そうか》の犬」になってしまったようだ。

「ミレニアム・プロジェクトは、バイオテクノロジーやITといった先端科学技術の分野に研究費を投入し、他国よりも先回りするという発想だった。しかし、ゲノム解析完了後、日本は特許を取って新薬を開発する『ゲノム創薬』といった早急な医療応用に力を入れた。もちろん、その分野の競争は激しい。だが欧米ではそれに加え、『ポストゲノム』時代に基盤技術を構築する長期目標を立てた。その違いは大きい」

浅井さんはそう指摘する。その象徴といえるのは、国際ヒトゲノム計画が終わった翌年、米国立ヒトゲノム研究所が次の目標に設定した「1千ドルゲノム」計画だ。

これは1人分のゲノム解析にかかる費用を1千ドルに下げる目標を設定し、ゲノムをより速く、安く解析できる新技術を後押しするプロジェクトだった。こうして、恩恵を受けたイルミナ社などは高速のシーケンサーを開発した。次世代シーケンサーの開発で、診断法や治療薬につながる手がかりが見つけやすくなり、バイオテクノロジーにかかわる人材も厚みを増した。

国際ヒトゲノム計画では、日本が国際プロジェクトで果たした貢献度は全体の6％ほどだった。当時は「ゲノム敗北」ともいわれた。だが、浅井さんが当時の事情を今の大学院生に話すと、みんな驚くのだという。「6％も貢献していたのですか」という驚きだ。裏を返せば、その後の日本の技術開発や人材育成は、それほど立ち遅れたということだろう。

「今回の新型コロナウイルス対応で、中国はウイルスのゲノムをいち早く解析して遺伝配列を公開した。その情報をもとに人工的に合成したDNAの断片（プライマー）でPCR検査もできるし、変異ウイルスも突き止められる。RNAやDNAを使ったワクチンがこれほど早くできるのも、バイオ技術や人材の蓄積があってのこと。中国のゲノム企業BGI社は昨年2月、武漢に1日1万件のPCR検査ができる施設を急遽《きゅうきょ》作って稼働させた。上海などから人材と装置をかき集めたようだ。中国はバイオ技術の層が厚い」

## ――日米中の違いはどうして生じたのか

どうして、このような差が生じてしまったのか。政府はこの間、「選択と集中」と呼ばれる政策を取り、研究の国際的競争力を高めようとしてきた。大学教員の人件費や研究室に使われる「運営費交付金」を年1％削減し、研究者が応募・審査を経て獲得する「競争的資金」を増やしてきた。大学間に競争させるさまざまな補助金も導入した。少数精鋭に多額の資金を投入して成果をあげるという仕組みは機能しなかったのだろうか。浅井さんはこういう。

「アメリカの研究機関は、成果を出し続けなければ資金を得られない。危機感を持ち、真剣そのもので汗水を流す。期間内にうまくいかなければ、すぐに退場を求められるからだ。つまり、競争原理が正しく働いている。日本の場合は政府お気に入りの研究機関に資金配分が偏り、しかも簡単には研究費を削られない。ゲノム研究でも、私立大はあまり予算に恵まれなかった」

浅井さんは、新たな産業を興そうとすれば、目先の金を生み出す短期的な視点ではなく、長期にわたって基盤技術を集積し、技術者の育成を図ることが必要だという。

ITでいえば、米国にはシリコンバレーがあり、中国には深圳《しんせん》のIT集積地がある。

「インドには、ITの人材が集まるハイデラバードなどがあり、先端研究を続けている。日本になぜGAFA《ガーファ》が誕生せず、なぜシリコンバレーが生まれないのか、ということを、真剣に考える必要があります」

日本に優位性があるとすれば、それはどこにあるのだろう。浅井さんは、医療情報でいえば、日本の国民皆保険制度が重要な資産だろう、と指摘する。

「日本の場合、国民皆保険の長い歴史があり、診療データを匿名化して解析できる医療情報データベースがあります。その意味での医療データ解析は、日本ではかなり進んでいます。問題は、そうした情報を扱うインフラのような情報産業が育っていないことにあります」

日本の場合、大手の情報産業は官庁や病院の発注を受けていれば、そこそこ収益をあげることができた。生産性を上げなくても、独創的な技術を開発しなくても、すぐに退場を迫られることがなかった。そうしたぬるま湯の環境が、かえってチャレンジ精神をそぐ、ということだろう。だが、少子高齢化や人口減少で内需の市場が狭まりつつある今、そうした発想で生き残ることはできないだろう。

浅井さんは、科学・医療に限らず、報道には「アジェンダ・セッティング」の機能が重要だという。これは「議題設定」機能とも呼ばれる。米国のマックスウェル・マコームズとドナルド・ルイス・ショーが1972年の論文で提唱した考えで、メディアには事実を報道するだけでなく、課題や議題を定義し、社会に問題提起する機能もあるという考えだ。浅井さんは、「日本のメディアは連日、新規感染者数やワクチンの配送状況など、目の前で起こったことや、今起きていることは報じる。一方で、インドのワクチン開発や生産能力が高いことなどはほとんど報じられない。なぜ、どうしてこういうことが起きたのか、見えない課題を掘り起こし、問題提起することも重要ではないか」という。

ワクチンの製造や調達の遅れの背景に、バイオテクノロジーにおける日本の「失われた20年」を読み取る浅井さんの問題提起は、まさに「議題設定」の典型といえるのではないか。

## 日本はなぜＩＴ化に遅れてしまったのか　服部桂さんと考える

今回のコロナ禍で、ワクチン開発の遅れとともに際立ったのは、日本におけるデジタル・インフラの未整備だった。

ふつう、応用を含む各国の技術水準の差は、目に見えないことが多い。社会環境や状況、伝統や慣習も違う国々で、技術だけを取り出して比較しても意味がないからだ。

だがパンデミックは、世界の大半が、ほぼ同時に直面する共通体験だ。程度の差はあれ、突きつけられる社会的な課題は共通している。

感染拡大防止のために、強制手段をどこまでとるのかどうかは、それぞれの社会の許容度や政体によって異なる。だが技術でどこまで対応できたのか、結果は歴然としている。

接触追跡アプリや監視アプリでいち早く対応したのは、中国、韓国、台湾などだった。もっとも、こうしたアプリの導入は、個人のプライバシー保護や当局による監視をどこまで認めるのかという視点が絡むので、一概に比較はできない。だとしても、厚労省が導入した接触確認アプリ「ＣＯＣＯＡ《ココア》」の不具合は、そうした議論以前のお粗末さだった。

医療機関が地元の保健所にファックスで感染者を報告し、手集計していた例や、休校を要請しながらオンライン講義を受けるデジタル端末や接続環境がない家庭が続出するなど、今回のコロナ禍では、日本がデジタル整備でも「惨敗」していた事実が明らかになった。

これに続く文章でわかるように、歴代政権は医療、福祉、教育分野で日本のデジタル化が立ち遅れていることを正確に認識していた。にもかかわらず、「デジタル先進国」の目標看板をかけ替えただけで、事態は少しも改善されなかった。私たちは「利便性」や「成長の起爆剤」という点でのみ、技術を評価し、それを社会にどう役立てるのかについて、議論を深めてこなかった。

日本の技術が劣っているのではない。危機に際して社会にどう役立てるのか、欠けていたのはその問題意識と議論ではなかったろうか。日米のデジタル文化に精通するこの人の話を聞いて、そう思った。

＊＊＊＊＊

## ――「デジタル敗戦」の現実

20世紀にはパソコン製造や、携帯電話IP接続サービスの「iモード」開発などで気を吐いた日本は、なぜ周回遅れになってしまったのか。ジャーナリストの服部桂《かつら》さんとともに考える。

政府は２０２１年5月にデジタル改革関連法案を成立させ、9月のデジタル庁設置を目指す。これまで政府は何度もＩＴの導入、デジタル化について、総合戦略を打ち出してきた。それを額面通りに受けとめ、日本が「ＩＴ先進国」と思い込んできた人も少なくないだろう。だが、コロナ禍で否応《いやおう》なく突きつけられたのは、日本の「デジタル敗戦」の現実だった。

朝日新聞(電子版)は２０２０年10月21日、内閣官房で情報システム構築に携わる楠《くすのき》正憲氏にインタビューし、日本の「ＩＴ化の遅れ」には歴史的な背景があるというコメントを紹介している。現在ＩＴの先進国として引き合いに出される旧東欧諸国は、コンピューターの導入が遅れ、１９９０年代にＩＴ化が進行した時代に「白地」のまま一挙に移行できたという後発組の優位性があった。それに対し、それ以前にコンピューターを導入した日本は、システムが複雑化せざるを得なかった、という指摘だ。日本は１９６７年に世帯情報を住民基本台帳に移し、所管も法務省から自治省（現・総務省）に変わった。そうした背景を踏まえて楠氏はこういう。

「ちょうどこの頃から政府機関や全国の自治体がコンピューターの導入を始めます。日本には富士通、日立、ＮＥＣなどさまざまなベンダー（業者）があり、それぞれの役所がバラバラに行政システムの整備を委託しています。同じような業務をしている役所間で情報共有が難しい要因の一つがここにあります」

「しかも、その後地方分権なども叫ばれるようになります。現在、政府が目指しているのは全自治体における住民記録や地方税、福祉などの主要業務をデジタル上で一律に管理できるようにすることです。政府内でいえば、総務省はマイナンバーカードの普及、厚労省は健康保険証や医療分野、文部科学省は学校教育の現場などでデジタル化をはかり、それぞれの予算や権限を集約し一括管理しようとしています。それがデジタル庁構想ですが、組織ごとに記録の扱い方がバラバラなわけで、ＩＴ化だけ進めればいい、というわけではないのです」

だが、それだけでは、日本のＩＴ化の遅れを説明することはできない。ここで語られていないことは、官庁や行政における個人情報のデータ流出やずさんな管理に対する不安、さらには、一元的な個人情報管理によって、政府が監視機能を強めることへの懸念、つまりは政府・官庁に対する国民の「不信」が根底にある、ということではないか。後述するように、服部さんは、ＩＴの受容には、それぞれの国の文化や宗教、価値観が反映しており、単なる技術導入の問題ではない、と指摘している。だがその前に、21世紀における日本のＩＴ戦略を、ざっと振り返っておこう。

## ――迷走した「ＩＴ戦略」

内閣委員会調査室は昨年12月の「立法と調査」で、デジタル庁の議論への参考として「ＩＴ政策の経緯」をまとめた。それをもとに振り返ると、政府のＩＴ政策は次のように移り変わった。

◎日本のＩＴ政策は、２０００年の「高度情報通信ネットワーク社会形成基本法」（ＩＴ基本法）に基づいて進められた。

◎内閣のＩＴ総合戦略本部が中心となり、２００１年に「e-Japan 戦略」を策定。「5年以内に世界最先端のＩＴ国家となることを目指す」として、超高速ネットワークインフラ整備、電子商取引、電子政府の実現、人材育成の強化などを掲げた。

◎２００３年7月、「e-Japan 戦略Ⅱ」を策定。医療や教育を含む各分野におけるＩＴ利活用の推進を掲げる。

◎２００６年1月、「ＩＴ新改革戦略」を策定。「我が国はインフラ整備においても利用者のレベルにおいても世界最高水準となり、最先端のマーケットと技術環境を有する世界最先端のＩＴ国家となった」と評価。２０１０年度を目標に、国・地方公共団体に対する申請・届け出など手続きにおけるオンライン利用率を50％以上とすることなどを掲げる。

◎２００９年4月「デジタル新時代に向けた新たな戦略～三か年緊急プラン～」を決定。デジタル技術の活用が遅れており、取り組みを加速化する重点分野として、「電子政府・電子自治体」「医療」「教育・人財」の3分野を挙げる。

◎民主・鳩山政権が２０１０年5月、「新たな情報通信技術戦略」を決定。「国民主権」の観点から、①国民本位の電子行政の実現　②情報通信技術の徹底的な利活用による地域の絆の再生　③新市場の創出と国際展開の三つの柱を掲げる。

◎２０１２年12月に発足した第2次安倍政権のもとで13年6月、「世界最先端ＩＴ国家創造宣言」を決めた。宣言では、ＩＴを成長エンジンとして活用し、電子政府については、利便性の高い電子行政サービスの提供、国・地方を通じた行政情報システムの改革などの推進を挙げた。

◎コロナが感染拡大した２０２０年7月、「世界最先端デジタル国家創造宣言・官民データ活用推進基本計画」を閣議決定。①遠隔・分散に対応した制度・慣行の見直し　②マイナンバーカードの利便性の抜本的向上、マイナンバーカードの取得促進　③国と地方を通じたデジタル基盤の構築　④データ戦略、行政のデジタルトランスフォーメーション（ＤＸ）のためのデータ基盤などを掲げた。

以上見てきたことからわかるのは、政府は一貫して「ＩＴ先進国」を目指しながら、抜本的な改革をしてこなかった、ということだ。つまり政権交代を挟んでこの20年、電子政府、医療、教育という改革目標を正確に認識しながら、課題はそのつど先送りし、「世界最先端」などの看板だけをかけ替えてきた。そういっては、いい過ぎだろうか。

## ――コンピューターの進化

日本はなぜＩＴ開発で立ち遅れたのか。これまで振り返ってきた21世紀の日本の歩みを念頭に２０２１年３月30日、東京在住のジャーナリスト服部桂さんにＺｏｏｍで話をうかがった。

コンピューターの黎明期《れいめい》にその原理を確立したのは英国の数学者アラン・チューリングだった。ケンブリッジ大学で学び、米プリンストン高等研究所で博士号を得た彼は、戦時中は暗号解読に従事し、ドイツのエニグマ暗号を読み解いて戦況に大きな影響を与えた。彼は、人間の基本的な論理思考法を抽象化して「チューリングマシン」として定式化した。これが、今につながるコンピューターの源流の一つになったといわれる。服部さんはこういう。

「チューリングは、人間の脳を真似る機械を作ろうと考えた。知を裏付けるソフトウェアを開発し、今でいう人工知能（ＡＩ）の原型を思い描いた。つまり、人間の再生としてのコンピューターです」

だがチューリングは、暗号解読という極秘の任務についていたため、その業績も十分には評価されず、不遇のうちに死んだ。

そしてチューリングが先駆けたはずのコンピューター技術が花開いたのは、欧州ではなく、米国だった。米国では戦時中から陸軍の弾道研究所がＥＮＩＡＣ《エニアック》という大型計算

---

服部桂：早稲田大学理工学部で修士取得後、朝日新聞に入社。コンピューターによる製版化などシステム開発に携わる。MITメディアラボの客員研究員を経て、帰国後は科学記者として、新聞で初めて本格的なＶＲやインターネットの記事を多く執筆。退社後は、関西大学や早稲田大学などで教鞭をとる。

機の開発に着手し、ジョン・フォン・ノイマンらがチューリングマシンをさらに発展させてプログラム内蔵方式の「ノイマン型」を開発した。服部さんは、コンピューターが米国で進化したのは、アメリカには「死を否定する文化」があったからだろうという。

「キリスト教が主流のヨーロッパでは、死は避けられず肯定すべきものだった。人は死んで墓に入り、レガシーを残せばいいという考えだ。しかし欧州の宗教や文化を否定する人々が集まってできた米国では、生物としての限界を超え、死を延長するか否定する。つまり永遠の生命を希求するという新しい姿勢が生まれた。究極的にはコンピューターに脳をコピーすればいい、という発想です」

こうした前提から、アメリカでは長寿を目指す医療、人体の冷凍保存、精神として生き残るためのITといった「アンチ・死」の発想が生まれる。

アメリカには王も神もいないし階級社会もない。ところが、その代わりに米国は努力すればだれにでもなれる大統領を生み出し、死の代わりにコンピューターを生み出し、発展させた、と服部さんはいう。

こうしてマービン・ミンスキーとジョン・マッカーシーは1959年、マサチューセッツ工科大（MIT）にコンピューター科学・人工知能研究所の前身を設立した。ENIACを発展させたIBMは大型コンピューターの7〜8割のシェアを占め、世界の中でアメリカだけがコンピューター産業で突出するようになる。こうして電話はAT&T、コンピューターはIBMという寡占《かせん》体制が生まれた。

当時のIBMは、米国内のライバル7社をものともせず、「白雪姫（IBM）と7人の小人」という例《たと》えさえ使われた。IBMの技術を購入するしかなかった日本の製造業に至っては、巨人（IBM）とモスキート（蚊）ほどの実力差があるといわれた。

風向きを変えたのは、通商産業省（現・経産省）が1979年ごろから「第5世代コンピュータ」の計画構想を温めたことだ。これは真空管、トランジスタ、集積回路、大規模集積回路と代を重ねたコンピューターを、人工知能に対応する新たなバージョンに切り替える国家プロジェクトで、1982年から10年をかけて進められた。だが、米国の人工知能学者エドワード・ファイゲンバウムらが注目したことから、このプロジェクトは米国の危機感を招き、そのころから日本への圧力が高まった。服部さんはその例として、82年に起きたIBM産業スパイ事件を挙げる。日立製作所、三菱電機などの社員ら6人が、IBMに対し産業スパイを行ったとしてFBIのおとり捜査によって逮捕された事件だ。

当時のレーガン政権は、日独の台頭やベトナム戦争による疲弊で相対的に国力が衰えつつある中で、コンピューターと通信だけは突出した優位性を確保する方針を掲げていた。IBMが世界標準となっても、日本だけは富士通や日立が健闘し、IBMの首位を奪い去った。米国はそのころから知的所有権の重要性に気づき、矛先を日本に向けて圧力を高めるようになった。その象徴がIBM産業スパイ事件だった、というのである。

だがこのIBM優位は、思わぬところから足元で崩れることになった。それは、西海岸を中心に、カウンター・カルチャーが生み出したパソコンの奔流《ほんりゅう》だった。

## ――「権威」に対抗するパソコン

ベトナム反戦運動が全米を席捲《せっけん》した1960年代に、若者たちはロックとドラッグで親世代の世界に抗するカウンター・カルチャー（対抗文化）を生み出した。

服部さんは、その代表的な論者であるスチュアート・ブランドが１９６８年に雑誌「ホール・アース・カタログ」を出し、ドロップアウトしたヒッピーたちの生活を地球規模の意識で目覚めさせる時代のバイブルとなった、という。彼の思想は多くの若者に深い影響を与えたが、コンピューターもその例外ではなかった。

服部さんによると、スチュアート・ブランドは、「すべてヒッピーのおかげ」というエッセイの中で「カウンター・カルチャーが中央の権威に対して持つ軽蔑《けいべつ》が、リーダーのいないインターネットばかりか、すべてのパーソナル・コンピューター革命の哲学的な基礎となった」と書いている。

コンピューターはそれまで、大企業や軍のための中央制御の大型コンピューターだった。いわば中央集権的で官僚的な「権威」の象徴であり、その周縁に何も持たない「個人」がいるという構図だ。その「権威」としてのコンピューターに、若者たちが反抗の烽火《のろし》をあげたのである。

徴兵制で若者たちがベトナム戦争に送られた当時、反戦運動に身を投じたり、ロックやアート、ドラッグに走ったりする若者もいた一方、徴兵が免除されるという理由だけで、国防総省や大学などで戦争関連の業務や研究に従事する者もいた。そのため、体制や権力、大企業や官僚主義を支える象徴としての「大型コンピューター」に、批判的なまなざしを向ける研究者も少なくなく、学生が大学のコンピューターセンターを占拠するデモなども起きた。そうした中から、権威の独占物として人間を支配するのではなく、人間の能力を拡大するためのコンピューターを、という考えが生まれた。その象徴が、１９６８年にマウスの発明者でもあるダグラス・エンゲルバートが公開したoN-Line System（ＮＬＳ）だった。これはネットにつながる今のパソコンの原型ともいえるシステムだった。

ＮＬＳが画期的だったのは、コンピューターを「数字を処理する道具」から、コミュニケーションや情報検索のツールに変えたことだ。さらに、たった一人の利用者が独占的に必要な情報を、インタラクティブに操作できるということだった。コンピューターが初めて、パーソナルな存在になったのだ。

その後、パソコンは次々に改良を重ね、西海岸のガレージを作業場に出発したイノベーターらが、画期的な製品を送り出した。パソコンが普及し、パソコンの市場規模は大型コンピューターを凌駕《りょうが》する。90年代にはスピードが上がり、メモリーが増えた。

パソコンは仕事仲間、相談相手、遊び相手になり、ネットで他人とつながってさまざまな情報や知識を共有する道具になった。21世紀になって高性能スマートフォンが普及すると、かつては机、その後ラップトップに置いたコンピューターはさらに軽量化し、常時持ち運べる自分の「分身」になった。

つまり、60年代の終わりから今に続く革新は、コンピューターを「計算を速く行うマシン」と考えた当初の発想を根底から崩し、「人間以外のものを使って人間を再現するテクノロジー」ととらえ直すことから始まった。

服部さんは、米国が20世紀後半に見いだしたこのコンピューターの役割は、数百年単位で人間の在り方を変える「テクノロジー」の革命だという。

利便性を追求する人間は、あらゆる道具を発明し、生活を豊かにしてきた。ねじ回しは指の延長線だった。車は人間の足を機械化した。こうした人間の生存欲求を原動力に模索を続けるうちにイノベーションが起き、そこから生まれた新たなテクノロジーによって社会が規定され、新たな価値観や規範が生まれる。コンピューターは、そうした「道具」の延長上に生まれたが、人間全般の能力を扱うという点では、画期的だった。それは、人間の在り方や、人間と世界の関係そのものを変える可能性がある、と服部さんはいう。

こうした歴史を踏まえて、服部さんはこう指摘する。

「米国がなぜITを発達させ、パソコンがどうして米西海岸で生まれたのか。その背景にある歴史や文化の理解抜きには、イノベーションは生まれない。日本がITでなぜ出遅れたのか、その理由は、技術力がないせいではありません。イノベーションを生み出す力がなく、技術を模倣しようとして、米国の圧力にひるんでしまう。人間の力や能力を拡張する必要性を感じ、それを乗り越えようとする意思がなければ、イノベーションは生まれません」

## ――「神」への反逆としてのテクノロジー

前に触れたマービン・ミンスキーは1990年、人工知能の基礎理論を確立した功績で日本国際賞を受けた。MITで彼の講義を受けたこともあった服部さんは、受賞についてミンスキーが漏らした感想が忘れられないという。

「なぜ日本人は、人工知能なんかに賞を出すんだろう」

AI開発にはさまざまな壁の前に研究が停滞した時期があり、当時は「第2次冬の時代」に差し掛かっていた。だがそれよりも、ミンスキーの反語的な質問には、米国でもAIの研究に対する理解が広がらないことへの嘆きが込められていた。

キリスト教を基盤とする欧米では、神に代わって「神の似姿」としての人間に近い機械を目指すこと自体が、理解を超えていた。今現実味を帯びている「シンギュラリティ」以前に、そもそもＡＩは学問とはいえない、という風潮が一般的だった、と服部さんはいう。

服部さんによると、かつてマーシャル・マクルーハンは「すべてのニュースは生と死とセックス」といったことがある。ニュースから日付や登場人物の名前を削れば、基本的な関心事は「生」と「死」そしてその二つの合間に広がる現世の出来事に関するナラティブ（語り）でしかない、という意味だ。

「キリスト教的な欧州の文化は、神を中心としている。死は受容するしかない、というのが基本です。しかし、そうしたしがらみのない米国では、神や死を否認する人が多い。そうした人たちは、神に逆らい、神に代わることにもためらいがない。彼らにとって、テクノロジーとは、神に反逆するプロメテウスなのです」

テクノロジーは、現世の利便性を求めることよりも、「生」と「死」の選択に直面するときに、飛躍的に進むことがある。端的な例が「戦争」だ。

米国におけるコンピューターの実用化は、陸軍の弾道計算や原爆製造の「マンハッタン計画」と切り離せない。ロケット開発はミサイル開発と不可分だし、ＧＰＳも、もともとは軍事目的で開発された。冷戦時代の核攻撃に備え、インターネットは、情報経路を分散させて生き残る方法として生まれ、のちに商用化された。

「つまり、米国のテクノロジーは、生きるか死ぬかという設問に対する答えだった。ガラパゴス的な環境の下で、多様性を出すという日本の発想とは違います。日本はキャッチアップはできるが、そうした画期的なテクノロジーを生み出すという点では生態学的な限界がある。日本の得意分野は『生』と『死』が発する設問への答えではなく、『現世』でいかに便利で、効率よくするのか、という分野なのだと思う」

服部さんに話をうかがって、私は2000年正月の企画で、21世紀のIT・ロボット開発の行方を占う取材をし、日欧米の研究者を訪ねたことを思い出した。

「鉄腕アトム」に親しんでロボット開発を目指す日本人研究者は、人の形をしたヒューマノイドをつくることに、全く抵抗がない。それに対し、ドイツやイタリアの研究者は、ヒューマノイドを忌避《きひ》し、できるだけ人を連想させない家具や車に搭載するロボットを模索していた。これも、「神の似姿」としての人間に近い機械をつくることへのためらいだ。

他方、米国で会った研究者は、やはりヒューマノイドを目指さず、気球型の監視装置や、ボール型、昆虫型のロボット開発を目指していた。それは、のちに現実のものとなる「非対称型の戦争」、つまり対テロ戦を念頭に置いたものだった。

戦時中、軍需産業に資源を集中させた日本は、戦後は冷戦構造のもとで、米国から優先的に技術供与を受け、民生分野に特化して経済成長の道を歩んできた。だが繊維、自動車、半導体、コンピューターの分野で米国の優位性を脅かすようになると、米国はしばしば、躍起になって開発に圧力をかけようとしてきた。それは、21世紀になって急速に技術革新を重ねる現在の中国との「テクノロジー・通商摩擦」にも重なる部分があるだろう。

服部さんの話をうかがって思ったのは、いたずらに外国のテクノロジーの模倣やキャッチアップを進めるのではなく、なぜ、どのような目標のために、技術開発を進めるのかという長期的な見取り図が必要だということだ。

その場合に必要なことは、むやみにテクノロジー開発の分野を広げることではなく、戦後の日本にふさわしい価値観に基づき、どの民生部門に力を入れるべきか、環境や特性に見合った分野に資源を絞ることだろう。

そうした目標の設定と再編がなければ、私たちは身の回りの便利なガジェットに目を奪われ、「あれも便利」「これも楽」という華やかな幻想に包まれたまま、「技術大国」からの果てしない転落の坂を転げ落ちることになるかもしれない。

# 第3章

# 変わる働き方と地方の時代

## 変わる「働き方」と「地方の時代」

つい1年半ほど前まで、当たり前だった日常が突然変わる。密を避け、人と会う機会を減らし、会合や会食もやめる。コロナ禍は、ほぼ同時に、世界中の人々の日常と生活様式を劇的に変えた。

トンネルの不安は暗闇ゆえではない。ついその先の曲がり角の向こうに出口があるのか、いつになったら抜け出せるのかわからない。見通しがつかないことに不安の原因がある。

いつかまた、自明だった風景に戻り、懐かしい人々と酒を酌《く》み交わし、ささいな事で冗談を飛ばして笑い合う。その復活の希望があるから、厳しい環境にも何とか耐えてきた。

だが、ワクチン接種がいきわたって日常が戻っても、変わらないことがあるだろう。マスク着用や手指洗いなど、長期間の習慣のいくつかは慣習となって社会に定着し、暗黙のルールになるかもしれない。

だが、その中でも社会に大きな変化をもたらす可能性があるのは「働き方」だろう。

この間、多くの会議や会合はオンラインに移行し、在宅勤務が常態になった人が増えた。もちろん、人と接することが避けられない仕事、たとえば接客業やサービス業、公共交通機関や医療・介護の仕事は、コロナ禍においてもその終息後にも、暮らしの維持に欠かせない。だが、そうしたエッセンシャルな仕事以外の変化の多くは、「アフター・コロナ」期に引き継がれる可能性が高い。

あれほど必要とされた会議やそのための下準備、根回しは、実は必要なかった。本社や支店への頻繁な出張、大人数を本社に集める会合も、オンラインで済ませられる。

だが大きな変化は、もっと遅れてやってくる。それはおそらく、働き方や組織への忠誠心、上司や同僚・部下との人間関係、さらには職場と家庭の在り方にまで及ぶだろう。

コロナ禍は、まったくなかったものを生み出すことはないだろう。だがそれは、すでにあるもの、変化の兆しを大きく増幅し、急激に加速させる。それはいい方にも、悪い方にも変わる。私たち次第だ。

＊　＊　＊　＊　＊

## ――「ウィズ」と「アフター」

新型コロナの感染拡大によって、テレワークやオンライン講義が急速に定着しつつある。「ウィズ・コロナ」「アフター・コロナ」の時代に「働き方」はどう変わり、「地方の時代」は果たして到来するのだろうか。

大正大学出版会が発行する雑誌「地域人《ちいきじん》」は2020年6月末、通常の月刊に代えて「ポストコロナ時代の地方と都市」という特別号を出した。その緊急特集に『コロナ危機』で変わる働き方、暮らし方と地方創生」という論考を寄せた同大地域構想研究所教授の村木太郎さんにZoomで話をうかがった。

「ウィズ・コロナ」や「アフター・コロナ」という言葉が広く使われるようになったが、村木さんはまず、新型コロナについて三つのフェーズを、こう定義する。

「第一段階は、緊急事態宣言が出され、経済・社会活動が大幅に制限された時期。第二段階が、ワクチンや治療薬ができるまで、『新しい生活様式』を求められる時期。これが『ウィズ・コロナ』の時期です。そしてコロナ危機が収束したあとの時期。これを『アフター・コロナ』と定義しています」

当然のことだが、「ウィズ・コロナ」期に起きる変化であっても、「コロナ以前」に戻るものもあれば、「アフター・コロナ」期まで持ち越され、社会に定着するものもある。後者の場合、変化は不可逆的で、後戻りしない。つまり、社会関係や生活様式が以前とは決定的に変わり、新しい社会が出現することになる。現在私たちが直面している「ウィズ・コロナ」の期間に、悲観ばかりして現状を嘆くのではなく、「アフター・コロナ」のあるべき姿を構想して、少しでもそちらに向かうべきだ、というのが村木さんの基本的な考えだ。

緊急事態宣言下の約2か月で社会・経済活動は停滞し、その後も私たちはまだ「コロナ以前」には戻れずにいる。当分は「3密」の回避や手洗い、咳《せき》エチケットの徹底といった衛生面だけでなく、テレワークや時差出勤を求められる時期が続く。

「社員が定時に出勤し、同じ職場で机を並べ、随時打ち合わせをしながら協働で仕事をするスタイルが減り、都合のいい時間に在宅で、それぞれが担当の業務をこなし、メールや定時のウェブ会議でコミュニケーションをするというスタイルが、急激に増えた」

こうしたスタイルの変化は、感染拡大防止という観点から、半ば強制的にもたらされたものだ。しかし、そこにメリットがあると気づけば、そのスタイルは中長期的に定着して

---

村木太郎：大正大学地域構想研究所教授。京都大学大学院工学研究科を修了後、旧労働省に入省。東京労働局長、厚労省大臣官房総括審議官などを経て、2020年より現職。国際労働機関（ILO）の日本政府代表を務めていたこともあり、戦後の労働環境の変化に詳しい。

いく、と村木さんはいう。

メリットの第一は長時間通勤やラッシュを回避できることだ。自分のペースで仕事ができ、遠く離れていても、すぐに打ち合わせができる。もちろん、だれもが必要と感じていなかった形骸化した会議も減って、そのために膨大な時間を費やした資料づくりの作業も淘汰《とうた》されていくだろう。

もちろん、デメリットを感じる人もいるだろう。住環境が不十分なため、子どもや共稼ぎをするパートナーが自宅にいると、気が散って仕事に専念できないという人もいる。

「でも、子どもの声がうるさいから仕事ができない、というのは、ある意味で男性の贅沢《ぜいたく》。じゃあ、女性はこれまでどうだったかを考えると、子育てしながら、保育園や幼稚園への送り迎えもこなし、長い通勤時間をかけて職場に通う人が多かった。オンラインは50センチ四方の空間があればできるし、子ども部屋の机を借りてでもできる。喫茶店で仕事をする人も増えている」

## ――いやおうなく「ジョブ型雇用」に向かう

テレワークの拡大で大企業はオフィスを削減し、中小ではオフィス自体を閉じる動きも出ている。野村不動産は2020年6月、今後求められるオフィスの姿を考える研究所を立ち上げた。

もしこうした変化が定着すれば、在宅やテレワークといった勤務形態だけでなく、日本人の仕事の進め方そのものが、大きく変わるきっかけになるだろう、と村木さんはいう。

第一は、個々人の仕事の内容と責任が明確になることだ。欧米、ことにアメリカでは「ジョブ型雇用」と呼ばれる雇用が一般的だ。これは、特定の仕事に人が割り当てられ、その範囲内で業務をこなす。これに対して終身雇用が一般的だった日本では、「メンバーシップ型雇用」と呼ばれ、まず人ありきで、その人に仕事が与えられる方式が一般的だった。

「ジョブ型」は最初から業務内容、勤務地、給与、その他の条件が明確に示され、その能力や条件に合うと思う人々が希望して就職する。「メンバーシップ型」は、業務内容や勤務地、その他の条件をはっきりさせず、勤務の途中で条件が変わっていく。

日本では、ある特定の技能を持つ人が次々に転社して同じ業務をこなし、スキルアップしていくことは、まだ大勢とはいえない。かつて大きな企業で終身雇用や年功序列が一般的だったころには、ある会社に入ると、さまざまな職種をこなし、昇進していくスタイルがふつうだった。「ジョブ型」と「メンバーシップ型」は、こうしたキャリアの在り方と対応しているのだろうか。そう問いかけると、村木さんは、そうではない、という。

「重なっている部分もあるが、これはキャリアの在り方ではなく、仕事の進め方の違いに重きを置く言葉です。たとえば同じ会社の企画部に所属していても、日本では個々人の業務の分担は明確ではなく、『チームで協力をしてこなす』という考え方をすることが多い。ある業務に応じて人を入れ替えるよりも、その職場を挙げてチームワークで業務をこなす、という考え方をしがちです」

もちろん、コロナ禍が起きる前から、日本の働き方は「メンバーシップ型」から「ジョブ型」へと移行する傾向が見られた。転職をしたり、キャリアアップしたりする人が増え、非正規雇用やギグ・ワークなど、雇用形態も多様化した。だが、コロナ禍によって、日本の働き方はいやおうなく「ジョブ型」に向かわざるを得なくなるだろう、と村木さんはいう。

「離れて在宅で働く方式が機能するためには、役割分担を明確にし、個々人がどんな仕事をしてどんな責任を負うのか、上司も同僚も理解していなくてはならない。これまでのように、そこを曖昧《あいまい》にしたままだと、混乱が起きてしまうからです」

そうなれば、労働に対する評価システムも、変わらざるを得ない。

「評価の明確化だけでなく、情報共有の在り方もハッキリとせざるを得ない。暗黙知《あんもくち》から明示知《めいじち》への流れが加速するでしょう。つまり、これは単に勤務の仕方が変わるということではなく、職場の在り方や、会社の在り方にも大きな変化をもたらす可能性が高いのです」

これまで日本の組織では、事務的・管理的な仕事は定量化できないという声が圧倒的だった。もちろん、その働き方には、一丸となって協働で仕事に取り組める利点がある一方、同質集団を形成し、外国人や女性、障害者といった働き手の多様性を排除するという限界もあった。今回の変化が、その行き詰まりを打開する突破口になれば、と村木さんはいう。

## ――「コロナ後」の二つの大きな変化

長く労働行政に携わってきた村木さんは、日本における「働き方改革」がいかに難しいかを実感してきた。時代の変化に即した新しい「働き方」を提案しても、すぐに導入する企業は少なく、雇用環境は改善しなかった。

「同質性を好み、変化を拒む国民性とでもいうのか、社会の『慣性』が強く働き、なかなか変えられない。でも、今のようなコロナ禍のもとでは、好むと好まざるとにかかわらず、リモートワークや役割分担をせざるを得ない。そうすると、社会の『慣性』が、ぐっと前に動き、一挙に変わる可能性があります」

営業は「対面が原則」というのが口癖だった上司が、やむを得ずＺｏｏｍを使って「結構使える」

と思ったり、全国から一堂に会して開いていた会議がオンラインに移行し、時間も費用も省けることに気づいたり、身の回りでも、そうした変化を前向きに受け止める声を聞く機会が増えた、と村木さんはいう。

こうして実際に使ってみて、多くの人が前向きに受け止める手法は、コロナ危機が去っても習慣として定着し、不可逆的な変化をもたらすだろうと村木さんはいう。そうした変化の先に予想される社会は、どんなものだろうか。村木さんは、大きく分けて二つあるという。

「ひとつは、企業や組織への帰属意識が弱まるということです。同じ職場に机を並べ、毎日顔を合わせることがなくなると、どうしても、そうなる。その結果、副業や兼業をしたり、いくつもの企業・組織に属したり、企業と契約して個人で働く契約労働（コントラクトワーク、フリーランス）が増えていく。これまではＩＴ産業やデザインでもこうした働き方がみられましたが、今後は企画や総務、営業など幅広い分野でそうした傾向が強まる可能性がある」

もうひとつは、これまで専業主婦や、共稼ぎであっても女性が担うことが多かった育児や介護、プライベートな活動、社会的活動が、多くの人にとって労働と両立可能なものになり、その両立が当たり前になっていくという可能性だ。

20世紀後半には、男性の多くが長距離通勤、長時間労働で疲れ切り、退社後も同僚や部下と飲みに行くという「会社人生」が当たり前の時代が長く続いた。会社にどっぷり浸《つ》かっていることが、家計を支えるためには必要だと自分に言い聞かせ、家庭や地域の仕事を他人任せにしても平気だった。非正規労働が増え、共稼ぎの家庭が増えた世紀末から、さすがにそうした価値観は揺らいだが、「男性優位社会」の岩盤はまだ動いていなかった。

村木さんの指摘は、もし私たちがそう望めば、「アフター・コロナ」の時代において、新たな「共生社会」を目指す環境が整う、という可能性を示していると感じた。

ここで村木さんは、ここ十数年顕著《けんちょ》になってきた「非正規雇用」の増加について、今後考えるべきテーマを指摘した。

非正規雇用は、就職氷河期世代や女性の問題だったり、社会保障や親の高齢化の問題だったり、論点は多岐にわたる。これまで、非正規雇用増加への対応策として、大きく分けて二つのやり方があった、と村木さんはいう。「主流は、正社員化を進める方策だった。政策でいうと例えば労働契約法で有期社員の無期転換ルールが定められた。もうひとつは非正規雇用を認容した上で、改善を進めるという方策だった。一連の労働者派遣法の改正やパートの社会保険適用拡大、同一労働同一賃金などがこれに当たる」と村木さんは振り返る。

従来は政府もマスコミも社会全体も、前者の考えが中心だった。正社員＝良い働き方、非正規＝改めるべき働き方、という考え方だ。

「しかし、働き方の多様化が進むと、非正規にフリーランスなども含めたさまざまな形態の労働の必要性や価値を認めた上で、全体としてどう調和させていくかが、中心的な課題になる」と村木さんはいう。

その際に大事なことは、経済活動や契約の自由とバランスを取った上で働く人をどのように守っていくか、従来は企業が担ってきたキャリアや職業能力の向上の支援を、社会としてどう進めていくか、という二つが急務の課題になるという。どちらも難問で、政府内でも何度も議論されたが、抜本的な解決策は出ていない。

「コロナショックを機に働き方の多様化が一気に進むと、待ったなしのテーマになる」と村木さんは指摘する。

働き方が変わる。社会の変化には、さらにその先がある。「地方創生」の可能性だ。

## ――「リアルとオンラインの接続」が促す地方創生

「職場や組織に縛られない生き方は地方に住む誘因になる。これまでの地方居住は企業の誘致や新規立地で働く場所を確保することが前提だった。新しい働き方では、東京や大阪とつながりながら、仕事は今までと同じように続け、魅力のある自然や、育児・教育・医療など、自分に合った環境を選ぶ可能性が出てくる。通信販売やオンライン診療、イベントや美術館・博物館のオンライン展示が一般的になれば、『過疎地』に住む不便さも解消されるだろう。さらにオンラインによる講義や会議が普通になれば、地方にいても教育や研修を受ける機会が増える」

実際、同大地域構想研究所が全国の1万~10万人規模の自治体で行った調査によると、「現場の中核的人材」「コミュニティのリーダー」「合意形成を支援する人材」などの人材の充足度は、2016年から20年にかけて大きく低下しているのに、育成のための研修派遣は減少気味だった。そうしたギャップが生じる背景として、予算というより、研修時の他の職員の負担やスケジュール調整など、時間や距離における負担を挙げた自治体が多かった。

「これは自治体だけでなく、地方企業にも共通した悩みだと思う。オンラインでは、時間や距離の負担がなくなるし、これまでの通信講座やテレビ講座と違って、リアルタイム、双方向でコミュニケーションを取ることができる。そういう利点を活かしていけば、地方の暮らしを便利にし、地方創生の芽にすることもできるのではないか」

もちろん、課題も多い。

オンライン普及に当たっては、情報リテラシーの格差を縮めることや、セキュリティをどう確保するかが重要だ。しかし、地方にはこれに加え、固有の課題がある、と村木さんは指摘する。それは、「リアルとオンラインの接点」を意識的に作り出すことだという。

「リアルとのかかわりがあるからこそ、オンラインが大きな意味を持つ。通信販売では物流、オンライン医療では検査や手術などへのアクセス、会議や研修では対面の機会を確保することが、ますます重要になる。学校でも、従来型の対面授業とオンラインをどう組み合わせるかが課題になるだろう」

リアルの中には、オンラインに移行できない部分が残る。人の喜びや感情に作用するようなサービス業などの「感情労働」は、簡単にはオンラインで代行できない。5Gの普及や仮想現実（VR）、拡張現実（AR）技術の進展で、三次元のリアルに限りなく近い体験を提供できても、よほどの技術の進歩がない限り、リアルの世界には届かない。また、医療、電気・ガス・水道などライフラインの維持、交通網や物流の維持、ゴミ収集などのエッセンシャル・ワーク（人々の生活の維持に欠かせない仕事）でも、現場で体を動かす仕事は残る。

「Zoomでの会話は、初対面の人が相手だと、ぎこちないものになりがちです。息遣いやその人の全人格が醸《かも》す雰囲気など、実際に会ってみないとつかめないものがある」

オンラインをリアルの代替手段と位置付ければ、その選択は、1か0かのゼロサムになる。だが、補完関係と考えれば、「1・5」にすることができる。そう村木さんはいう。

「大学のオンライン講義では、アフリカの人を呼んで参加してもらうこともできるし、地方にいる人も分け隔てなく気軽に参加できる。その一方で、定期の会合は減らしても、年に一度実際に集まる機会を設けるなどの工夫が必要です。ホテルやコンベンションセンターの需要は減るでしょうが、代わって大画面を使った大規模オンライン会議を開く場になるかもしれない。要は需要が減ることを嘆くのではなく、どう需要を作り出すかを考えるべきだと思う」

厚生労働省を退職後、村木さんは少女や若い女性を支援する「若草プロジェクト」の統括理事を務めるなど、女性や障害者ら、生きづらさを抱える人々を支え合う社会活動を続けてきた。そこにも、コロナ禍の波は変化をもたらしている。

「戦後の高齢者や障害者の施設は、できるだけ大きな公共施設をつくるという流れが続いた。それが20年ほど前から、地域に根差した小規模の施設や個人の居住に移り、地域で共生する方向に舵《かじ》を切った。今回は、一部に残っていた大規模な居住施設でクラスターが発生し、基礎疾患を持つ人や体力のない人が犠牲になった。社会からの『隔離』が逆に集団感染を招くという逆説だ。福祉や介護の場では圧倒的な人手不足を補うため、ロボット技術やＩＴ技術の導入が進んでいる。政府の投資による不況からの脱出は、こうした生活弱者への支援に重きを置くべきではないか、と思います」

## ――雑誌「地域人」の編集長・渡邊直樹さんと考える

雑誌「地域人」の編集長は、大正大地域構想研究所の客員教授、渡邊直樹さんだ。その渡邊さんに2020年8月18日、Ｚｏｏｍで話をうかがった。

渡邊さんの経歴は多彩だ。その名を知らなくても、渡邊さんが雑誌編集長としてプロデュースし、世の中に送り出した企画や連載をまったく知らない人は少ないだろう。

渡邊さんは8月11日発売号の「地域の暮らしはどうなるのか」で、建築史家の藤森照信さんにインタビューをして巻頭に掲げた。

その中で藤森さんは、世界の都市建築を研究してきた結果、人類は有史以来、経済都市では一貫して「過密」を形成してきたことを知った、という。「コロナ禍後、その歩みは変わるのか」という渡邊さんの質問に対し、藤森さんは次のような印象的な答えを返している。

「コロナ以降、変わるとは思うけど、分散化という形にはならないんじゃないかな。(中略)行ったり来たりになるかもしれません。行ったり来たりだと、分散しているわけではないですよね。あらゆる変化が、すでに小規模に起きていたことが一気に加速化するという感じです。コロナ以前からすでにどこかで起きていたことが、一気にバーッと加速するということだと思います」

2021年9月で創刊6周年を迎える雑誌で地方の動きを見守ってきた渡邊さんは、「すでに小規模に起きていたこと」について、次のようにいう。

「この5、6年、若者たちの意識が変わってきた。いったん社会に出て就職した人が、20、30代で仕事をしていくなかで価値観を変え、地方に住みたいと思う人が明らかに増えた」

---

渡邊直樹：大正大学地域構想研究所客員教授。東京大学文学部を卒業後、1976年に平凡社に入社。雑誌「太陽」の編集を担当し、その後、嵐山光三郎氏らと「青人社」創設、月刊「ドリブ」を創刊。その後、「SPA！」「週刊アスキー」などの創刊編集長、「婦人公論」「をちこち」「宗教と現代がわかる本」などの編集長も務める。

地方移住の動機はさまざまだ。外資系コンサルタントの会社に就職した人が、仕事に飽き足らなくなり、社会貢献をしたいと帰郷したケース。食の安全や環境に関心が高く、「持続可能」な社会の一員になりたいと、首都圏でも自然の豊かな地方に移住したケース。さらに子どもを豊かな自然環境のもとで育てる「森のようちえん」に通わせるため、地方に移住するケース。

そうした例に加え、渡邊さんは、この数年、緩やかに地方とかかわる人が増えてきたことに注目する。

「以前は、地方に移住するには、祭りと消防団への参加が欠かせない、といわれた。そうしないと地域に溶け込めない、と。しかし、練習が厳しい体育系の運動部は嫌だが、同好会なら入れるという人がいるように、移住はしないまでも、2拠点を持って時々長期に滞在するとか、観光客とは違ってリピーターになり、地域のファンになるといった例が増えている」

さらに、実際に地方には住まないまでも、金銭面や購買で地方を支援したい、という人は着実に増えたという。

「今回のコロナ禍で、飲食店への卸《おろ》しができない地方の特産品を、ネットで販売し、消費者が中抜きで産地と結びつく回路が役に立った。ふるさと納税も、返礼品を目的とするのではなく、応援したい自治体が子育て支援や環境保護に使うことを求める動きも出ている。今回注目されたクラウドファンディングも、人の挑戦や夢の実現を大勢で支援する試みだ。寄付文化が根付かないといわれたこの国の風土が、変わりつつあるのを感じている」

こうした小さな潮流は、コロナ禍でも、まだ目立ってはいない。しかし、従来型の需要喚起型の景気浮揚策の効果が上がらず、なかなかインバウンドが回復しないとなれば、将来の「アフター・コロナ」で大きく成長する可能性がある。

「そうした全国各地の小さな芽は、今回のコロナ禍で、持続可能な社会を目指す動きにつながっていくかもしれない。日本は75年前の原爆投下で核兵器廃絶を、２０１１年の福島第一原発事故でエネルギー政策の転換を世界に最初に訴えるポジションとチャンスを得たが、それを活かしてこなかった。今回のコロナ禍は、ある意味では、日本を持続可能な社会に転換する最後のチャンスなのかもしれない」


今回のコロナ禍で、政府の施策があまりに遅く、しかもちぐはぐなことに、憤《いきどお》る人は多い。だが、「文句をいう」ことは、ある意味では依存していることにつながる、と渡邊さんはいう。

「自立を目指す若い世代を少しでも支え、応援する。そんな立場から、今後もポスト成長社会や地方自治などのテーマに取り組むつもりです」

いつも時代の先端に身を置き、その空気を形にしてきた渡邊さんは、今また「地方」という時代の最前線に立っているのかもしれない。

## アベノミクスの今と、資本主義の行方

第2次安倍政権が打ち出した「アベノミクス」について、語る人はもう少ない。金融緩和、財政出動で時間を稼いでデフレから脱却し、新たな成長戦略で再び活力あふれる日本を取り戻す。専門家の多くが、もうその青写真を語ろうとしないのは、コロナ禍という未曽有《みぞう》の危機で修正を余儀なくされたせいだろうか。それとも、コロナ禍の前に、その構想の破綻《はたん》が明らかになっていたからだろうか。

コロナ禍はどの国、どの経済にとっても逆風だった。ただ第2次安倍政権が打ち出した「成長戦略」の多くが、コロナ禍でより致命的な打撃を受けたように、私には見える。

東京五輪・パラリンピックを跳躍板に、4千万人の訪日観光客を目標に掲げた「観光立国」。カジノ併設を見込んだ統合型リゾート（ＩＲ）構想。

菅義偉首相が官房長官時代に打ち出した「世界の富裕層向けの高級ホテル50か所」開発構想。グローバル化の加速を見込んだそうした成長戦略は、ことごとく逆流に呑《の》まれた。

あるいは、世界に原発や高速鉄道を売り込むインフラ輸出戦略も、多くが壁にぶつかっていた。世界が「再生可能エネルギー」や脱炭素化、「持続可能な開発目標（ＳＤＧｓ）」に大きく舵を切ろうとしている時期に、そのニーズをつかむことはできなかった。

では、アベノミクスは、たまたま悪条件が重なって成果を出せなかったのだろうか。そもそも無限の「成長」を目標に掲げる制度設計そのものに限界があるのではないだろうか。

経済問題といえば、エコノミストや経済学者の専門領域で、素人にはなかなか口をはさむ余地がない。だが私は、このコロナ禍を節目に、アベノミクスの総括を、素人にもわかる言葉で語る論者に話をうかがいたいと思った。お二人とも金融実務、行政、研究の分野で実績を積んだ方だ。高橋伸彰《のぶあき》さんは、「暮らし」の視点で経済学そのものを問い直す仕事を続けてこられた。水野和夫さんは、長い歴史軸を踏まえて資本主義の限界を説いてこられた。コロナ禍にあってこそ、耳を傾けたいお話をしていただけたと思う。

＊＊＊＊＊

## 記録塗り替える打撃

安倍晋三首相は２０２０年８月28日、辞意を表明した。同24日で連続在職日数が２７９９日になり、大叔父の佐藤栄作氏の記録を更新して憲政史上最長を記録したばかりだった。７年余りに及ぶ看板の「アベノミクス」とは何であったのか。コロナ禍は今後、資本主義にどのような変容を迫るのか。

内閣府が同年８月17日に公表した同年４〜６月期のＧＤＰの１次速報は、物価変動の影響を除いた実質で前期比７・８％減、年率換算では27・８％減の落ち込みになった。

マイナス成長は３四半期連続だったが、コロナ禍が本格化した４〜６月期の打撃は特に深刻だった。石油危機後の１９７４年１〜３月期の年率換算13・１％減はもちろん、「１００年に１度の危機」といわれたリーマンショックの後の09年１〜３月期の年率換算17・８％減を上回る下落幅だ。

下落の一番の要因は、全体の半分以上を占める個人消費の前期比減少率が、過去最大の8・2%になったことだ。これは消費増税のあった14年4～6月期の4・8%を上回る落ち幅だ。

もう一つの理由が前期比で18・5%減になった輸出の落ち込みだ。自動車をはじめ、海外での商品の売れ行きが不振になり、GDPを押し下げた。統計では「輸出」に分類されるインバウンド消費も、3月から5か月連続で訪日観光客数の9割減が続き、ほとんどが消えた。

日本よりも感染が深刻な米国では、同じ四半期に年率換算で約33%減、ユーロ圏も約40%の減を記録しており、打撃は世界規模で広がっている。

## ――立命館大名誉教授・高橋伸彰さんに聞く「アベノミクス」の現在

こうした状況をどうとらえたらよいのか。2020年8月17日、立命館大名誉教授の高橋伸彰さんに話をうかがった。

今のコロナ禍による打撃について質問すると、高橋さんはまず、今回の下落要因の約4割が外需の減少によるものだという点に注意を喚起した。

「08年のリーマンショック後は、輸出依存度の高い日本経済の弱点があらわになり、改めて内需への転換が急務だと叫ばれた。しかし、民主党政権においても、また7年以上続いたアベノミクスによっても、その内需転換が図れなかった顚末《てんまつ》が、今回のコロナ禍で露呈したといっていい。内需のかなりの部分は個人消費が占めるが、その個人消費が増えなかったのは賃金が増えなかったからだ」

安倍政権は2013年6月に発表した「日本再興戦略」で「アベノミクス」の全体像を示した。大胆な金融緩和政策、機動的な財政政策、成長戦略という「3本の矢」でデフレを脱却するという青写真だった。

大規模な金融緩和によって企業業績を伸ばし、賃金を増やして消費を喚起し、それがさらに企業業績の拡大をもたらすという好循環を作り出し、デフレを克服するという見取り図である。

だが、雇用者に支払われる賃金の総額は１９９７年をピークに安倍政権が誕生する直前まで減少を続けていた。アベノミクスによって、一時、実質賃金がプラスに転じたこともあったが、２０１８年12月には、厚労省の「毎月勤労統計」が04年から統計方法を変更していたことが総務省の指摘で発覚し、野党が国会で、「アベノミクス偽装」として追及する騒ぎになった。

厚労省が２０２０年2月7日に発表した２０１９年の毎月勤労統計（速報値）では、名目賃金に当たる労働者１人当たり平均の現金給与総額は前年より０・３％減の月額32万２６８９円で、６年ぶりの前年割れとなった。正社員より賃金が低いパートタイム労働者の比率が高まったのに加え、働き方改革などを受けて労働時間が減り、全体の賃金を押し下げた結果だ。７年余りかけても、当初アベノミクスが見込んだ「好循環」は実現していないことになる。高橋さんはこう指摘する。

「派遣やパートタイムなど全体の4割近くを占めていた非正規雇用の労働者がさらに増え、数だけでいえば雇用環境は改善したように見えるが、現実には正社員のベアもほとんど上がらず、その他の手当も増えなかったことから、消費増によるデフレ脱却もできていない。一言でいえば、アベノミクスによって、内需主導への構造転換ができなかっ

高橋伸彰：経済学者。立命館大学名誉教授。早稲田大学政治経済学部を卒業後、日本開発銀行（現・日本政策投資銀行）に入行。行員時代には、通産省大臣官房企画室の主任研究官として、また米ブルッキングス研究所で在外研究も行う。1999年から2019年まで立命館大で日本経済論を教える。

たということだろう」

## ――日銀「異次元緩和」の実態

日銀の黒田東彦《はるひこ》総裁は、異次元の「量的・質的金融緩和」によってマネーサプライを増やし、物価を上げることを目指した。そのために大規模な国債買い入れ、マイナス金利、長期金利操作など、さまざまな緩和策を打ち出してきた。

高橋さんの見方によれば、黒田総裁は、「貨幣量さえ増やせば物価は必ず上がる」という極端な「リフレ派」ではなかった。就任時の挨拶《あいさつ》でも、デフレの原因は多様であり「あらゆる要素が物価上昇率に影響している」と述べ、「リフレ派」とは一線を画していた。

ただ、物価安定の責任論に話題が及ぶと一転して「どこの国でも中央銀行にある」と主張し、「できることは何でもやるというスタンスで、2％の物価安定の目標に向かって最大限の努力をすること」が日銀の使命だといい切った。

これに対し東大名誉教授の吉川洋《ひろし》さんは、2017年に、「4年以上マネーサプライを増やし続けても2％の物価上昇を達成できない『実績』を見れば、リフレ派の理論は『否定』されたも同然だ」と指摘した。

実際、黒田総裁が当初掲げた「2年程度でインフレ目標2％達成」という目標の達成時期は6回も先送りされ、2018年4月に発表した「経済・物価情勢の展望（展望リポート）」では、「2％インフレ目標」の達成時期の文言すら削除されるに至った。

ではなぜ、日銀の展望通りに物価が上昇しなかったのか。それは日銀が説くように人々のデフレ願望が根強かったからではない、と高橋さんはいう。

「吉川氏が指摘するように、リフレ派の物価理論は間違っていた。日銀が目標に掲げる物価指数とは、現実に存在し観察できる物価ではない。個々の財やサービスの価格を加重平均して計算される統計データだ」

それでは物価指数の基になる個々の財やサービスの価格はどのように決まるのだろう。

「吉川氏によれば、大多数の価格は生産費用をベースに生産者が決め、その価格を消費者が『公正』と認めれば、現実に価格は変動し物価指数も変わる」

つまり、鍵を握るのは賃金をはじめとする生産費用であり貨幣量ではない。日銀が貨幣量を増やしたからといって価格を上げる生産者はいないし、そういわれて値上げを受け入れる消費者もいない。

「生産者が価格に転嫁せざるを得ないほどに、また、消費者が値上げを認めても良いと思うほどに、賃金や原材料価格が上がらなければ、個々の物価も、その加重平均である物価指数も上昇しない」

笛吹けど踊らず。日銀の思惑が外れた理由について、高橋さんは吉川さんの説を引きながら、そう説明する。

## ―――緩む財政規律

この間、日銀は国債を買い続け、2019年末時点で485兆円の国債を保有するまでになった。これは政府の国債発行残高の47%を占める数字だ。日銀は、「政府による財政資金の調達支援」ということ「財政ファイナンス」ではないという立場を取り続けているが、もはや日銀による買い支えがなければ、税収の約2倍もの予算を組めない状況になっている。

２０２０年度の一般会計は１６０兆円と、すでにＧＤＰの約3割に上っていた。もともと国債を頼りに予算を組んでいたところに、コロナ禍の打撃が加わり、政府は2度の補正予算で年間税収に近い計57・6兆円の追加財政支出を伴う対策を決めた。財源は国債の追加発行で賄《まかな》うしかない。同年度の新規国債発行額は前年度の2・4倍、国債残高は同年度末で９６４兆円になる見込みだ。

ふつうなら考えられない構図だが、空前の財政運営を支えるのはやはり日銀だ。日銀が大量に国債を買い進めるため、国債の金利は「ゼロ」近くに抑えられる。ふつうなら国債発行による金利上昇への懸念が借金のブレーキになるが、「異次元緩和」のもとではそのブレーキも、利きにくくなっている。

日銀は同年4月には国債買い入れの上限を撤廃し、5月には麻生太郎財務相と日銀の黒田総裁がコロナ禍に「一体となって取り組む」という共同談話を発表して政府・日銀の協調姿勢を示した。中央銀行の「独立性」は、もはや名ばかりになったかのようだ。

「かつての金利水準なら、1千兆円の国債を発行すれば、50兆〜60兆円もの支払い利息を覚悟しなければならなかったのに、ゼロ金利のもとでは、過去の債務にかかる利息を含めても10兆円に満たない。新規に発行する国債の利払いは限りなくゼロに近く、財務省は金融緩和のメリットを感じているだろう。しかもドル建てやユーロ建てで国債を発行しているならデフォルトの恐れも出てくるが、円建てなら円を刷り続ければ、発行済みの国債は返済できる。また、すでに発行済みの国債については、10年ごとに残高の6分の1を返済し、残りの6分の5を借り換える必要があるが、それも日銀が最終的に買い取ってくれるなら、クリアできる」

では問題はないのだろうか。高橋さんはこう指摘する。

「財政規律が緩むだけではない。金利を低くすれば、市中の人は金を借りやすくなると思うのがふつうだろう。しかし、金利が低くなればなるほど、銀行はリスクを取れなくなる。実際、金利が5％なら、100社にそれぞれ100万円を融資して、そのうち5社が返済不能になっても、銀行は残りの会社からの利息収入で回収不能になった損失分をカバーできる。だが金利が1％に下がれば、2社が返済不能になると、もはや銀行は利息収入で損失をカバーできない。つまり、金利が下がると銀行のリスクを取る能力も収益力も低下する。この結果、銀行が収益を確保しようとすれば、金利を高くしても借り入れ需要があり、しかも、手っ取り早く回収できる株や土地など、投機的な方面に融資が向かいがちになる。これがバブルの始まりでもある」

日銀は、民間の金融機関から国債を買って市中にマネーを供給し、企業活動に金が回るようにするといってきた。だが現実には企業活動に回らず株や土地に向かって、物価ではなく資産価格の高騰を引き起こしている、との指摘だ。

## 「失われた20年」

実務家として、研究者として戦後の日本経済を見守ってきた高橋さんは、歴代の自民党政権が一貫して「成長」を最優先の課題に据えてきたのではない、という。たしかに、岸信介首相を継いだ池田勇人《はやと》首相は「極大成長」を最優先とする「国民所得倍増計画」を掲げて、10年で国民所得を倍に増やすと謳《うた》った。しかしその後は、佐藤栄作首相の「中期経済計画」から小渕恵三首相の「経済社会のあるべき姿と経済新生の政策方針」まで、30年以上にわたり日本の経済計画では成長よりも、むしろ成長による歪みの是正や、福祉の充実および国民生活の豊かさなどが優先的な目標として掲げられてきた。

「成長」が、再び最優先の政策課題になったのは、2001年の小泉政権以降だという。だが、規制緩和や構造改革の掛け声にもかかわらず、バブル崩壊後の「失われた20年」が続いた。その長い停滞を打ち破ろうと、「成長」の旗を受け継いで華々しく登場したのが「アベノミクス」だった。

たしかに円安が進んで輸出企業の追い風になり、株価は急上昇した。しかし、その後も日本経済をリードするような成長産業は育たず、閉塞《へいそく》感はより強まったように思える。

高橋さんは、アベノミクスを振り返って、次のようにいう。

「必要なことは、大胆な金融緩和よりも、雇用の悪化で失われた所得の回復だった。アベノミクスは企業の資産を増加させたが、それが好循環にはつながらなかった」

賃金は、個々の企業にとってはコストだが、国内経済にとっては購買力である。賃金が増えなければ消費は増えず内需も増えない。日本でもデフレが始まる1990年代後半まではベア主導型の賃上げが主流で、「日本的経営」が健在だった時期は、経営者も賃金を購買力ととらえる傾向が強かった。

GDPの6割近くを占める個人消費を支えているのは、中間層を含む庶民の毎日の消費だ。その「水位」を上げるには、賃上げをはじめとする所得の増加で家計の懐《ふところ》をあたためることが欠かせない。

日経平均で株価が4千円以上、時価総額で100兆円増えても、消費は2兆円しか増えない。その結果高級品が売れたとしても、一回限りで終わり個人消費への波及効果は乏しい。だが、家計の所得が10兆円増えれば、消費支出は持続的に8兆円増える。

デフレが生じたのは、賃金が上がらず家計が日々の消費で、より安いものを求めた結果、国内の物価が下がり続けたためで、日銀の金融緩和が不足していたからではない。

だが、企業は純資産を増やしたのに、なぜ90年代後半から賃金は減り続けたのか。高橋さんは、90年以降、銀行と企業の間で株式の持ち合い割合が減る一方、外国の法人や機関投資家の比重が急速に高まり、株主の利益を優先するアメリカ型の企業統治がはびこるようになったことが背景にあると指摘する。

バブル崩壊後、日本企業の株式の3割以上を外国人が所有し、株価の値上がりと配当を要求する株主の声が強まった。その結果、企業は賃金を削り、内部留保を貯《た》め込んで、上場企業の半分が実質的な無借金経営を誇るまでになった。

資本主義における企業本来の役割は、家計部門からお金を借り、それを人材育成や機械設備、研究開発に投資して利益を上げ、その収益を賃上げや配当で家計に還元し、経済の好循環をリードすることにあった。家計から金を借り、賃金や配当で家計に還元する成長のエンジンであるはずの企業が、いまや家計よりも金を貯め込む「貯蓄主体」になってしまった。

「経済思想史家のロバート・ハイルブローナーは、『無借金経営を誇るような経営者は現代の地主である』といいました。これでは、成長のためにリスクを取る、という前向きの挑戦はできなくなってしまう」

日本では企業がプラットフォームづくりに参加《さんか》したのは、家電でいえばビデオ規格のVHS、自動車でも省エネ車までで、情報通信の世界では後塵《こうじん》を拝してきた。

「日本は常に、自分たちより1人当たり所得が上の欧米の先進諸国を目標に、欧米で使われるモノを少しでも品質が良く、しかも安く作ろうとしてきた。しかし今成長しているのは新興国や発展途上国。中国や東南アジアに入り込んで新たな市場を開拓する、という発想に欠けていた」

米国は90年代から知的財産権を強化してプラットフォームを独占し、追随を許さないようにしてきた。「真似できない」のではなく、制度的に「真似をさせない」堡塁《ほうるい》を築いたのだった。

この間、液晶のシャープ、プラズマのパナソニックなど、日本の電機産業が「選択と集中」で行った設備投資の多くは、市場を開拓できずに失敗に終わった。

## ――「3本目の矢」が成果をあげられなかったのは

アベノミクスで「3本目の矢」とされた「成長戦略」は、企業の競争力を強化し、民間投資を喚起するという施策で、健康、エネルギー、次世代インフラ、農林水産業に重点が置かれた。しかし原発輸出、インフラ輸出など、経済産業省が旗を振ってきた成長戦略の柱は、ほとんど目ぼしい成果を収めていない。

「私もかつての通産省に3年いたが、後発国の優位性が残る60年代までは、『国策』としての産業政策にも意味があったかもしれない。かつて大蔵省が『官庁の中の官庁』として君臨していた時代には、抵抗勢力として通産省の存在意味もあった。しかし財務省が財政の手綱を引き締められなくなってから、その独走ぶりが目立つ。国策会社のジャパンディスプレイの失敗などを見ると、もう『国策』に右へ倣《なら》え、という旧来型の路線は終わりを迎えていると思わざるを得ない」

高橋さんが危惧するのは、安倍政権の経済政策決定の過程で、自らの政策に都合のいい専門家で身内を固める傾向があることだという。

「経済政策は、つねにもう一つの選択肢を持ちながら、結果を見て修正し、改善していかねばならない。他の選択肢について聞かない、聞く耳を持たないというのなら、現在の政策が間違っていても、その誤りを認めないという独善につながるのではないか」

高橋さんは、そう警告する。

アベノミクスの7年余、株価は上がり、円安になって輸出企業の収益は向上した。新卒の就職希望者の内定率も上がり、「自分の生活は向上しないまでも、世の中全体の雰囲気は明るくなっている」という意味では、見た目の景気は良かったのかもしれない。

だがコロナ禍で人や社会の動きは止まり、インバウンド消費をはじめ、飲食業、宿泊業、娯楽産業、観光業の需要は「蒸発」した。

テレワークへの切り替えやITのさらなる導入など、新しい需要に目をやれば、新しい市場を開拓する可能性はあるかもしれない。だが、そうした動きから取り残される地域や企業、また、ついていけない人をどうするかが、これからの経済学の課題ではないか、と高橋さんはいう。

## ——法政大教授・水野和夫さんに聞く「資本主義の終わり」

いつ終わるとも知れないコロナ禍を前に、グローバル化した資本主義はどう立ち向かい、変容していくのか。これまで世界史を縦軸、現代の経済変動を横軸にとって、精緻《せいち》な分析をもとに資本主義のありようを論じてきた法政大教授の水野和夫さんに、２０２０年8月19日、Ｚｏｏｍでお話をうかがった。

２０１９年2月、水野さんは母校の愛知県立旭丘高校の同窓会「鯱光会《ここう》」で「資本主義の終焉《しゅうえん》と歴史の危機」と題する講演をした。

その中で水野さんは、歴史家ヤーコプ・ブルクハルトが「世界史的考察」で指摘した三つの「歴史の危機」を引用し、現代を「4度目の危機」と定義した。

「歴史の危機」とは、「既存のシステムが崩壊し、機能不全に陥っているが、いまだ新しいシステムの姿、形が見えない状況」を指す。ブルクハルトは、「ローマ帝国崩壊後、カール大帝の戴冠式《たいかん》まで」「ビザンチン帝国崩壊で中世が終わり、ウェストファリア条約で近代の国民国家が形成されるまで」「フランス革命などを経て絶対王政が倒され、市民社会が到来するまで」という三つを、「歴史の危機」の例に挙げた。

では、なぜ今が「第4の危機」といえるのか。水野さんは、平成の時代が日本ではバブル崩壊、ドイツではベルリンの壁崩壊に始まり、日独が史上初のゼロ金利で幕を閉じることが、象徴的だったという。冷戦期に、互いに生産力増強を競い合った東西陣営の対立が終わり、ふと気づけば、世界は「過剰・飽満《ほうまん》・過多」の状況になっていた。

日本では年間40億着の衣類を生産して10億着を廃棄し、食品産業は1〜2割の商品を廃棄し、住宅メーカーは13%の空き室率なのに毎年１００万戸近くの新築住宅を建設している。

10年もの国債利回りが日独でゼロにまで低下したのは、「生産力増強の時代」が終わったことを意味する。つまり、ここでの「ゼロ金利」は意図的な金融政策というより、「実物投資によって雇用と所得が増加し、国民の生活水準が向上する」という近代資本主義

水野和夫：経済学者。法政大学教授。早稲田大学を経て埼玉大学大学院にて経済学博士号を取得。現在の三菱UFJモルガン・スタンレー証券に入社し、チーフエコノミストを務めた後、2010年に内閣府大臣官房審議官、翌年に内閣官房内閣審議官を経て、2016年から法政大で教鞭をとる。

の限界、システムが飽和点に達したことを示している、という。

資本を自己増殖させるシステムが「資本主義」であり、利子率は資本主義の成績表だ。13世紀以来、世界で最も低い金利を経験した国は、800年の歴史でわずか6か国しかなかった。複数年にわたって長期国債利回りが2・0%を下回ったのは、過去に、1611年から11年間続いたイタリア・ジェノバしかなかった。

では、繁栄するグローバル資本主義のもとで、なぜこんな現象が起きているのか。水野さんはこう指摘する。

「世界史は蒐集《しゅうしゅう》（コレクション）の歴史です。13世紀になるとヨーロッパで従来とはまったく違う都市が現れた。最下層から商人が誕生し資本が都市に投下され、以来現在にいたるまで都市の資本は利潤率（利子率）の高い地域に再投資され、西欧文明と資本主義を世界中に広げていった」

資本の増加率を測る尺度が利子率だ。「世界史は利子率の歴史である」と水野さんはいう。今でいう「資本」に近い「利息のつくお金」という概念が生まれるのは13世紀のことだ。以来、金利急騰は財政破綻のサインを意味していた。では、これがゼロに近づくということは、何を意味しているのか。

## ――「ROE革命」で貯め込む

本来、「実物投資空間」の利潤率は、国債利子率と連動し、代替できるのが原則だった。

企業はお金を借りて事業を行い、得られた利潤から金利を払う。利潤と利子の源泉は同じだ。違いは、利潤が事後的に発生するので偶発性があるのに対して、利子は事前に契約することで発生し、恒常《こうじょう》性があるという点だ。だが長期的に見ると、利子率と利潤率はほぼ連動する。長期金利の目安になるのが10年国債の利回りということになる。

ところが、実物投資によって資本を増やすシステムが限界に近づいた米国は、経済的に支配下にある外国から多額の利子・配当を得て優位性を保とうとした。

その仕組みを支えたのが、米国発の「ROE」（自己資本利益率）革命だ。これは「Return on Equity」の略で、「当期純利益／自己資本」から算出される。これは株主資本の増加率を示し、これが高ければ高いほど資本の自己増殖が加速する。経産省は2014年8月に報告書（「持続的成長への競争力とインセンティブ～企業と投資家の望ましい関係構築～」プロジェクト〈伊藤レポート〉）を公表し、この「ROE」を「最低8％」にまで高めることを推奨してきた。

「この報告書には雇用者の生活向上という視点はまったくありません」と水野さんはいう。

それを側面から支えてきたのが、日銀による「ゼロ金利」と「量的緩和政策」だった。

企業は、銀行や株主から融資を受け、その活動で得た利潤を賃金や利払い、投資へと振り分ける。だが、利子率と利潤率が乖離《かいり》してしまえば、本来払うべき利払いを大幅に引き下げることができる。もちろん、その半面、家計の担い手である一般の個人は、金融機関に預金をしてもほとんど利子がつかない状態が続いた。

もう一つ、資本の増殖率を高めるために採用したのが、人件費の「変動費」化である。これまでは、売上高から変動費と固定費（人件費）を除いた営業利益が調整項目だった。だが、最終的な利益が絶対に確保しなくてはいけない目標として「固定費」化すると、どこかで調整するしかない。つまり人件費を減らすことによって、企業利益を増やす方法だ。

こうして、この間に企業は、支払うべき利払い、賃金を減少させることで得られた膨大な利益を、

「内部留保」という形で貯め込んできた。

それには、背景がある。

バブル崩壊後の1997年から翌年にかけ、山一證券、北海道拓殖銀行、日本長期信用銀行などが次々に破綻した後、企業の間には「貸し剥《は》がし」「貸し渋り」に走る金融機関に対し、「もう頼りにできない」という空気が生まれ、資金を貯め込んで自己防衛する傾向を強めた。こうした「守り」の姿勢が、株高による企業の好調と、それとは裏腹の家計への圧迫を招いた。

念のため改めて書くと、こうしたことは、すべて「コロナ禍以前」に、水野さんが指摘していたことだ。

## ――非常事態に備える名目で貯めた「内部留保」を今こそ危機対応に

インタビューの冒頭で、水野さんはこうした論点を指摘したうえで、まず、「コロナ対応では内部留保を活用すべきだ」という持論を語った。

「この間企業はずっと、いざというときに備えて従業員に、『もうちょっと我慢をしてほしい』と頼み、内部留保を貯め込んできた。緩やかに労働生産性も上がっていたのに、従業員が賃下げにも耐え、非正規雇用を増やしてきたのも、いつか来る『非常事態』に備えて、という名目があったからだ。今のようなコロナ禍で金を使わないというのなら、いったい、いつ使うのか」

もしこのコロナ禍で内部留保の資金を使わないなら、「非常事態に備えて」という建前がウソであったのか、あるいはマルクスが『資本論』で引用した「わが亡きあとに洪水よ来たれ」のように、従業員の命や健康にはまったく顧慮《こりょ》しない資本の論理を貫いているのか、どちらかではないか。水野さんはそういう。

マルクスは同じく『資本論』で、「将来の人類の衰弱や、結局はとどめようのない人口減少が見込まれるからという理由で資本が実際の運動を抑制するというのは、いつか地球が太陽のなかに落下する可能性があるという理由でそうするというのと、どっこいどっこいの話である」と書いた。

水野さんはこの文章の意味をこう解釈する。

「地球が太陽に吸い込まれでもしない限り、資本家は金儲けをやめない。社会にどれほどの危機が迫っても、資本は生き延びるという論理を指した言葉だろう」

水野さんは、政府によるコロナ対応が遅い今、これまで企業が積み上げてきた460兆円に及ぶ内部留保金を活用するべきだという。

また、日本の企業の内部留保460兆円は、1999年以前のペースで貯め込んでいたとすれば、200兆円ほどだったろう、と水野さんはいう。

「差額の260兆円は、今回のような非常時に備えていたはずです。もともとこの内部留保には、本来なら従業員に払うべき賃金、金融機関に戻すべき利払い分の計130兆円分も含まれている。これら130兆円は本来『緊急事態対応預かり金』として負債の部に計上すべき性格のものです。もし130兆円を取り崩して活用できれば、人口1億2千万人に100万円ずつ、1世帯に247万円を配ることもできる。世帯収入の中央値は437万円(厚労省『2019年の国民生活基礎調査の概況』)なので、半年ほどは国民の生活を支えられる。もし260兆円を取り崩し、生活の苦しい約半数の国民に支給するとすれば、コロナ禍が続いても2年間は危機に耐えられる」

ここまで内部留保を貯め込んだ国は日本しかない。政府が「打ち出の小づち」のように国債発行に頼り、最終的にツケを国民に回すのを待つより、率先して危機に立ち向かうことで、企業の社会的評価は上がる、と水野さんはいう。

## ――メガロポリスの脆弱性

今回のコロナ禍で水野さんが注目するのは、「メガロポリス」の脆弱性だ。

「資本は文明の別名にすぎない」。水野さんは、マルクスが『経済学批判要綱（草案）』で紹介した英国のジョン・ウェードの言葉を引いて次のように話す。

資本がつくった都市文明の頂点に君臨するのがメガロポリスだ。「メガロポリス」は、かつての大都市や首都といった「メトロポリス」を超えて、大都市が帯状に連なる巨大な居住圏、行動圏だ。ふつうの、「メトロポリス」なら半径50キロ圏内だが、それをさらに超えて広がる大都市連鎖空間ということになる。

たとえば日本では、新幹線を通して結びつく首都圏、中京圏、関西圏。コロナ禍はこの1都2府5県で感染者が6割台になり、今は7割を超えている。東京都だけを「ＧｏＴｏキャンペーン」から外せば、感染が抑えられる、という話ではない。

日本だけを見ると、「単に人口が集中しているから」といえないこともないが、世界を見渡せば、それが偶然ではないことがわかる。

「ニューヨーク、ボストン、ワシントンのメガロポリスを見ると、第1波のピーク時で感染者は全米の3割、死者は5割。コロナ禍がメガロポリスに集中していることがわかります」

そもそも、都市と資本には、切っても切れない縁がある。そう水野さんはいう。都市の形成は11〜

13世紀ごろで、初期の資本の概念が生まれたのも13世紀ごろだ。

「都市は人口を集積し、資本を集中し、上へ上へと伸び、横にも結びついて巨大なメガロポリスを形成した。その意味で、13世紀以来の都市集中の累積結果が、今回のコロナ禍で直撃を受けたのだと思う」

今後、コロナ禍のような感染症の大流行を防ぐには、再び都市のサイズを50キロ圏内に戻して分散し、「地方分権」に向かうしかないだろう、と水野さんはいう。

## ――資本を増やすことからの解放

ケインズは1936年の『雇用・利子および貨幣の一般理論』やその他の論文で、2030年には、「人間の創造以来初めて、資本を増やさなければならない、という状況から解放される」と予見した。

水野さんはいう。

「資本を増やすには、節約をして、貯蓄と投資をしなければならない。そうしたことから人類は初めて解放されるだろう、とケインズはいった。資本を増やす必要がない、ということは、ある意味ではゼロ金利の時代ということだろう。実は、そうした社会は、今日の日独でもすでに実現している」

だがケインズの主張の力点は、経済上の逼迫《ひっぱく》から解放されて、それをいかに利用するのか、ということにあった。

「経済上の逼迫とは、資本不足のことで、具体的には、資本不足で供給力が足りず、食べるものも、着るものも、住宅もない、死んでしまうかもしれないという状況です。この状況から解放されて、人間は真に恒久的な問題を考えなくてはならない。それは、余暇を賢明で快適で裕福な生活のために、どのように使えばよいのか、ということだ。ケインズはそう問題提起したのだと思う」

コロナ禍以前、政府の働き方改革は、依然として「生産性向上」を目指していた。「より速く、より遠くへ、より合理的に働け」という考え方だ。

「ケインズは、将来は労働時間を3分の1程度に減らせると予見し、浮いた時間をどう充実させるかを考えるのが、課題だといった。そして、ゼロ金利時代になっても貨幣愛に囚《とら》われ、働け働けという人がいたら、病院にでも行った方がいい、とまでいっている。コロナ禍後の私たちが目指すべきなのは、成長至上主義と決別し、『よりゆっくり、より近く』へと価値観を切り替えることなのだと思います」

水野さんは、「資本の誕生以来、その蓄積には不正すれすれの行為もあったはず」だと指摘してこういう。

イギリスの資本家第1号は海賊のドレークだし、イタリアのメディチ家はギャングの家系である。資本の過剰を示唆しているゼロ金利が実現した日本では、ようやく1930年にケインズがいった「少なくとも100年間、自分自身に対しても、どの人に対しても、公平なものは不正であり、不正なものは公平であると偽《いつわ》らなければならない」という姿勢を続ける必要がもはやなくなった。

「これまで人類が偽ってきたのは、『不正なものは有用であり、公平なものは有用でないから』だとケインズはいう。同じことをシェイクスピアも『マクベス』で3人の魔女に『きれいは汚い、汚いはきれい』という有名なセリフでいわせている。資本の蓄積には不正も働くが、国民生活の向上につながるなら有用だから大目にみよう。しかし、資本が過剰になれば、ケインズは『不正は不正』とみなすべきだと主張していた。だから、『財産としての貨幣愛は半ば犯罪であり半ば病理的な性癖』とまでいった。内部留保金の一部は負債としての性質をもっているにもかかわらず、資本の部に計上しているのは不正ではないが、信義則《しんぎそく》違反だろう。現在の日本は、賃下げをしてまで資本を蓄積する必要はないはずです」

水野さんの厳しい指摘は、経営者にとっては耳に痛く響くだろう。だが、コロナ禍という、経験をしたことのない大きなうねりを前にして、惰性で運航したり、自動操舵《そうだ》に身を任せることは、もうできない。その真摯《しんし》な諫言《かんげん》を、「アフター・コロナ」時代の指針と受け止めるべきではないだろうか。

エコノミストお二人の話をうかがって、まったく違う体験、思考経路をたどりながらも、今あるシステムの限界を確信し、来《きた》るべき社会へのビジョンを模索する点で、お二人は同じ地平に立っていると感じた。

## 坂東眞理子さんと考える「男女格差」

コロナ禍のさなかに全米で吹き荒れたBLM（ブラック・ライブズ・マター）運動は、いまだに人種差別が深く根をおろした社会のひずみを浮き彫りにした。その運動のうねりに接して思い出したのは、1992年に起きたロサンゼルス暴動の取材で聞いた言葉だった。「差別や偏見とは何か」という私の質問に対し、ある若い白人男性は「人をカテゴライズすることだ」と即答した。

大勢の人を一つのグループに括《くく》ってレッテルを貼る。それが差別や偏見の始まりなのだという。これは人種や民族に限らない。「○○はこうだ」というとき、「○○」に個人ではなく集合名詞が入れば、そこに偏見が混じり、差別がはびこる、という。

あまりに簡潔な定義に、なるほど、と思った。ある属性、たとえば「韓国人」という集合名詞を主語に何かを語れば、それは私がたまたま知っている数少ない韓国人の人となりで、全韓国人のイメージを染め上げることになる。知らないことを「無知」と自覚しているうちはいい。多くの場合、知識の空欄には先入観や偏見が収まっている。

これは男女についてもいえる。「女性がたくさん入っている理事会は時間がかかる」といって東京五輪・パラ組織委の会長を辞任した森喜朗氏の発言はその典型だろう。かりにこれを、「女性は空気をわきまえる」といい換えても同じだ。「女性とはこうだ」という無意識のカテゴライズに、偏見は入り込む。

コロナ禍のさなか、世界経済フォーラムの「世界ジェンダーギャップ報告書」で日本が前年に続き、最下位グループに入ったとのニュースが飛び込んできた。

長く「男女共同参画社会」の目標を掲げながら、日本はなぜ変われないのか。コロナ禍対応の布陣を見回しても、女性の姿はあまり目立たない。それは、コロナ禍対応にも女性の声や視点が反映されず、「男性本位」になっていることを示す。一貫して格差是正に取り組んできた坂東眞理子さんに、「日本はなぜ変われないのか」理由を尋ねた。

＊＊＊＊＊

## ――日本はなぜ「変えられないのか」

世界経済フォーラム（WEF）は2021年3月末に「世界ジェンダーギャップ報告書」を発表した。これは06年に始まり、今回が15回目。教育・健康・政治・経済の4分野14項目で、100%を「完全な平等」として、各国の達成度を指数化している。

日本は156か国のうち120位。主要7か国（G7）のうち6番目のイタリア63位からも大きく引き離され、最下位だった。

06年に80位から出発した日本は、09年に101位に落ち込み、続く2年は90位台を記録したものの、12年以降はずっと100位以下に低迷し、昨年は最悪の121位まで落ち込み、今回もほぼ同じ水準だ。

なぜこれほど格差が大きいのか。分野別にみると、「健康」では65位、「教育」では92位だが、「経済」が１１７位、「政治」が１４７位と、政治・経済が大きく全体の足を引っ張っていることがわかる。

これについては過去最低となった昨年3月、ＷＥＦも「日本はどのように格差を縮小できるか」という報告を出し、問題点を指摘した。

政治部門の格差は世界最低10位のグループに属しており、国会議員の女性比率約10％は先進諸国に比べ20ポイントも低い。経済における管理職は15％にとどまり、女性の平均賃金は男性の半分しかない。これは、女性が男性の4倍も家事労働に時間を割いている結果であり、男女の賃金ギャップは、経済協力開発機構（ＯＥＣＤ）加盟国では韓国に次いで大きい。女性が進出できないのは「無意識のバイアス」があるためで、伝統的なジェンダー役割に対する社会的な期待が進出を遅らせ、あるいはハラスメントなどの障害を作り出している。政治と経済は相関関係にあり、「クオータ制」の導入やインセンティブで社会進出を促せば、相乗効果が期待できる。

報告書は、まさにその通り、というしかないほど的確に、問題点を指摘している。だが、改善点が明らかになっても、問題はおそらく解決しない。この間、日本が一貫してランクを落とし続けているのは、男女の格差が拡大し続けているからではない。世界の大勢が大きく変化を遂げたのに、日本だけが旧態依然にとどまり、相対的に平等の度合いが落ちているためだ。つまり問題は、「どう変えるのか」という点にあるのではなく、「なぜ変えられないのか」という点にある。

## ――世界女性会議　変わる世界の潮流

戦後の男女格差是正の歩みには、大きな節目が二つあったと思う。一つは１９８５年の男女雇用機会均等法の制定であり、二つ目は99年の男女共同参画社会基本法の制定だ。前者は雇用・労働面における男女平等を目指し、後者はより広範に、男女の格差のない社会づくりを目標にした。

男女雇用機会均等法は、いわば「黒船」だった。それは確かに社会の流れを象徴する必然だったが、背景には、男女平等をめぐる世界の潮流の大きな変化があった。

1975年、メキシコシティで国連第1回世界女性会議が開かれ、世界行動計画を定めると同時に、翌年から85年までを「国連女性の10年」として集中的にキャンペーンを展開することが決まった。その成果として79年に国連総会で女性差別撤廃条約が採択された。日本は80年に署名したが、その批准は「国連女性の10年」の最終年の1985年。男女雇用機会均等法は、「滑り込みセーフ」のぎりぎりで国内法が整備された結果だった。

つまり、男女雇用機会均等法や99年の男女共同参画社会基本法は、女性差別撤廃条約という包括的な人権宣言文書の波及であり、その大きなうねりを理解しないことには、趣旨を徹底することもできない。ちなみに世界女性会議はその後も「国連女性の10年」の中間である1980年にコペンハーゲン、85年にはナイロビ、95年には北京でも開かれ、各国に大きな影響を与えてきた。95年の北京大会では、世界から5万人、日本からも5千人以上が参加し、沖縄県からの参加者は、帰国直後に米兵による少女暴行事件を知り、女性に対する構造的な暴力・差別に対して抗議し、「島ぐるみ」と呼ばれる基地反対運動の先陣を切ることになった。

## ――男女共同参画社会は打ち出されたが改革に遅れ

日本では1999年、男女共同参画社会基本法が制定された。これが二つ目の節目だ。

この法律は、「男女共同参画社会」について、次のように定義する。

「男女が、社会の対等な構成員として、自らの意思によって社会のあらゆる分野における活動に参画する機会が確保され、もって男女が均等に政治的、経済的、社会的及び文化的利益を享受することができ、かつ、共に責任を担うべき社会」(同法第2条)。

これまでになく包括的・網羅的なだけでなく、社会、家庭について男女双方が参画することを求める点や、国・地方公共団体にその実現のための責務を明確にした点で、これまでの施策の集大成だった、といえる。

この法律に基づき、2000年から2020年まで5年ごとに、男女共同参画基本計画が作られてきた。

これとは別に2012年に発足した第2次安倍晋三内閣は、少子高齢化社会に向かう日本において、女性を「わが国最大の潜在力」と位置づけ、その活躍を成長戦略の中核に据えた。これがのちに「女性が輝く社会」という看板で知られるようになった一連の政策だ。

だが2016年2月に「保育園落ちた日本死ね」という匿名ブログが待機児童をもつ親の間で大きな反響を呼んだように、女性の労働をめぐる環境改善は遅々として進まず、コロナ禍が広がってからは、さらに悪化している。

男女平等に向けたその後の改革の遅れは2020年12月に発表された第5次男女共同参画基本計画にも明らかだ。

今回の計画では、2003年から掲げ、前回計画でも維持してきた「2020年までに、あらゆる分野で指導的地位の女性30％を目指す」という「2020 30」目標を断念し、目標達成を「20年代の可能な限り早期に」と先送りした。このままでは、「2030年までに50％を目指す」という国際水準とは、さらに差が大きくなりそうだ。

## 大学キャンパスから見たコロナ禍

坂東眞理子さんは文字通り「男女共同参画社会」の創成期から定着するまでを、一線で見守ってきた方だ。その坂東さんに4月12日、Zoomで話をうかがった。

インタビューはまず、今年4月2日、人見《ひとみ》記念講堂で開かれたばかりの入学式の話題から始まった。昨年は創立100周年を迎えながら、コロナ禍で対面での入学式を見送らざるを得なかった。今年の参加者は新入生に限り、感染防止のため1席ずつ空けて着席し、保護者にはユーチューブでのライブ配信だったが、ともかくも2年ぶりの対面での入学式が実現した。

坂東さんは、「コロナがなかったらいろいろなことができたのに、というのではなく、今できること、今だからできることに精いっぱい打ち込んで、機会を十分に活用してほしい」と語り、「ガールズ・ビー・アンビシャスとは、自分をより良くしていく、より高みを目指す。よりあらまほしき姿を目指すことです」と激励した。

これは昨年来、坂東さんが唱えてきた「Never Waste a Good Crisis（この危機を無駄にするな）」にも通じる言葉だ。昨春は、東京都に緊急事態宣言が出される前日に、「今だからできることをするヒント」の8項目のメッセージを学生に向かって発信した。「時間ができたら」と後回しにしていた読書や語学の勉強、時間のかかる趣味に取り組むなどのヒントだ。学生は対面講義やアルバイト、サークル活動などが断ち切られ、一種の「真空地帯」に置かれた。しかし、グローバル化や高度情報化が進んだ時代は、いつ何が起きてもおかしくない時代でもある。これからを生きていくには、想定外のことが起きたときに、いかに自分を成長させられるかが問われる。そう考えたうえでの激励のメッセージだった。

昨年は卒業式、入学式がオンライン方式になり、前期は100%がオンライン講義。後期もゼミや実習を除き、7割前後の講義はオンラインになった。

「この危機を無駄にしない、というのは教員も同じです。オンラインで一方的に講義をしても、学生に90分集中して見てもらえるとは限らない。授業の設計そのものの見直しが必要になります。学生がどこまで知識を身に付け活用できるようになったのかを把握するには、フィードバックや丁寧なレポート指導も必要です。でもそれは、対面授業に戻ったときにもきっと役立つはずです」

大学には、さまざまな意見や声が寄せられる。昨年7月、昭和女子大では上半期のオンライン授業を終えた翌日に「新入生の集い」を催したが、開催に当たっては「慎重であるべき」という反対意見も根強かった。

坂東さんは、自由参加方式にして希望者を3回に分け、「密」を避けた上で体温検査など感染防止を重ね、開催を決めた。附属校では授業をしているのに、大学だけはオンライン。何かあったら困る、責任を問われると尻込みをするのは、ある意味で安全だ。し

---

坂東眞理子：昭和女子大学理事長・総長。東京大学文学部を卒業後、総理府（現・内閣府）に入省。婦人問題担当室専門官などを経て、米ハーバード大客員研究員に。その後、内閣広報室参事官、総理府男女共同参画室長、埼玉県副知事、在豪州ブリスベン総領事などを歴任。『女性の品格』（PHP新書）など著書多数。

かし、入学以来、新入生は教師や友人に会ったこともない状態が続いていた。

「社会の雰囲気に流されず、自分で判断し、選択をして最後までやり遂げる女性を育てる」のが教育方針のはず。坂東さんは、「不要不急の集まりではなく、学生にとって何より大事な集まりなんです」と関係者を説得し、開催にこぎつけたという。

「当時は、もし大学で感染が広がったらご世間にご迷惑をお掛けして、お詫《わ》びしなくてはいけない、という風潮が強かったように思います。万全の注意を払って絶対に感染させないという方法を探る前に、何かあったら困る、という慎重姿勢になる。それでは、危機をチャンスに変えることも難しくなるのではないでしょうか」

## 森元総理にみる「無意識の思い込み」とは

キャンパスの話に続いて私がうかがおうと思ったのは、日本の政府や行政が、これまで男女格差是正の理念や方針を掲げながら、なぜ変われなかったのか、という点だった。坂東さんの答えは、やはり諸外国の変革のスピードが、はるかに日本を上回る、というものだった。

「国内にいる人は、女性がこんなに登用され、活躍しているじゃないか、と思うかもしれません。でも大半の外国では変化のスピードが速い。その差が、ジェンダーギャップの低迷に数字となって表れています」

2003年に政府が「2020年までに、あらゆる分野で指導的地位の女性を30%にする」という目標を掲げたのは、坂東さんが内閣府男女共同参画局長だったときだ。当時、坂東さんは周囲から「そんな目標は達成できるはずがない」といわれたという。17年間経って、2020年時点でも目標の約半分。結局第5次基本計画で、目標の達成時期を先延ばしにすることになった。しかし坂東さんは、「たとえ無理でも、目標を掲げ、女性を登用する機運を醸成した意味はあったと思う」という。

では、なぜ女性登用は進まなかったのか。坂東さんは、第5次基本計画でも使われ、昨年3月のWEF報告でも指摘された「アンコンシャス・バイアス」という言葉を口にした。たとえば第5次基本計画は、この間に男女格差が是正されなかった原因を次のようにいう。

1. 政治分野において立候補や議員活動と家庭生活との両立が困難なこと
2. 人材育成の機会の不足
3. 候補者や政治家に対するハラスメントが存在すること
4. 経済分野において女性の採用から管理職・役員へのパイプラインの構築が途上であること
5. 社会全体において固定的な性別役割分担意識や無意識の思い込み（アンコンシャス・バイアス）が存在していること

などが考えられると総括できる。

ここにいう「無意識の思い込み」や「無意識の偏見」が、「アンコンシャス・バイアス」だ。これは当事者が意識していないだけに、気づくこと自体が難しく、他人に指摘されても、理解できないという「壁」を生む。

坂東さんはその例として、今年2月、東京五輪・パラリンピック大会組織委員会の森喜朗会長が、女性蔑視《べっし》発言をめぐって辞任した例を挙げた。

「女性という異分子・ニューカマー（新参者）は、ルールをわきまえない人たち、という無意識の思い込みです。政治でも経済でも、これまでの合意形成のやり方になじまない人が入ってくることに居心地の悪さを感じ、新しい考え方を持ち込むことに抵抗感を覚える。今回の発言は、そうしたアンコンシャス・バイアスの典型なのではないでしょうか」

こうした無意識の思い込みは、女性の社会進出にとってさまざまな障壁をつくりだす。たとえば「最初の一歩」の経験を与えられなければ、女性はその仕事に適性があるのか、能力があるのかどうかも示すことができない。そうした機会を閉ざしておきながら、「女性の層が薄い」というのは「無意識の思い込み」だ。そうして、登用されていない、数が少ないという格差の「結果」から、女性一般の適性や能力に疑問符をつけるのは、ことごとく「無意識の偏見」だといってもいいだろう。

もちろん、「男社会」にも登用される数少ない女性はいる。だがそれは、必ずしも女性だから、という理由より、男性優位社会のルールを「わきまえている」からと目される場合がある。これにしても、女性の進出が一般的になれば、問題にすらならない「偏見」といえるのかもしれない。

坂東さんは、こうした「無意識の思い込み」の根底には、日本全体のコンセンサス・システム、合意形成方式があるのではないか、と指摘する。

たとえば今回のコロナ禍対応でも、日本では外国よりも、強制や罰則に対する社会の反発は根強く、合意によって「同調」することを好む傾向がみられた。

これはコロナ禍に限らず、たとえば男女平等に対する「クオータ制」導入の議論でもみられた。半ば制度的に強制するのではなく、努力目標を定めて社会で合意を形成することをよしとする風潮が一般的だったという。

「クオータ制導入については、女性からの反発もありました。自分は女性だから登用されたのではなく、実力で認められた。そう思いたいのは、よくわかります。でも、思い切った改革をしなければ、無意識のバイアスを打ち破ることも難しい」

今回の森元首相の発言で、わずかの救いを感じたのは、その発言に対し、SNSで批判が相次ぎ、外国の批判が風圧となって辞任を余儀なくされたことだろう、と坂東さんはいう。

「外圧で変わるというのは、ちょっとまずいかもしれない。でも、以前は内輪の冗談としてナアナアで済まされたことが、こうして問題になること自体、以前とは『常識』が変わってきているのかもしれません。内向きの顔と、外向きの顔の使い分けが、もう難しくなったのではないか、という気がします」

## ――「ブルー・オーシャンを探そう」

コロナ禍は世界的に男女の格差を広げ、平等への道を困難にしている。冒頭に挙げたWEFの「世界ジェンダーギャップ報告書」はそう指摘した。世界的な感染流行の結果、世界のジェンダーギャップ解消にかかる時間は「99・5年」から「135・6年」へと「一世代分」増えたという指摘だ。もともと、女性の比率が高い非正規の職が削られたうえ、「ステイホーム」で家事労働の負担が増えるなどの影響が出ている。

だがその一方、政府の閣僚や中央省庁の幹部から始まり、対策本部会議や対策分科会、専門家組織、医師会に至るまで、顔触れはほとんどが「男性優位」となっている。これでは、コロナ対策自体に、「ジェンダーバイアス」がかかり、女性の苦境や困難、悩みが反映されず、一層の負担を強いることは避けられないのではないだろうか。私のその質問に対し、坂東さんはこう話す。

「コロナは、これまで進まなかった在宅勤務を促すなど、変革を加速する面がある。その一方で、人間はそう簡単には変わらない。夫が在宅勤務になって通勤時間がなくなれば、家事をシェアすればいいと思っても、実際には妻が仕事をしながら食事も作り、子育てもする、というケースが少なくないのではないでしょうか」

バブル崩壊後、景気は回復したのに企業はコストカットで人件費を削り、利益をあげてきた。そのしわ寄せを受けたのは、多くが働きながら子育てをする女性たちだった、と坂東さんはいう。

「子育てをしながらでも働ける。こんな支援も、あんな制度もありますよ、という『マミー・トラック』が、かえって社会進出を阻むトラップ（罠《わな》）になっている面があります。それは根底に、子育ては母親の責任、という無意識の思い込みがあるからです。コロナ禍は、そうした女性たちを追い詰めている。打破するには、女性たちが声をあげるのが第一歩です」

最後に失礼ながら坂東さんに、「女子大学」の存在意義を尋ねた。これは「男女共学がスタンダード」という私自身の「無意識の偏見」から出た質問かもしれない。

坂東さんは、すぐに朗《ほが》らかな口調でこう答えた。

「あ、それは、はっきりしています。男女共学はフィクションの世界なんです。私が大学を卒業したときは、女性は入社試験さえ受けさせてもらえなかった。『大卒女子は採用しません』と公言する企業がほとんどで、唯一男女平等をうたっていたのが公務員でした」

在学中は、「男女は平等」や、「能力さえあれば社会は評価してくれる」という「フィクション」を信じていた。

「女子大では、フィクションでなく、男性社会の中で生きていけるよう、現実を教えます。女性が自立して生きていくために必要な知識を共有し、乗り越える力を与える。それが女子大の使命です」

インタビューを締めくくるにあたって坂東さんに、女性たちに贈るメッセージをお願いした。

「レッド・シーではなく、ブルー・オーシャンを探そう」

それが答えだった。

ちなみに「ブルー・オーシャン」とは経営学で使う言葉で、血で血を洗う既存の成熟した競合市場「レッド・シー（赤い海）」で戦うのではなく、競争のない未開拓の市場「ブルー・オーシャン」を切り拓《ひら》け、という教えだという。

男たちが足を引っ張り合う狭い世界に背を向けて、広大な未知の青い海原を目指せ——。

いかにも坂東さんらしい、爽快なメッセージだと思った。

精神科医・香山リカさんと考えるパンデミック下の心理

コロナ禍が広がってから、私の周辺でも、心身に変調をきたす人が目立つようになった。未知のウイルスへの恐れや不安が薄らいでも、職を失ったり、パートやアルバイトの回数を減らされたりした人は少なくない。そうした経済的不安に加え、断続的に再燃する感染拡大と、何度も繰り返される自粛要請が、いつ果てるとも知れない徒労感を蓄積させる。

この「徒労感」の正体は、二重の「閉塞感《へいそく》」だ。一つは、コロナ禍のもと、私たちが「逃げ場」を失ったことだ。私たちの多くの日常は、「家庭」と「職場」や「学校」を行き来し、その合間に「第三の場所」を意味する「サード・プレース」で気を休めることから成り立っている。「家庭」が逃げ場の人もいれば、「職場」や「学校」が逃げ場の人もいるだろう。会社員であれば、居酒屋やカラオケ、趣味の教室やボランティアの場が「サード・プレース」となり、生徒や学生であれば、部活や仲間とのたまり場が「第三の場所」という人もいるだろう。外出自粛によって「職場」がオンラインに移行し、休業や時短要請で飲食店が閉鎖されれば、私たちは一か所で「巣ごもり」するしかない。

第二は、日常を支えるリズムが失われることで生じる閉塞感だ。柳田国男が唱えたように、日常は普段の「ケ」の日々と、たまに迎える「ハレ」の句読点によって成り立っている。結婚式だけでなく、職場での歓送迎会、学校の入学式・卒業式は人との出会いと別れを心に刻む節目であり、学芸会や学園祭、修学旅行は、仲間と共にいることをことほぐ祝祭の場だろう。こうした儀式がなくなれば、生活は「ハレ」の場を失い、「ケ」のみに支配される。「家庭」でも、海外はもちろん、国内の旅行も自粛を求められ、お盆や正月の帰省もままならない。新たな出会いや再会がないまま「別れ」がやってきたら、その悔いは計り知れない。そうしたときに教えを乞《こ》いたいと思って浮かんだのが、香山リカさんだった。臨床経験が豊富なだけでなく、ご自分の言葉で率直に人の不安にこたえて下さる方だ。

＊＊＊＊＊

## ――「ループ化」するジレンマ

コロナ禍は私たちに多くのストレスを強いた。未知のウイルスそのものへの不安だけでなく、行動制限や生活様式の激変などで、私たちの日常は根底から揺らいでいる。このストレスにどう対処したらよいのか。精神科医で臨床体験も豊富な香山リカさんに、2021年6月3日、Zoomで話をうかがった。

香山さんは、今回のコロナ禍では、さまざまな次元、段階で心理的な影響が出ており、単純化はできない、という。

まず、感染そのものに対する恐怖や不安がある。これには二つの側面が表裏のように重なり合っている。一つは自分が感染することへの不安。もう一つは、日本人やアジア人に特に顕著に見られる「他人にうつしたくない、迷惑をかけたらどうしよう」という不安だ。無症状者でも感染させることがあると聞くと、「自分がかかるのはいいが、家族や職場の人にうつしたら、どうしよう」という漠然とした恐怖に駆られる。

だが、これは感染そのものによる不安や恐怖であり、感染拡大が収束すれば、おさまっていくだろう、という。

二つめは、感染抑止に伴う「ダブルバインディング」な要求に、常にさらされることからくるストレスだ。

「二重拘束」とも訳される「ダブルバインド」は、相反するメッセージを受け取った人が置かれるストレスを指す言葉だ。米国の精神医学者グレゴリー・ベイトソンが提唱した考えで、あるメッセージと、それが含意するメタメッセージが違う方向を指す状態を意味する。これは、言語のメッセージと非言語の状況が相反する場合にも起きる。たとえば、「いらっしゃい」といいながら、近寄れば拒絶するような態度をとるような場合だ。これは、童話や伝説などでもしばしば「不条理な命令」として登場する話法だ。

コロナ禍の場合は、たとえばオンライン講義への移行でそれが起きる。

一方では、感染予防や学生の健康を守りたいという要請があり、それがオンラインへの移行を強く促す。他方、学生が互いに同じ場で学ぶ事の大切さを説き、「対面授業」もできるだけするようにいわれる。結果としてはオンラインと対面講義を混在させることになる。バランスを取りながら対処するといえば聞こえはいいが、これは「ジレンマ」にほかならない、と香山さんはいう。

「これは大学に限らず、今回のコロナ禍で、あらゆる職場、あらゆる現場でみなさんが体験なさったことでしょう。感染はもちろん避けたい。だが百貨店にしても、映画館、ライブハウス、飲食店にしても、何とか活動や営業は続けたい。続けなければ経済的にも立ち

香山リカ：精神科医。札幌生まれの小樽育ち。東京医科大学卒業後、精神科医として小樽の病院に勤務した後、神戸芸術工科大学、帝塚山学院大学などで教鞭をとり、現在は立教大学現代心理学部映像身体学科教授。民間診療所等で臨床医としての活動も続ける。『精神科医・香山リカのわかりみが深いココロの話』（白夜書房）など著書多数。

行かなくなる。でも自分の活動の場から感染が広がれば、活動そのものをやめざるを得ない。そうしたストレスフルな状態が続いています」

こうした環境に置かれると、一部の人は両極端に向かう。一方には、「どんなに説得されようと、自分は怖くない」と思い込む人々がいる。他方には、人に感染させそうな行為をする人を非難し、咎《とが》める「自粛警察」のような人々がいる。ある意味では、どちらかに「振り切れる」ほうが、ストレス軽減という意味では楽なのかもしれない。だが、大半の人々は、そのどちらにも振り切れず、長く続くストレスにじっと耐えている。香山さんはいう。

「そのジレンマが1年以上も続き、行動制限をやってはやめ、やめてはまた再開して、ということを繰り返すと、精神のエネルギーは枯渇し、うつ状態に近づいていきます。つまり、どこに行っても同じ場所に戻る『無限ループ』にはまってしまうような心理です」

## 「自己有用感」——

コロナ禍で仕事やバイト先が閉店・休業になったり、パートの仕事の回数を減らされたりした人は、ただちに経済的な問題に直面する。実質無利子・無担保の融資で当座をしのいでも、この先、いつまで返済を延ばせるかも定かでない。そうした人に比べ、休業補償を受けられる人は、まだ恵まれているだろう。だが、そういう人も、別の問題を突きつけられる可能性がある、と香山さんはいう。

それは「自己有用感」の喪失だ。

勤め先が休みになっても、給与はある程度補償される。忙しいときには、願ってもない待遇のように思えるかもしれない。では、一日中家にいて、何をするか。普段はできない断捨離や書類・衣服の整理をする人がいるかもしれない。細々とした時間では取り組めなかった読書や勉強に挑戦する人がいるかもしれない。だが、長くは打ち込めない。在宅で独りで楽しめる趣味も、そう多くはない。

そのうち、仕事もしないのに金をもらえる自分について考え始め、「自分は、要らなかったのではないか」と感じるようになる。これが「自己有用感」の劣化と喪失のプロセスだ。香山さんはいう。

「オンライン授業や診療所での精神科臨床という形で仕事を続けてきた私も、家にいてテレビでコロナ最前線で働く医療従事者の映像を見ていると、『同じ医者なのに、こんなことをしていて、いいんだろうか』と考え込んでしまいました。つまり、普段は外出したり、おいしいものを食べたり、旅に出たりといった気分転換で紛れていたことを、突きつけられる。自分は何のために存在し、社会のために何をしているのか、という本質的な問題を突きつけられ、とことん悩む。実際に、そうした悩みを抱える女性たちを何人も診てきました」

香山さんによると、こうした悩みを訴える人は女性に多いという。

「男性には、肩書や収入で他人と自分を比べ、『これでいいんだ』と肯定的にアイデンティティを確認する人が多い。それに比べ、女性は、外面的な属性や収入ではなく、普段から自分とは何か、『自分探し』をする人が多いように思う。コロナ禍で本質的な問題が露呈すると、それを突き詰めてしまいがちです」

コロナ禍以前なら、「生きる意味がわからない」と患者さんがいえば、香山さんは「生きる意味って、私にもわからない」と返して、こう続けた。

「生きる意味は、マルチ商法で儲けを企《たくら》む人や、怪しげな新興宗教に勧誘する人が口にするけど、そんな意味がわかる人なんて、ほとんどいないと思う」

そんなときは、人と会ったり、ショッピングに出かけたり、気晴らしで紛らわせるよう勧めた。だが、休業要請で店は閉まり、午後8時には家に帰る毎日が続く。

「度重なる緊急事態宣言でも、多くの人は驚くほど従順で、発散もせず、文句もいわず、怒ることなくいうことを聞いて、自分を責めている。見ていて辛《つら》くなります」

## 若い世代に向けて

以前インタビューをした哲学者スラヴォイ・ジジェク氏は、教育がオンラインに移行すれば、同じ環境のもとで学ぶ友人たちとの間で形成されるべき人間関係が、そっくり失われる、という危惧を口にした。その点を尋ねると、香山さんは、「若い世代には思った以上に柔軟性があり、さほど心配はしていない」という。

「さっきまでオンラインで講義をしていましたが、学生たちはテクノロジーを使いこなし、新しい状況に積極的に適応している。若い世代は、いつの時代でも激変する環境に合わせて変わるたくましさがあるし、私たちもある意味でそうしてきた。彼らはそれまでの大人とは違うコミュニケーションのスキルを身に付けていく。その点はあまり心配していません」

だが、これまでリアルの世界で人格を形成し、オンとオフの世界を身軽に行き来できる世代と違って、まだ形成途上の小中学生には、もっと丁寧なケアが必要だろうという。

たとえばデジタル環境へのアクセスについては依然として地域、学校によって格差があり、学習内容についても、現場に任されているのが日本の実情だ。

「コロナ禍が広がった去年、中国では、あっという間に教科書の単元ごとの教材を作り、全国どこからでもアクセスできるようにした。各回、動画で20分の講義を受け、残り40分で自習をしたり、休憩したりするプログラムです。それをもとにＳＮＳで学級ごとに話し合う。日本ではすべて現場任せで、ばらばらになっています」

## ――「高品質社会」への失望

香山さんは、長期的に見れば、今回のコロナ禍を通して日本人の多くが感じるのは、「高品質社会」というこれまでの日本の自画像への失望なのではないか、という。

「日本にいたら、どこでも質のいい医療を受けられる。食品も安全で、衛生環境もいい。どの分野でも、ものすごくクリエイティブではないが、高い水準を維持している。そうした『高品質社会』への自信や誇りが日本人を支えてきました。それが失望に変われば、メンタルヘルスに直接影響するでしょう」

今回のコロナ禍では、莫大な予算を投入した感染追跡アプリに不備があったり、手書きファックスを送って感染者の集計をしたり、ワクチンの調達に大幅に出遅れたりするなど、目を覆わんばかりの実態が明るみに出た。

「ここ20年、日本は経済的にもじり貧で、相対的地位はどんどん下がってきた。これが学問や研究の水準もダメ、そのうえ、これまで誇りにしてきた生活の品質保証もダメとなると、かなりダメージは大きいのではないかと思います」

だが、政権がもし、東京五輪・パラリンピックの開催を、こうした地盤沈下を防ぐ起死回生の策と位置づけているなら、それは間違いだ、と香山さんはいう。

「五輪・パラリンピックをコロナ禍から立ち直るきっかけにして、国力を誇る、というのは共同幻想に過ぎません。それは、寓話《ぐうわ》のようなものです。体力が落ちていることを直視して、一歩一歩、社会を鍛え直していくしかないと思います。最近は、隣人に偏見を持たず、国際感覚に富む柔軟な若い世代が出てきた。彼らが古い世代の価値観に染まらず、社会の中核に育っていってほしい、と期待しています」

## ——「気晴らし」の効用

香山さんの話を聞きながら、私は何度か、パスカルの『パンセ』(前田陽一、由木康訳、中公クラシックス)のことを思い出した。

パスカルはその遺稿集で、何度も「気晴らし」について触れ、それが人間の本性に根差していると説いているからだ。

パスカルは、「人間の不幸はすべてただ一つのこと、すなわち、部屋の中に静かにとどまっていられないことに由来する」という。

人間は弱く、死すべく、慰めてくれるものは何もないほどに惨めな本来の不幸のうちにある。どれほど恵まれた地位や幸福にあっても、人は気を紛らわせることができなければ避けえない病や死など、彼を脅かす物思いに陥って不幸になってしまう。だから、十分な財産があっても人は海や要塞《ようさい》の包囲戦に出かけ、社交や賭け事に熱中するのだ。

人間というものは、どんなに悲しみで満ちていても、もし人が彼を何か気を紛らすことへの引き込みに成功してくれさえすれば、そのあいだだけは幸福になれるものなのである。また、どんなに幸福だとしても、もし彼が気を紛らされ、倦怠《けんたい》が広がるのを妨げる何かの情念や、楽しみによっていっぱいになっていなければ、やがて悲しくなり、不幸になるだろう。気ばらしなしには、喜びはなく、気を紛らすことがあれば、悲しみはない。

パスカルは、人間のこの逆説的な本性を、信仰の本質を説くための予備的な考察として記した。若いころ、私は「気晴らし」に関するこうした見方は、「弱く、死すべく、本来の不幸のうちにある」人間の本性を直視することの大切さを説く文章だと受けとめた。

だが齢を取るにつれ、見方は変わってきた。

あえて直視しなくても、自分が「弱く、死すべく、本来の不幸のうちにある存在」ということは、自明のこととして肌で感じられるようになる。そうであれば、「気晴らし」によってその不幸を紛らわすことこそが、「知恵」となるのではないだろうか。もはや居直りに近いが、せめて他人にとって自分は、ささやかな「気晴らし」を提供できる存在でありたいと思う。

行動制限を迫られるコロナ禍においても、「部屋の中に静かにとどまっていられない」という人間の本性は少しも変わらない。演劇や映画、音楽、娯楽といった「気晴らし」は、「不要不急」どころか、こうしたときにこそ、人には欠かせないのだと思う。

# 第4章

# 歴史に学ぶ

かつてスイスのバーゼル美術館で、画家ハンス・ホルバインが制作した木版集「死の舞踏」を見たことがある。骸骨《がいこつ》姿の死者が次々に生者を誘い、死の世界に引き込む。

教皇、皇帝、枢機卿《すうききょう》、国王というように聖職者と俗界から交互に人物が登場し、骸骨に導かれる。死は道化《どうけ》、物売りなど市井の人にも及び、逃れるすべはない。

これは、「死はすべての人を襲う」という寓意《ぐうい》を表し、ペスト流行後の欧州一円に広がった画題だった。

感染症は人《ひと》を等し並みに襲い、死に誘う。だが衛生環境が総じて劣悪だった当時の中世と違い、現代の感染症は人を選ぶ。パリ郊外の移民居住区。感染がアジアからの出稼ぎ労働者に集中したシンガポール。米国の黒人居住区。新型コロナの感染リスクは、狭い住宅に密集して住み、医療へのアクセスが不十分で、生きるためには流行時にも現場に出かけざるを得ない人々に集中する傾向があった。

さすがに、日本ではそんなことは起きない。そうした反論が聞こえそうだ。だが感染リスクが平等であったとしても、それ以前のハンディが消えるわけではない。たとえば東京電力福島第一原発事故の避難者は、10年後の2021年にも約3万6千人に上り、8割は県外に暮らす。たとえば沖縄はどうだろう。21年6月にうるま市津堅島《つけんじま》に米軍ヘリが不時着したように、コロナ禍が米軍による事故や米兵の犯罪を一掃したわけではない。福島や沖縄では、以前からあったそうした重圧に、感染リスクが上乗せされているのに、私たちがそのことを忘れているだけなのだ。

米国に始まるＢＬＭ（ブラック・ライブズ・マター）運動は欧州に飛び火し、植民地や奴隷貿易の過去を見直す動きを見せた。

こうした動きは、コロナ禍とは無縁の偶然に過ぎないのだろうか。あるいは貧困や格差など、今も残る「負の遺産」が、歴史の見直しにつながっているのだろうか。「犠牲のシステム」について考えを深める哲学者にうかがった。

＊＊＊＊＊

## ――ＢＬＭ運動の背後にある「構造的差別」

ジョージ・フロイドさん殺害事件をきっかけに全米で広がったＢＬＭ運動は、南北戦争で奴隷制維持の側に立った南部連合の指導者の銅像引き倒しや、南軍の旗をあしらった州旗のデザイン変更、先住民を指す「ワシントン・レッドスキンズ」のチーム名変更などの動きにまで広がった。

それだけではない。米紙ニューヨーク・タイムズは２０２０年６月16日付（電子版、同25日改稿）の「歴史の再考」という記事で、「バージニアからニューメキシコまで、警察の暴力への抗議は、数百年の米国史の泡立ちを表面化させた」という前文に続き、ＢＬＭ運動が全米各地でさまざまな「偶像破壊」をもたらした、と報じた。

オレゴン州ポートランドでは、群衆が「建国の父」トマス・ジェファーソンの銅像を引き倒した。これは、彼が生前、６００人以上の奴隷を使っていたという理由からだ。

バージニア州リッチモンドでは、新大陸を「発見」したクリストファー・コロンブス像に落書きがされ、火がつけられたのちに湖に投げ捨てられた。探検家が南北アメリカの先住民抑圧の先鞭《せんべん》をつけた、という理由だ。当初は人種差別や奴隷制に向かっていた矛先が、植民地主義や先住民への抑圧に対する批判へと広がる兆しだった。

6月16日には、ニューメキシコ州アルバカーキで、先住民800人の虐殺を命じたコンキスタドール（征服者）のホアン・デ・オネートの銅像が撤去された。この像をめぐって群衆がぶつかり、発砲事件があったためだ。

同じ日、ノースカロライナ州の州都にあったジョセファス・ダニエルズの銅像が子孫の意向で撤去された。この人物はウッドロー・ウィルソン大統領のもとで海軍長官を務めた新聞発行者だが、白人優越主義者としても知られていた。同15日には、カリフォルニア州の州都サクラメントにあったジョン・サッター像が撤去された。「サッター砦《とりで》」を築き、ゴールド・ラッシュのきっかけを作った人物として知られるが、先住民を搾取していたことが問題視された。また同4日には、北米最古の騎馬パトロール隊として知られる「テキサス・レンジャー」の像が、ダラスから撤去された。これも、法執行機関による先住民への暴力が批判を受けるという懸念からだ。

私自身は、感情の赴くままに行われるこうした「偶像破壊」は、決して生産的とはいえないし、シンボルによる政治操作が忍び込む危うさもあると思う。ベルリンの「壁」崩壊は民意の直接の発露であったし、旧ソ連崩壊後のスターリン、レーニン像の撤去や、都市・道路の改名は、イデオロギーによる抑圧体制のシンボルの解体を意味した。

だがイラク戦争におけるフセイン像の引き倒しは、顔に星条旗をかけ、米軍の装甲車で引きずり倒すという「演出」が濃厚に出ていた。政治的なシンボルを引きずり下ろす行為は、極めて政治的にならざるを得ない。

私は、かつてバチカンにいた日本人枢機卿から、こんな言葉を聞いたことがあった。

「ローマが偉大なのは、あらゆる愚行《ぐこう》や蛮行《ばんこう》の跡を破壊せずにそのまま遺跡として残し、歴史の教訓を今に伝えているからです」

たぶん、BLM運動の激化の背景にあるのは、今も続くマジョリティによるマイノリティへの「構造的差別」が、そうした差別を助長した人物への公的空間での顕彰というかたちで、存続していることへの怒りだろう。

彼らは、そうした記念碑が、過去の遺物ではなく、今もマジョリティによる差別や暴力を正当化し、「アメリカの伝統」の一部として、敬意のまなざしを強制することに、耐えがたさを感じているのだろうと思う。

だが歴史は、たんにシンボルの破壊や除去によって見直すことはできないと私は思う。蛮行や過ちの歴史は、それを記録し、保存し、新たな解釈と補遺《ほい》を加えることによってしか、のちの世に伝わらない。奴隷を使っていたジェファーソンの像やコンキスタドールの像をたんに破壊したり撤去したりするのではなく、公共空間から博物館や歴史展示館に移し、そこに新たな解釈や歴史論争の結果を示すべきではないだろうか。博物館や歴史展示館は、絶えざる歴史の見直しや論争を引き起こす「開かれた議論の場」であると思うからだ。

2005年、ベルリンの国立ドイツ歴史博物館で、「ドイツの戦後展」を見たことがある。冒頭から、「私たちが歴史に向き合ったのは最近のことで、しかも不承不承《ふしょうぶしょう》だった」と率直に記すように、東西分断国家が対立する過程で、西独ではナチス関係者が支配層に残り、東独ではナチスの責任を「西側」に押しつけて直視してこなかった過去を振り返り、「隠蔽《いんぺい》」の歴史を克明に展示していた。さらに、時の外相ヨシュカ・フィッシャー氏が、1999年にNATO（北大西洋条約機構）による空爆を支持して、緑の党の党大会で反戦主義者から塗料を投げつけられ、服を真っ赤に染めるビデオを繰り返し上映し、手書きの反戦プラカードすらも「史料」として展示していることに驚かされた。歴史解釈はつねに未完の精神闘争であり、博物館は論争に開かれた場として、起きたことをそのまま記録し、公開するという、戦後ドイツの歴史観をそこに感じた。

それはともあれ、ニューヨーク・タイムズ紙は2020年7月3日付（電子版）で「BLMは米国史最大の運動の可能性」という記事を掲載し、四つの世論調査をもとに、その時点で全米の1500万～2600万人が「BLM」の抗議デモに参加したという推計を報じた。

コロナ禍という熱源によって、積年の「差別構造」という鉄の圧力釜が熱せられ、その蒸気がBLMとなって迸《ほとばし》り出る――。そんな構図が浮かび上がる。

## ――哲学者・高橋哲哉さんに聞く

この問題をどう考えたらよいのか。2020年8月9日、東京大学大学院総合文化研究科教授（現在、名誉教授）の高橋哲哉さんにZoomでインタビューをした。

高橋さんがまず指摘したのは、こうした植民地支配や奴隷制度、人種差別などの歴史問題が、決して過去の蒸し返しではなく、すぐれて今日的な問題だ、という点だ。

「第2次大戦後、まず大きな問題になったのは、ナチスによるユダヤ人虐殺、ショアー（ホロコースト）の問題でした。ハンナ・アーレントは、政治という活動の結果、取り返しのつかない傷が生じた場合、その救済策として『赦《ゆる》し』の役割を強調したが、全体主義の犯罪は『赦すことも罰することもできない悪』と認めざるを得なかった。その後、ショアーの裁きと赦しの問題は、当時の西ドイツで1960年代には、『ナチスの犯罪に時効を適用できるか』という『時効論争』を引き起こし、1980年代には、『ナチスの犯罪は、他のジェノサイドと同列に論じてよいのか』という『歴史家論争』を巻き起こした。冷戦が終わり、グローバル化が進むにつれ、1990年代になって、集団的な暴力の『傷』や『赦し』『和解』といった歴史をめぐるテーマも一挙にグローバル化したのです」

つまり、歴史問題は戦後、伏流水のように連綿と続いてきたが、世界中で顕在化したのはごく最近という指摘だ。

今回のコロナ禍で、東アジアは感染者数、死者数が比較的少ないが、欧米諸国などで圧倒的に多い。しかも米国では黒人など社会的・経済的に弱い立場に置かれたマイノリティ、ブラジルではスラム街や人口密集地に住む貧困層や先住民に被害が多く出ている。

「権力や富が集中している階層では被害が少なく、歴史的に差別された地域や階層が脅威にさらされている。その怒りや不満が、米国ではBLM運動となって噴出し、欧州にも波及した背景ではないか」

---

高橋哲哉：福島県生まれ。哲学者。東京大学大学院単位取得。東大大学院総合文化研究科教授として長く教鞭をとり2021年3月に退官。『戦後責任論』『デリダ　脱構築と正義』（ともに講談社学術文庫）、『犠牲のシステム　福島・沖縄』（集英社新書）など著書多数。

高橋さんは、欧州に波及した一例として、2020年6月30日に、ベルギーのフィリップ国王がコンゴ民主共和国のチセケディ大統領に宛てた「謝罪」の書簡を挙げる。ベルギーはかつてレオポルド二世がコンゴを「私有地」化して欧米列強で最も過酷な支配をした時期を含め、75年にわたってコンゴを植民地支配してきた。フィリップ国王は、そうした植民地支配でコンゴを傷つけたことについて、「今なお私たちの集団的な記憶に重くのしかかっている」と述べ、過去の傷に「最も深い遺憾の意」を表明し、「我々の社会に今なお存在する、あらゆる人種差別主義と闘っていく」という決意を述べた。

高橋さんはいう。

「こうした動きを見ていると、近代以降のグローバル化によって生じた植民地支配や民族間の衝突や紛争について、根本から問い直そうという動きが起きていると思う」

そうした動きの背景として、高橋さんは、今回のコロナ禍で従来の「人間と自然」のバランスが急速に崩れる事態を突きつけられたことが大きい、と指摘する。

「開発などで未踏の地に人間が入り、未知のウイルスに感染する。近代以降の人の営みが地球温暖化で自然や環境に変化をもたらしたように、これまで自明とされてきた自然の『無限の資源』を前提とした経済成長や豊かさが限界に近づいた。そうした大きなバランスの変化を突きつけられ、人間と人間との関係が築いた『歴史』を問い直さなければ、人類の連帯に将来はない、と気づき始めたのではないか」

## ――日本型「犠牲のシステム」

2011年の東日本大震災で福島第一原発の事故が起きて以降、高橋さんは「犠牲のシステム」という考えを深めてきた。「犠牲のシステム」とは何か。高橋さんの定式では、次のようになる。

「犠牲のシステムでは、ある者（たち）の利益が、他のもの（たち）の生活を犠牲にして生み出され、維持される。犠牲にする者の利益は、犠牲にされるものの犠牲なしには生み出されないし、維持されない。この犠牲は、通常、隠されているか、共同体にとっての『尊い犠牲』として美化され、正当化されている」

ここでいう犠牲にされる側の「生活」とは生命や健康、日常、財産、尊厳や希望などを含む。また、犠牲を強いる「共同体」は、国家、国民、社会、企業などさまざまだ。

高橋さんがこの考え方を深めるきっかけは、2009年の政権交代だった。鳩山由紀夫首相は、沖縄県の普天間《ふてんま》飛行場を返還する代わりに、辺野古《へのこ》に移設するという日米合意について、代替基地は「最低でも県外へ」と異論を唱え、すぐに行き詰まって方針を撤回した。

そして2011年の東日本大震災では、首都圏に電気を供給する東京電力福島第一原発で過酷事故が起き、その対応に当たった菅直人首相は、批判を浴びて政権を野田佳彦首相に引き渡すことになった。

こうして政権交代下で、この国の根幹をなす安全保障問題と、エネルギー問題がともに正面から問われることになったが、これは単なる偶然だったのだろうか。もちろん、原発事故の引き金になった東日本大震災は天災であり、政権交代とは関係ない。しかし、特定の地域に基地や原発を押し込め、その犠牲の上に保たれる安全保障やエネルギーの問題を、自民党の長期政権下では忘れていたことに、私たちは気づかされることになった。逆説的にいえば、政権が交代しても、システムは微動だにせず、そのシステムが「国のかたち」であることを知った。つまり、戦後ずっと目に見えなかった「犠牲のシステム」が、可視化されたのである。

高橋さんの場合、事情は複雑だった。福島県に生まれ、小学3年まで4年間を、のちに福島第二原発が立地することになる富岡《とみおか》町で暮らしたことがある。その後、首都圏に住まい、事故当時も、福島から供給される電気に頼って暮らしていた。故郷が放射線に汚染され、多くの人々が避難を余儀なくされ、あまつさえ差別まで受けるという事態に、「なぜ」という疑問符とともに向き合わざるを得なかった。

そこでつながったのが、歴史認識や歴史責任の問題で思想的課題となっていた沖縄だった。琉球王国として存在していた沖縄は、明治の「琉球処分」によって解体され、正式に日本の版図に組み込まれた。戦前は「皇国史観」を教え込まれ、沖縄言葉も禁じる同化政策が推し進められた。沖縄戦では「国体護持」のために沖縄守備軍が住民を巻き込む持久戦を行い、結果として県民の4人に1人が犠牲になった。沖縄県民の多くはそこに、本土のための「捨て石」にされたという悔いと痛恨を抱くことになった。

戦後はサンフランシスコ講和条約で日本が占領から解き放たれた代わりに、本土から切り離され、事実上、米軍の支配下に置かれた。しかもその27年間の米軍政下で、米軍は沖縄の基地を「銃剣《じゅうけん》とブルドーザー」で拡充し、本土で紛争を起こしていた米海兵隊などの基地を撤収・縮小し、沖縄に米軍基地が集約されていく。本土が経済成長で復興に向かう歳月は、沖縄にとっては対照的に、より多くの基地を受け入れ、米兵による犯罪や事故、騒音に苦しむ日々だった。

こうして、自分の「裏庭」には迷惑施設がきてほしくないという本土の意識が、狭い沖縄に基地を押し込め、その「犠牲」を忘れるというシステムが形づくられた。

それは、首都圏では福島や新潟に、関西では福井などに原発を建設し、自らの生活圏からリスクを排除してその恩恵を受け、しかもそのシステムそのものを意識から追い払うという原発の「犠牲のシステム」に酷似している。

こうして、高橋さんは『犠牲のシステム　福島・沖縄』（集英社新書）を書き、自らを含め、自分の利益のために、特定地域に不条理な構図を押しつける人々の責任を世に問うた。沖縄取材が長く、東日本大震災で原発事故の被害を取材していた私は、その著作の鋭い問題提起に、虚を突かれる気がした。

## ――「犠牲のシステム」の不可視化

こうした日本型「犠牲のシステム」はいつから作られてきたのだろう。高橋さんは、このシステムは戦前・戦時中からあった、という。大日本帝国憲法のもとでは、「一旦緩急あれば義勇公に奉じ」（教育勅語《ちょくご》）、戦争においては「義は山嶽《さんがく》より重く死は鴻毛《こうもう》より軽しと心得よ」（軍人勅諭《ちょくゆ》）ということが、当然視された。いざというときには国のために命を捧げ、尊い犠牲として靖国神社に英霊として祀《まつ》られるという、目に見える「犠牲のシステム」だった、といえる。

だが主権在民の日本国憲法のもとで、「犠牲のシステム」を表立って押しつけることは、さすがに、できない。一定の国民にのみ犠牲を強いてはならない、というのが憲法の建前であるからだ。その結果、「犠牲のシステム」を不可視化し、「犠牲を見ないで済む」メカニズムが働くことになる。

たとえば沖縄では、故・翁長雄志《おながたけし》前知事の時代以来、一貫して国政選・地方選で「辺野古への移設反対」の民意を示してきたが、今の衆院でいえば沖縄には選挙区・比例区を合わせて6議席しかなく、「多数決」という民主制度のもとで、その主張が通る見通しはない。

福島でいえば、2013年の東京五輪招致スピーチで、安倍晋三首相は原発事故について、「状況はコントロール下にある」と演説した。しかし、原発被害を切り捨て、不可視化したに過ぎず、敷地内には汚染水がたまり続けるなど、問題は山積している。

## 「土人」という発想

福島第一原発の事故以来、高橋さんはネット上で「東北土人《どじん》」や「福島土人」という言葉が使われていることに衝撃を受けた。こうした差別の根底には、幕末から明治にかけての戊辰《ぼしん》戦争で、会津・庄内藩と奥羽越列藩《れっぱん》同盟が官軍に敗北して以降、「白河以北一山百文《ひとやまひゃくもん》」という蔑《さげす》みの表現が使われたことを想起させる。「貧しい地方」「遅れた地方」という差別のまなざしだ。

これは沖縄にもいえる。沖縄では2016年10月、米軍北部訓練場のヘリパッド移設工事をめぐって、大阪府警の機動隊員が、工事に反対する市民に向かって、「土人」呼ばわりする事件が起きた。これを、単なる失言と見過ごしてはいけない、と高橋さんはいう。

1903年には大阪で開かれた第5回内国勧業博覧会で、「人類館事件」が起きた。これは、「学術人類館」という展示で沖縄、アイヌ、台湾原住民、朝鮮、清国などの人々に民族衣装を着せ、日常生活を送る様子を見せる展示だった。沖縄、清国がこれに抗議したが、当時の沖縄の言論人は、「帝国臣民の沖縄人を、他の民族と同列に置くのは侮辱《ぶじょく》だ」と抗議し、それはそれで、他の植民地に対する屈折した優越意識をうかがわせる内容だった。だがそれよりも、この展示そのものが、マジョリティが自らを「文明」とみなし、被植民地の人々よりも「民度」が高いことを誇る装置であったことに、高橋さんは注意を喚起する。

「欧米列強の植民地主義には、自らが卓越した民族で、遅れた地域を文明化することが我々の使命だ、という優越意識がある。その意識は、当時盛んになった人類学や、その後の文化人類学にまで貫かれている」

日本の「人類館」も、19世紀から20世紀にかけ、欧州各地の万博などで異民族の人々を「展示」する「人間動物園」の系譜を引く「見世物《みせもの》」だった。

こうして長い歴史をかけて刷り込まれた差別や偏見は、簡単には消すことができない。ここで大切なのは、メディアの役割だ、と高橋さんは指摘する。不可視化された「犠牲のシステム」を可視化するよう、絶えざる努力を積み重ねることが、メディアには求められている。

沖縄では連日のように、人口10万人当たりの全国最多の感染者数が報じられているが、日米地位協定の抜け穴によって、米兵が基地の外に感染を広げていないかどうか、その実態がきちんと地元に報告されているかどうかについて、本土のメディアが報じることは少ない。おそらく、読者や視聴者の多くが、「犠牲のシステム」によって利益を享受する本土の人であるため、そのシステムを明るみに出すことを躊躇《ちゅうちょ》するか、自粛して問題を回避しようとする判断が働くためではないか。

高橋さんは以前、沖縄のライター、知念ウシ氏と中央紙で対談したことがある。「高橋さんも基地を持って帰ってくださいね」という発言を編集者が削除したため、知念氏が、「そこが大事なんだから残して」と要請した。結局、紙面に復活したが、そのときに編集者が、「数百万読者を相手にしている新聞なので」といったことが強く印象に残った、と高橋さんはいう。「マジョリティ」を重んじ、「不都合」な事実を指摘してその神経を逆撫《さかな》でしたくない、というメディアの配慮がにじみ出ていたからだ。

「沖縄は安保に貢献してくれている。福島は明治以来、水力・火力から原発に至るまで、一貫して首都圏にエネルギーを供給してくれている。そうした『感謝』の言葉は当たり障《さわ》りがないが、それではまったく犠牲がなくならず、『尊い犠牲』として戦死者を靖国神社に祀り上げた過去と構図は変わらないことを、意識しているべきでしょう」

ネット上では、少数派に対するいわれのない誹謗中傷や、バッシングが続いている。コロナ感染者や医療従事者への差別や偏見もあとを絶たない。高橋さんは、福島第一原発事故のあと、被害を受けた避難者を差別する言動が広がったのと同じ風潮を感じる、という。

「放射線もウイルスも目には見えない。人は異質なもの、自分が不気味と感じるものに対し、自己防衛で遠ざける本能がある。防衛的になることは、ある程度やむを得ないが、不安のあまり過剰に反応し、責任のない人に、いわれなき誹謗中傷を向けることは許されない。匿名で発信できる仮想空間では、そうした攻撃的態度が誘発されやすいことを自覚するべきでしょう」

## ――知識人が提起、社会が長年吟味し政治が決断

高橋さんは1990年代、「ポスト構造主義」の代表とされるフランスの哲学者、ジャック・デリダらの研究をしてきた。レヴィ・ストロースら「構造主義」が批判した「西欧中心主義」の考えをさら

に推し進め、「脱構築」などの概念で「ロゴス中心主義」の歴史を批判的に検証してきた思想家だ。

デリダはフランスの植民地だったアルジェリアのアルジェ近郊の地で生まれたユダヤ人だった。アルジェリアのユダヤ人はクレミュー法によって市民権を与えられ、フランス人植民者、他の欧州人に次ぐ階層に属していた。

その「周縁」的な出自は、オーストリア・ハンガリー帝国領のプラハに生まれ育ち、ドイツ語で作品を書いたユダヤ人作家のフランツ・カフカによく似ている。帝国の周縁で生まれ、帝国の母語を使いながら、社会においては少数派という立場だ。

「デリダは、欧州の外部ではなく、縁《へり》で育ち、それを自覚せざるを得ない立場にいた。そこから、権力が他者を排除し、暴力的に恫喝《どうかつ》することを暴き、批判する視点が生まれた。私自身は70年代に青春期を送ってその時代の空気を吸い、戦争責任や植民地主義をどう考えるべきかを、思想的な課題として突きつけられた。その点で、デリダの批評精神と、ある程度リンクしたような気がする」

欧州では戦後、思想家や知識人が問題を提起し、社会が長い歳月をかけてその問題を吟味し、政治的な決断に結びつくということがあった。高橋さんはその例として、敗戦直後にドイツの哲学者カール・ヤスパースが、「罪への問い」という論文でナチス・ドイツの罪を論じた例を挙げる。ヤスパースは「刑法上の罪」「政治上の罪」「道徳上の罪」「形而上《けいじ》的な罪」に区別し、その審判者は最終的にそれぞれ、裁判所、戦勝国、個人の良心、神であると説いた。罪はひとつではなく、それぞれ個々の罪を贖《あがな》ったからといって、他の罪の責任から逃れることはできないことになる。

「当時は敗戦で余裕がなく、その論文は関心を引かなかった。しかし1970年、当時西ドイツの首相だったブラントがポーランドを訪れてワルシャワ・ゲットー蜂起《ほうき》記念碑の前で両膝をついて黙禱《もくとう》を捧げたころから、西ドイツ社会が徐々に変わり始めた。１９８５年のワイツゼッカー大統領による『荒れ野の40年』は、ドイツ社会が長い時間をかけてヤスパースの問題提起に答えた結果です」

高橋さんはフランスにおいても、似た事例があるという。シラク大統領は１９９５年、ナチス・ドイツ占領下、ヴィシー政権のもとでフランスが自国のユダヤ人をアウシュヴィッツに送るという「償《つぐな》えないことを犯してしまった」と認めた。これは、「ヴィシー政権はフランス共和国ではなかった」として、フランスの責任を認めなかったミッテラン政権までの立場を覆すものだった。

シラク大統領の決断の背景には、フランスのユダヤ人哲学者ウラジミール・ジャンケレヴィッチの思想があった。１９６０年代に、ナチスのショアーに加担した容疑者に時効が認められるかどうかがフランスでも激論を呼んだ。ジャンケレヴィッチは、「人道に対する罪」に時効はありえない、という論陣を張った。そこにあるのは、「無数の死者たちの運命は、私たち皆にかかっている。もし私たちが彼らのことを考えるのを止《や》めてしまうなら、私たちは絶滅を完成することになるだろう」という思想だ。シラク大統領はのちに、ジャンケレヴィッチ夫人に感謝の書簡を送ったのだという。

高橋さんの話を聞いて、日本の思想家、哲学者のことを思い浮かべようとした。戦後もある時期までは、戦争責任や、植民地責任について発言する人たちがいた。だが戦後50年を過ぎたころから、そうした発言は鳴りを潜め、代わって、「自虐史観」を糾弾する声高《こわだか》な発言が目立つようになった。第２次安倍政権のもとで、「歴史」は論争の対象ではなく、むしろ忌避《きひ》のラベルがつけられるテーマになった。

20世紀末には、欧米でオリエンタリズム批判、カルチュラル・スタディーズ、ポスト・コロニアリズム、フェミニズムなど新たな研究分野が次々に生まれ、「西欧中心主義」や「ロゴス中心主義」「男性中心主義」の言説を批判的に分析する潮流が生まれ、数々の成果をあげてきたように思う。

日本でも、若い世代を中心に、そうした研究手法で歴史や言説を分析する論文が数多く出た。だが、私が日本の研究に感じるのは「当事者性」の喪失《そうしつ》だ。研究手法は目覚ましく、新たな領域を切り拓いているのに、なぜその研究をするのか、著者はどの立場で研究するのかが、見えてこない場合が多い。

ショアー後のヨーロッパでは、「だれもが加担者になりえる」という重い歴史事実が思想家の課題となり、その問題から目を逸《そ》らして何かを論ずることは無意味か、不可能になった。新たな思想の潮流は、その思想的課題に対する苦闘から生まれたのだと思う。

ではこの国で、そうした潮流を、思想課題と共に受け継ぎ、発展させようとするなら、それはホロコーストを論じるだけでなく、日本の戦争責任、植民地責任に、正面から向き合うことではないだろうか。

たぶん、高橋さんは、そうした課題を誠実に引き受けた、数少ない思想家の一人なのだと思う。歴史認識をめぐるお話をうかがって、そんなことを感じた。

## 歴史家・磯田道史さんと考える「過去の知恵」

1995年の阪神・淡路大震災を取材するにあたって、関東大震災と比較しようと書店で関連書を探した。手に入ったのは、吉村昭《あきら》氏の『関東大震災』だけだった。2011年の東日本大震災の後も、過去の大津波に関連する本を探した。入手できたのは、やはり吉村氏が残した『三陸海岸大津波』だけだった。

このことは、吉村氏の息の長い歴史調査がいかに貴重なものかを示すと同時に、災害の記憶がいかに風化しやすいかも物語っている。

もちろん、専門書や研究書は汗牛充棟《かんぎゅうじゅうとう》といっていいほどあるが、普通の人が手に取ることはほとんどない。つまり、危機にあたって、私たちがすぐに参照できるような「集合記憶」にはなっていないのだ。

おそらく、近代以降の国内大災害といえば、多くの人が筆頭に挙げるのは関東大震災だろう。だが、それ以上の被害者を出した「スペイン風邪」は、知識としては記憶にも残っていないのではないだろうか。感染症は大地震、噴火、水害などをも上回る被害を出しているにもかかわらずだ。

磯田道史《みちふみ》さんが、コロナ禍が広がるさなかに『感染症の日本史』を出版なさったことを知り、さすが、どの分野にも精通する該博《がいはく》な歴史家だと思った。だが実際に本を読んでみて、なぜ磯田さんがこのテーマに通じているのかを理解した。それは、磯田さんが師と仰ぐ歴史人口学の速水《はやみ》融《あきら》氏が、最後に挑んだテーマが「スペイン風邪」だったからだ。おそらく速水氏は、近代日本で最大の死者を出し、その記録もかろうじて残る感染症の歴史を形にすることが、後世にきっと役立つとお考えだったのだろう。

過去の災害の記録を残すのは、失われた人々への追悼や鎮魂のためばかりではない。古来、災害と闘って生き延びた人々の知恵を汲《く》み取り、次世代に伝えるためだ。

医療や衛生の水準が上がれば人は感染症を克服したと思い込むかもしれない。だが、それはただ、私たちがウイルスの存在を忘れていただけなのだろう。

＊＊＊＊＊

## ――見抜いたコロナ禍の展開

まずは以下の文書をお読みいただきたい。これ以前に何度かバージョン・アップされているが、この文書が書かれた日付は2020年4月21日である。

**新型コロナ終息までのロードマップ・イメージ**（未発表）　磯田道史

未来のことは誰にもわかりませんが、想定しないことには計画がたちません。歴史家の目から見た今後の新型コロナウイルスの展開イメージを書いておきます。

現在、我々は、新型コロナウイルス第1波に襲われております。

イタリアやアメリカのように、とんがり帽子型の感染曲線だと、約2カ月ちょっとで第1波が弱まる。日本のように何らかの免疫抵抗力があるか、感染の遅滞作戦がある程度成功した場合、陣笠《じんがさ》型の感染曲線をとると、3カ月から4カ月で第1波が弱まる。つまり、日本は3月終わりに感染が激増したので、6月中は無理で、7月8月までは終息しないとみるべきです。5月の連休に外出が増えて長引いたら、8月初旬、そうでなければ7月上旬にはかなり感染数は減ってくることが期待できると思われます。

これから、未来になにが起きるでしょうか。これから5月から夏に、世界で医療関係者から一般の人まで抗体検査で免疫確認が始まって結果がわかってくるでしょう。

中国やイギリス・ドイツが先行するはずです。これらの国では今夏から、日本でも、ややおくれて一般人も抗体検査が進められる可能性があります。

抗体検査で、長期免疫獲得者をはっきりさせて、彼らがすぐ復帰して、経済を回せるかというと、単純ではなさそうです。獲得免疫には強弱があるようです。

中国の感染者の研究例では3割の罹患《りかん》回復者は十分な抗体を得られていないということです。たとえ長期免疫獲得者の状況がある程度明らかになっても、かなり慎重に自粛の解除が行われていくものと思われます。

そして、日本でも、気温がまた下がってくる、10月以降、新型コロナ第2波への警戒が始まると思われます。その様子は世界の感染の状況次第です。

第2波の襲来があるかどうか。国内で制圧しても海外から反射で入ってくるかどうか。ここが課題になってくるでしょう。寒くなってくると、第2波への警戒が、世界の課題になると思います。

9月になってこの事態が半年を超え、早い国では、医療関係者から挑戦的なワクチンの接種が始まるかもしれません。中国とイギリス・アメリカなどがリスクを恐れずこれに挑戦するでしょう。しかし、安全性の面から、われわれ日本では2021年年明けに一般人までワクチンを打つかというと、そうではないでしょう。まずは医療関係者と基礎疾患・高齢者の接種が来春からはじまる可能性があります。そして一般のワクチン接種は1年半から2年ぐらいで始まるのが予想の中間値ではないでしょうか。うまくいけば、大幅に早まる可能性もないではありません。

困るのは、新型コロナウイルスが変異して、ワクチン開発が長期化する可能性です。新型インフルエンザ治療薬アビガンを開発した富山大学名誉教授の話では変異はあってもそれほどではないだろうということですが、どうかわかりません。それなりのワクチンは1年から1年半ほどで開発される可能性はあると思われます。

こうして、安全性の高まったワクチンの一般への接種が行われて、国民の一定数が「ワクチンによる集団免疫の獲得」に至って、はじめて、平常時に近づいていきます。

これがひとまずの終息となります。しかし、これは早くても来年春以降の話とみておいたほうがよい、というのが現時点の平均的な予測だと思います。

以上が、磯田さんがお書きになった文書の全文だ。5月連休で抑えれば、いったんは収まるが、10月以降に第2波襲来の可能性があること、ひとまずの終息は早くても2021年春以降になるだろうと予測するなど、今読み返しても、その洞察には驚かざるを得ない。この文書が書かれたのは、疫学や公衆衛生の専門家の中にすら、「恐れるほどではない」との楽観論者がいたころだ。

磯田さんは、東京都文京区目白台にある「永青文庫《えいせい》」の評議員を務めている。熊本藩主細川家伝来の家宝を軸に、日本・東洋美術を収集・展示・研究する美術館で、細川護熙・元総理が理事長を務める。私もその隣にある旧細川邸の和敬塾《わけい》で、女優の村松英子さんが主宰する「サロン劇場」を見たことがある。

コロナ禍の広がりがまったく見通せなかった4月、磯田さんは「永青文庫」の開館・休館や展示企画の判断の指針となるよう、ここに掲げた「行程表」を作成し、提供した。何度か手を加えたが、基本線は当初からぶれていない。

「未発表」とあるのは、「歴史家は現在に連なる過去を研究対象とすべきで、将来を予測すべきではない」という研究者としての謙抑《けんよく》精神からだ。今回は私が懇願し、公表させていただくことにした。

それにしても、4月という早い時期に、なぜここまで正確に、コロナ禍の展開の大筋を見抜くことができたのか。

それが今回、12月23日にZｏｏｍで行った磯田さんへのインタビューの最初の質問になった。

## ――「歴史人口学」が培ったリアルな目

磯田さんは2020年9月20日、『感染症の日本史』という文春新書を刊行した。雑誌「文藝春秋」の5月～10月号に掲載された論考に大幅に加筆、再構成を加えた書き下ろしで

---

磯田道史：歴史家。国際日本文化研究センター教授。慶應義塾大学大学院文学研究科博士課程修了。慶大在学中に、速水融氏の宗門人別帳の研究を手伝う。『武士の家計簿』（新潮新書）、『感染症の日本史』（文春新書）をはじめ著書多数。

ある。その最終章に、「歴史人口学は『命』の学問」という文章がある。

この章の副題に「わが師・速水融のことども」とあるように、2019年12月4日に90歳で逝去した歴史人口学の泰斗《たいと》・速水融氏との出会いとその薫陶《くんとう》について書いた文章だ。

磯田さんが速水学の存在を知ったのは、まだ高校3年生で京都府立大への受験を終えたばかりのころ、地元岡山大学の図書館を訪ねたときだったという。将来は歴史を専攻したい。志望ははっきりしていても、どの時代にするかは決めかねていた。その参考にしたいと思ったからだ。

職員は「高校生は利用できない」と断ったが、せっかく来たのに追い返すのはどうかと考え直したらしく、「見学ならいい」といってくれた。歴史書の書架の前に立って、目に飛び込んできたのが、速水氏の『近世農村の歴史人口学的研究　信州諏訪地方の宗門改帳《あらためちょう》分析』（東洋経済新報社）だった。本を開けば「見学」の域を超えるとためらったが、我慢ができずにページを繰ると、あまりに斬新で、衝撃を受けた。

生物の教科書にしか出てこないような「生存曲線」のグラフが掲載され、「宗門改帳」から農民の結婚年齢や平均寿命といった数字をコツコツ導き出す革新的な手法を用いていたからだ。

どうしても速水氏の教えを乞いたい磯田さんは京都府立大に在籍しながら受験勉強をして1990年に、速水氏が当時在籍していた慶応大に進んだ。ところが速水氏は前年秋に慶応大経済学部長を退任し、京都の国際日本文化研究センター（日文研）教授に就任しており、せっかくの転校は「行き違い」に終わってしまった。

たぶん、この「行き違い」はのちのち、後進の歴史家の間で語り草となるだろうが、それであきらめる磯田さんではなかった。

扱うデータが膨大で、人海戦術で研究する歴史人口学には、広い研究室が必要だ。ところがまだ日文研にはそのスペースがなく、速水氏は慶応大研究棟の地下に足場となる研究スペースを置き、東京にいる日も多いことを知った。

磯田さんはのちの指導教員になる教授が速水氏の隣室にいることを知って紹介をお願いし、ようやく対面を果たした。

その後しばらくして、日文研に移った速水氏から、宗門人別帳の古文書《こもんじょ》を集める大きな研究プロジェクトに誘われ、京都に赴いた。

研究室の扉には横文字が書いてあった。速水氏が扉に貼っていたのは「この門をくぐる者、すべての望みを捨てよ」というダンテの『神曲　地獄篇』の一句だったという。

歴史人口学がいかに地味で膨大な調査を必要とするかを語る「頂門《ちょうもん》の一針」だった。

磯田さんは「相撲部屋に入るような気分」で速水部屋に入門し、その後学部から博士課程まで10年近く、古文書を求めて全国を渉猟《しょうりょう》する生活を送った。

歴史人口学は、欧州に始まる新しい分野で、教区簿冊《ぼさつ》をもとに出生・結婚・死亡などの「人生イベント」のデータを集積し、人口動態を明らかにする。速水氏は、宗門人別帳をもとに国勢調査以前の人口動態を明らかにし、そこから過去の経済の実態を解明しようとした。

プロジェクトが進められたのは、日本でも少子化が社会問題としてクローズアップされるようになった時期だ。日本の長期にわたる客観的な人口動態を解明する必要に迫られ、日本学術振興会による科学研究費助成金も出た。

速水氏は歴史家の網野善彦《よしひこ》氏、民俗学者の宮本常一《つねいち》氏らと親交があり、全国の津々浦々を歩いて調査する宮本氏の思い出話を磯田さんに聞かせた。速水氏の研究プロジェクトの史料収集で全国を行脚《あんぎゃ》していた当時を振り返って磯田さんは、当時の自分は「ほとんど宮本常一状態でした」と冗談めかす。

だが各地に史料を博捜《はくそう》する作業は、速水プロジェクトに役立ったばかりでなく、磯田さん自身の血となり肉になった。速水氏は主に農民や商人に着目したが、磯田さんは武士の史料も調べ、それが博士論文「近世大名家臣団の社会構造」につながり、のちの『武士の家計簿』（新潮新書）に結実していく。

## ――一生に一度のイベント「死」に着目

速水氏は2000年、文化功労者になった。普通なら「泰斗」として悠々自適の生活に入ってもおかしくないが、速水氏の場合は違った。マンションの一室を借りて私設の研究室とし、スペイン風邪の研究に入ったのである。

磯田さんは当時、「そうか、先生は生から死に向かうのか」と感じたという。速水氏の研究はそれまで、出生変動の解明が主なテーマだった。それが今度は「死」を主要テーマにすると思ったのだという。

「あらゆる人は一生に一度、生と死を経験する。結婚なら、ゼロの人も3度や5度の人もいる。生涯に一度のイベントである生と死ほど、論理的で実証的な手堅い研究の対象にふさわしいイベントはない。先生はそうお考えになったのでしょう」

当時は、スペイン風邪の世界的な影響を調べた英国の研究成果も発表され始めていた。過去の統計から推計される「超過死亡」をもとに、スペイン風邪の死者数を割り出す研究もあった。速水氏は、日本の各種統計を駆使して地域別に死者数を割り出し、全国の新聞記事を集め、流行の変遷の実態に迫った。その成果は2006年、『日本を襲ったスペイン・インフルエンザ』（藤原書店）として刊行され、09年、速水氏は文化勲章を受けた。

速水氏がスペイン風邪を研究していた当時、磯田さんは茨城大学助教授として水戸に赴任していたため、新聞記事ファイルの書架ならべを手伝うくらいしかできなかったが、その著書を受け取ったころ、速水氏が漏らした言葉に強い印象を受けたという。速水氏はこういった。

「大流行は必ず、また来る。そのとき、行動の制限を受けた国民は、政府に協力できるだろうか。各国政府は、感染や対策の情報をガラス張りで公開できるだろうか」

スペイン風邪の著書には、「人類とウイルスの第一次世界戦争」という副題がついている。「第一次」という言葉に、「必ず、また来る」という速水氏の警告がこめられていたのだろう。

今回のコロナ禍が始まったとき、磯田さんが真っ先に思い浮かべたのは、速水氏が漏らした「必ず、また来る」という言葉だったという。

## ――スペイン風邪、日本での犠牲

速水氏の調査によると、スペイン風邪による死者は、「日本内地」だけで45万人、樺太《からふと》で3800人、朝鮮で23万人、台湾で4万9千人に上る。

その研究は、感染による死者の規模を明らかにしただけではない。スペイン風邪が「3波」にわたって襲ってきたことを明らかにしたことが、さらに重要だ、と磯田氏は指摘する。それは以下のような経過をたどった。

**第1波**　**1918（大正7）年5月～7月**
高熱で寝込む人がいたが、死者を出すには至らなかった（春の先触れ）

**第2波**　**1918（大正7）年10月～19年5月頃**
26・6万人が死亡。18年11月は最も猛威を振るい、学校は休校、交通・通信に障害が出た。死者は19年1月に集中し、火葬場が大混雑になるほどだった（前流行）

**第3波**　**1919（大正8）年12月～20年5月頃**
死者は18・7万人（後流行）

「前流行」では、死亡率は相対的に低かったが、多数の罹患者が出たので、死亡数は多かった。「後流行」では罹患者は少なかったが、その5％が亡くなるという高い致死率になった。

磯田さんは、未知のコロナ禍に対処するうえで役立つのは第一に「自然科学のウイルスの知識」であり、第二に「歴史的経験」であるという。今回のコロナと、スペイン風邪のような当時の「新型インフルエンザ」は違う。しかし「感染致死率は1割に達しないが、患者1人が2～3人にうつす感染力でパンデミックとなり、世界で多数の死者を出す」という点ではよく似ている。もちろん医療事情などで当時と今は違うが、今と類似の歴史現象で近代医学の記録が最も多く残されているのはスペイン風邪だという。

そうした前提から、磯田さんは『感染症の日本史』のうち1章を「スペイン風邪百年目の教訓」にあて、速水氏の著書などを引き合いに、二つの感染症の比較と、そこから汲むべき「知恵」を導いている。その根幹にあるのは、感染の波は何度も襲来するということであり、変異をしたうえで致死率を高めることがある、という警告だ。

興味深いのは、当時も「経済への打撃」や「医療崩壊」の危機があり、軍隊など密な集団でクラスターが発生し、貿易港神戸で働く人や市電運転手など、人の移動や接触が多い場所で働く人に感染が広がるなど、今と同じ現象が起きていることだ。それだけではない。当時も日本ではマスクの使用が奨励されたが、「アメリカのように強制的に、マスクを着けない者は電車に乗せないほどではなかった」（速水氏）という風に、100年前にすでに、「要請と自粛の日本文化」と「ペナルティを科す西洋文化」というコントラストがあらわになっていた。

ここまで磯田さんにお話をうかがって、磯田さんがなぜ4月の時点でこれほど正確な行程表を作成できたのか、私なりに理解できたような気がした。

## ──「歴史の知恵」

磯田さんが師事した速水氏は、歴史人口学の手法を日本で確立し、膨大なデータをもとに実証的にある時期、ある地域の社会を分析し、そこから動態的な歴史像を再構築した。これは権勢を振るった天皇、貴族、武人、商人ら支配者・有力者の盛衰に焦点を合わせた歴史学や、制度やシステムの変遷を通じて社会を分析する手法とも違う。むしろ、無名の人々の生死に着目して、手堅い史実から彼らがどう歴史を動かしてきたのかを探る学なのではなかったろうか。

個人にとって、最も重要なことといえば、自らの生死であり、家族や知人の生死だろう。為政者にとって、無名の人々の生死は、統計上に表れる数字に過ぎないのかもしれないが、庶民にとっては最も厳粛なイベントだ。

歴史を数量やデータで把握するといえば、そこには近代以降の統計学に付きまとう無機的、機械的なイメージが忍び込みやすい。

だが全国各地を隈《くま》なく歩き回って宗門人別帳からデータを収集する研究者にとって、そのデータは単なる数値ではない。その土地、その村の風景を眺め、地域の奥に踏み入って、複雑微妙な人間関係を潜《くぐ》り抜けてようやく手に入る史料は、むしろ長く埋もれ、後世の人々にも忘れ去られた過去なのだろう。当然、そのデータをどう解釈し、再構成するかをめぐって、歴史家は、自生する固有種を調べる植物学者のように、土壌や環境、その分布、外来種との干渉や相克《そうこく》などを考慮するに違いない。つまり、生きた過去の歴史を復元する作業とは、庶民の過去を忘却から救いだし、それを多重多層に重ねて歴史像を構築する探究なのだろう。

そこまで考えれば、速水氏が後年、なぜスペイン風邪の研究に没頭したのかも、理解できるような気がする。それは「忘れられた」のである。

大きな震災・津波や火山噴火、洪水は最初は神話や伝承、のちには歴史記述として残されており、災害考古学や災害歴史学の成果が蓄積されてきた。2012年に刊行された『日本歴史災害事典』(北原糸子・松浦律子・木村玲欧編、吉川弘文館)はその現時点での集大成であり、歴史災害については864年の富士山貞観《じょうがん》噴火から2011年の東日本大震災に至るまで、大きな災害が個別に多角的に報告されている。だが、海難事故やデパート大火すら網羅するこの本に、スペイン風邪などの感染症は出てこない。

その理由は何だろうか。多くの自然災害は発災時の被害が最大で、その後、徐々に被害が減衰《げんすい》する経過をたどる。被害は見た目に歴然としており、被害が甚大かどうかは一目でわかる。つまり、いかに悲惨であるかが「出来事」として記録されやすい。

だが、感染症は目に見えない。それは波状的に繰り返し襲いかかり、最初の感染が最大の被害をもたらすとは限らない。むしろすでに感染して免疫を獲得した人が、助かったり、感染社会を下支えしたりする。つまり、「出来事」を記述する従来の歴史学の手法では、その規模や変遷を追うことが難しい。しかも純然たる自然災害と違って、感染症は、為政者や専門家の対策の是非や、それを社会のアクターや構成員がどこまで受け入れ、実行するのかという実効性が複雑に絡んでくる。自然と人為が分かちがたく絡み合う複合現象なのである。一筋縄ではいかない。

それがおそらくは、「スペイン風邪」や大きな感染症が歴史に埋もれ、私たちの集合記憶からも欠けた理由だったのではないだろうか。おそらく速水氏はその「歴史の空白」に気づき、その追跡に渾身《こんしん》の力を振り絞ったのではないだろうか。

それは通常の病気と同じように、個々人の生死を分かつ「運命」や「不幸」とみなされ、「災害」とは明確に認識されてこなかった。私たちは過ぎ去った疫病を、たんに忘れただけなのに、それを「医療技術の進歩」や「文明の勝利」と思い込んでいた。

歴史や集合記憶から欠落しているということは、先人が対処した「歴史の知恵」も埋もれてしまったことにほかならない。

磯田さんは著書の「はじめに」で、次のように書いている。

「現今は、歴史教科書には出てこない病気やウイルスや患者が主人公になった『歴史の書物』が書かれ、読まれることも、必要であろうと思います。人間は誰しも病気になります。当たり前ですが、死なない人はいません。であれば、健康や不健康の視点からみた歴史は、誰にとっても他人事ではなく、大切になります」

速水氏の遺志は、間違いなく、ここに受け継がれている、と思う。

## ――上杉鷹山の「知恵」に学ぶ

そこから磯田さんの話は、米沢藩の名君・上杉鷹山《ようざん》の感染症対策に移っていった。

『感染症の日本史』にも詳しく書かれているが、1795年に米沢藩を襲った天然痘（疱瘡《ほうそう》）に対し、藩主の鷹山は矢継ぎ早に手を打った。いずれも他藩には見られない独自の対策だ。

当時は感染症が流行すると、どの藩でも藩主に感染させないことを最優先にしていた。家臣は藩主の私生活の場である「御内証《ごないしょう》」や政務の場である「表向《おもてむき》」に出仕することを控えた。これが当時は「遠慮」と呼ばれた。今でいう「自粛」を指す。

だが鷹山は「御内証、表向ともに遠慮には及ばない」と命令した。つまり出仕してもかまわない、という指示だ。日本の疫病と防疫を記録した史書は、「疱瘡を伝染病と考えていなかったろう」としているが、磯田さんは違う、と指摘する。米沢藩には家老の直江兼続《かねつぐ》が集めた最先端の医書の蔵書があり、鷹山は蘭学《らんがく》塾に藩費で医師を留学させるなど、西洋医学の吸収にも熱心だったからだ。

ではなぜ鷹山は「自粛無用」と指示したのか。磯田さんは非常事態で役所が機能不全を起こせば、困るのは領民と考え、「自分にうつしてもかまわないから、役所を動かせ」と指示したのだろうという。

磯田さんがそう考えるのは、鷹山の感染症対策が常に「領民本位」「患者本位」で貫かれているからだ。鷹山は生活に困窮した人が名乗り出るよう申し渡し、手当を支給した。

さらに家族全員が感染して看護者がいなくなる事態を想定し、常に見回って隣近所が助け合うように心砕いた。

鷹山はまた、江戸から天然痘の専門医を呼び寄せ、対策チームの指揮を執らせた。患者には「薬礼に及ばず」といい渡し、医療を無償提供した。

鷹山は、城下町だけでなく、遠方にも目配りを怠らず、山間部などに「薬剤方」や「禁忌物」などに関する心得書を配布させた。

こうした対策にもかかわらず、上杉鷹山の米沢藩領では感染者が8千人を超え、うち約25%が亡くなった。鷹山は翌年の正月の祝賀を取りやめ、被害の規模を詳細に記録させた。

磯田さんはこのときに鷹山が残した「御国民療治」という言葉に注目する。国民、つまり藩の領民は、必要な医療を受けねばならない、という強い意志だ。

「鷹山は子どもの頃から、春秋左氏伝《しゅんじゅうさしでん》にいう『国之興也　視民如傷』、つまり、けが人を見るように民を見る、という教えを受けて育った。大けがをした人のように、ケアが必要な人を助ける。医者の考えに近い施政の哲学です」

藩主になる前に、鷹山の教育掛りになったのは儒者の細井平洲《ほそいへいしゅう》だった。この人の逸話が面白い。

会津120万石を拝領していた藩主の上杉家は、景勝《かげかつ》の時代に関ヶ原で家康軍に敗れ、米沢30万石に減移封になった。さらに男系断絶の危機にさらされ、所領はさらに半減された。だが家格の高い上杉家は会津以来の家臣団をそのまま維持し、かつての家格に応じた出費を続け、財政は破綻の危機に瀕《ひん》した。この藩主を育てなければ、もうあとはない。日向高鍋《ひゅうがたかなべ》藩秋月《あきづき》家から養子として迎えた鷹山をどう育てるか。それが、藩首脳の焦眉《しょうび》の急《きゅう》の課題となった。

「家臣が江戸に出て教育掛りを探していると、橋のたもとで辻講釈をしている儒者がいました。話を聞いていた庶民が感動のあまり泣いて、貧しいのに投《な》げ銭《せん》をしている。尾行したら貧しい長屋暮らし。人の気持ちに訴え、心を動かすような人物でなければ、藩は変えられない。そう思って、その細井平洲を米沢に招いたといわれています」

平洲は14歳から17歳にかけて鷹山に教えたが、その基本が「国民を見るときには、けが人に接するように」という施政訓だった。

「あなたがしっかりしないと国民は死ぬ。命がけにならないと改革はできない、という教えだったと思う。のちに平洲は鷹山に書簡で、『勇なるかな、勇なるかな、勇にあらずして何をもって行わんや』と激励もした。諸藩が平時の前例踏襲を墨守《ぼくしゅ》したのに対し、疫病の非常時に鷹山がリーダーシップを発揮できたのは、その教えが大きかったでしょう」

磯田さんは、鷹山の天然痘対策から、非常時に指導者に必要な教訓を引き出し、次の9点にまとめた。

**教訓1**　一番どこが困って悲惨か、洗い出しをやり、救いこぼしのない対策をとる

**教訓2**　情報提供が大切。具体的にマニュアル化した指示を出す

**教訓3**　最良の方法手段を取り寄せ、現場の支援にこそ予算をつける

**教訓4**　専門家の意見を尊重し採用する

**教訓5**　非常時には常時と違う人物・事業が必要。変化をおそれない

**教訓6**　情報・予測に基づき計画し、事前に行動する

**教訓7**　リーダーは前提をチェックし、危うい前提の計画を進めないようにする

**教訓8**　自分や自分に近い人間の都合を優先しない

**教訓9**　仁愛を本にして分別し決断する

磯田さんは、感染流行中には為政者や専門家の批判・非難はしないことを自らのポリシーにしている。感染防止の施策に、いたずらな混乱をもたらしてはいけない、という配慮からだ。

だがこの九つの「教訓」を読めば、今の政治家のリーダーシップが、いかに鷹山と比べ、劣っているかを思わざるを得ない。

この「教訓」をよく見ると、「教訓1」～「教訓4」は疫病に当たって「ケア」や感染防止の鉄則を説く言葉だが、「教訓5」～「教訓8」は、戦国武将に求められたような機敏な情報収集・判断、将来を予測して果敢《かかん》に先手を打つ決断力の要諦《ようてい》を並べている。

徳川幕府の天下泰平の世で、多くの藩は、疫病に即応した対策を取れなかっただけでなく、戦国時代に培った判断・行動力も衰えていたのではなかったか。

そして最後の教訓、「仁愛を本にして」という基本精神こそ、今回のコロナ禍対策に決定的に欠けているリーダーの資質だと思わざるを得ない。磯田さんが引き出した鷹山の「教訓」を、私はそう重く受け止めた。

# 第5章

# 激変した米中

## 「中国式」の力と限界

Ｊ－ＣＡＳＴニュースの連載コラムでは、感染が拡大する英国、欧州、米国、台湾、韓国、インドなど各国・地域の専門家や現地在住者に話をうかがい、そのつど、ご報告をしてきた。だが各国の情勢はその後も二転三転しており、一時期の局面をお伝えしても、全体像はつかめない。

そこで本書には、中国と米国のみに絞って文章を収録することにした。

それは、コロナ禍が収束しても、米中関係が今後の世界情勢の基軸テーマとなり、その比重はますます高まる見通しになったからだ。

すでにトランプ前政権のころから、米国は次世代技術の覇権争いをめぐって中国との対決姿勢を強め、安全保障上の脅威も視野に入れた通商・貿易摩擦が続いていた。

米国はバイデン新政権になってから、国際協調路線に大きく舵《かじ》を切ったが、中国との覇権争いの姿勢はかえって強まった。つまり、トランプ政権が中国のみならず、欧州を袖《そで》にしてでも自国の利益を追求したのに対し、バイデン政権は欧州や日本などとの同盟関係を深化させつつ、中国の軍事的・技術的な台頭を牽制《けんせい》しようとするだろう。

バイデン氏自身は、かつて、中国を国際秩序の「責任あるステークホルダー」にするという「関与政策」に与《くみ》していたが、ここ数年の南シナ海、東シナ海での中国の台頭を前に、大きな方針転換をしつつあるようだ。

だがこうした転換も、コロナ禍と密接に結びついている。中国はコロナの最初の感染国だったにもかかわらず、力ずくで感染拡大を抑え込んで、いち早く経済回復への道を歩み始めた。ワクチンも独自開発し、「マスク外交」や「ワクチン外交」によって、遠心力が働く「一帯一路」のテコ入れを図っている。

他方米国も、一時は最大の感染者と死者を出しながら、ワクチン接種によって急速な巻き返しを図り、底力を見せた。むしろ、敗北の谷が深かっただけに、打ち勝ったという誇りの山は、想像以上に高いのだと思う。まず、中国ウォッチャーの話からご報告する。

＊＊＊＊＊

## ――春節の伝統行事で感染が一気に拡大

20世紀末から今世紀初めにかけ、中国ほど「後発者利益」を享受してきた国は少ない。改革開放路線に舵を切って以来、経済特区に外国資本を呼び込み、技術移転によって製造業を興し、安価な労働力を武器に「世界の工場」であることを自他ともに認める存在になった。

先行者の失敗やリスクに学び、長い時間をかけてインフラを構築する手間を省き、ＩＴや衛星通信など世界最先端の技術を一気に導入する。そうした後発組ゆえの強みを発揮し、成長の道を驀進《ばくしん》してきた。

だが、こと今回の新型コロナになると、最初の感染地である中国は、今や「先行者」としての反射的利益を享受しているかのようだ。

「中国式」をどう評価したらよいのか。2020年6月28日、朝日新聞編集委員の吉岡桂子さんにZoomでインタビューをした。

吉岡さんは、まだ感染拡大がピークを迎える前の1月25日、朝日新聞のコラム「多事奏論」で、「新型肺炎『忖度《そんたく》』はウイルスを広げる」という文章で、早くも中国における「情報隠し」に警鐘を鳴らしていた。

コラムは、新型コロナ調査で武漢市に赴いた専門家チームのリーダーが、鍾南山《チョンナンシャン》氏(84)であることに、まず注目する。習近平《シーチンピン》国家主席が封じ込めを指示した同20日、当局が認めてこなかった「ヒトからヒトへの感染」を国営放送の取材で初めて明言した。

中国の呼吸器医学界を代表する鍾氏は、吉岡さんが上海支局に赴任して間もない2003年にSARS（重症急性呼吸器症候群）を取材したときにも、重要な役割を果たしていた。広州の病院で治療に当たっていた鍾氏は、実態を隠して幕引きを図る政府に対し、「医学的には抑え込んだとはいえない」と声を上げ、地方政府のごまかしなどを批判して英雄視された。

その鍾氏は、10年前の新型インフルエンザでも各地を視察し、「死者数の発表は信じられない。ごまかしている地域がある」と述べ、「情報の透明性と公正さが感染拡大を防ぐ大前提」だと直言した。

今回も重要な局面で起用された。吉岡さんは、習政権が「人々に情報を信じてもらい、部下や地方政府にウソをつかせぬよう、鍾氏の信用を使ったのだろう」と推測する

吉岡桂子：朝日新聞編集委員。山陽放送アナウンサーを経て朝日新聞に入社。2度にわたって北京に駐在し、急成長する中国を間近に見てきた。さらに米国の「戦略国際問題研究所(CSIS)」の客員研究員として米国の中国観の調査にもあたった。「経済安保」「一帯一路」を最近の大きな取材テーマのひとつに掲げている。

一方、この日を境に地方政府発表の患者数が急増した事実を指摘する。

吉岡さんは、胡錦濤《フーチンタオ》前政権発足時に起きたSARSの流行時に、感染そのもの以上に「情報隠し」が国民からの強い反発を招き、政権は良心的な医師らの声を評価することで、感染症の蔓延《まんえん》が反政府運動に向かうことを食い止めた、という。だが習政権で言論の統制は強まり、ネットは監視の道具となった。政治闘争を兼ねた腐敗撲滅では成果をあげたが、政権内の異論封じが「過剰な忖度」を招くようになった、という。自らの専門分野で、権力におもねらず自らの考えを述べる人の声は、いざというときに説得力を持って響く。「逆に言えば、こうした人々の存在は、国家や組織の統治の危機管理としても必要なのだ。トップが目を背けたくなる事実を遠慮なく提示できる専門家は、社会の力だと思う。なにも、中国だけの話ではないけれど」。コラムはそう結ばれている。

吉岡さんは、封鎖が続く人口1100万人の武漢市にとどまり、身辺の出来事や社会への思いを率直にブログで発信し続けた作家方方《ファンファン》さんの「武漢日記」を精読し、知人らへの取材を通して、次のようにいう。

「すでに2019年12月には、武漢でウイルスが広がっていることは、一部の市民の間で知られていた。しかし、1月20日に習主席が封じ込めを指示し、続いて法定伝染病に指定し、23日に武漢を封鎖するまで、当局はヒトからヒトへの感染のアラートを出さず、感染拡大を招いてしまった。この3週間の初動の遅れが決定的だった」

武漢市中心病院に勤務する眼科医の李文亮医師は19年12月30日、医師らでつくるSNSのグループチャットに「7人がSARSにかかり、私たちの病院に隔離されている」と投稿した。これを問題にした警察は1月3日に李医師を呼び出し、社会秩序を乱す発言をしたとして訓戒処分にした。国営メディアも、「原因不明の肺炎についてデマを流し、8人が処分された」などと報道した。だが同9日、当局は新型コロナウイルスが検出されたと発表し、李医師の指摘が正しかったことが証明された。治療に当たった李医師は同12日に感染の疑いで入院し、呼吸器をつける自分の画像をSNSに投稿するなど警鐘を鳴らし続けたが、2月7日に病院で亡くなった。

李医師の告発は、1月下旬には中国メディアにも広く取り上げられ、SNSには「勇敢な行動だった」という声も広がった。

しかし、こうした告発を無視し、むしろ黙殺した地方当局は、春節を迎える前の1月中旬、武漢の伝統行事「万家宴」を中止せずに感染の拡大を許した。これは武漢中心部の巨大集合住宅で、数万の住人が食事を持ち寄って春節を祝う大宴会で、これによって感染は急速に市中に広がったという指摘もある。

## ――地方の責任は断罪しても中央への批判は許さない

中国では3月5日に全国人民代表大会（全人代、中国の国会に相当）が開かれることになっていた。1年間の中国の基本政策を決める重要な節目で、この全人代を終えてから、習国家主席は訪日する予定だった。

実際には、全人代の常務委員会は2月24日、全人代の延期を正式に決めた（のち5月22日から開催）。しかし、この全人代に合わせ、1月には地方政府での人民代表大会が開かれることになっており、その準備が進められていた。吉岡さんは、湖北省、武漢市の当局者がこの政治日程に縛られ、中央政府も春節前の混乱を避けたがっていたため、アラートを発するのが遅れた可能性を指摘する。

では、こうした初動の遅れに対し、政権はどう対応したのか。習政権は2月13日、湖北省トップの同省党委の蔣超良書記を更迭し、習主席の側近だった応勇上海市長を後任に充て、同じく武漢市トップの同市党委の馬国強書記の代わりに山東省済南市党委の王忠林書記を充てた。地方政府の責任を明確にする人事だ。

新型コロナの感染をいち早く告発し、逆に戒告で口を封じられた前述の李文亮医師についても、腐敗を取り締まる国家監察委員会が2月7日、党中央の承認を得て武漢市に調査グループを派遣すると発表。調査チームは3月19日、李氏の行為が正当だったことを認め、「警察が訓戒書を作成したのは不当」と結論づけて、関係者の責任を追及することを明らかにした。

こうして不手際や不当な行為の責任が明確にされ、関係者が更迭・処分されるなら、中国でも理非《りひ》曲直《きょくちょく》は明らかになり、事態は改善されるのではないか。ここから先は、私自身の感想になるが、そうした見方は誤っている。

中国共産党は中央政治局常務委員会（現在は7人）をトップとするピラミッド組織であり、頂点に総書記がいる。その下に、拡大版の中央政治局や、その事務処理をする中央書記処などが置かれている。共産党の指導部に入るためには、党中央や省庁に限らず各省、各市、直轄市などで実績を挙げねばならない。政権は地方の党幹部の人事を差配することによって全国に権力を行使し、自らの政治基盤を固める。

党内に強固な基盤を持たないまま政権の座に就いた習氏は、自らが率いた地方政府時代の側近を中央に引き上げる傾向を強め、逆に胡錦濤前政権、その前の江沢民《チアンツォーミン》政権時代に影響力のあった要人を、腐敗撲滅の御旗《みはた》のもとに次々に摘発した。

ここに、地方の共産党幹部が腐敗や不正を隠し、中央の覚えめでたいように過度な「忖度」に走る温床がある。中央政府は、地方の腐敗や不正を告発することには一見寛容に見えるが、その批判が党中央に向かうことは許さない。今回のように、地方政府や警察の責任を問うことにおいては果断であっても、それが中央に及びそうになれば、厳しい言論統制によって封じ込める。

さらに、一党独裁の政治体制は、政策決定の透明性を大幅に欠く。今回の場合も、仮に湖北省や武漢市のトップに対して当初、党指導部が「隠蔽」を指示していたとしても、表に出ることはない。中国をめぐる「陰謀論」について、中国当局は常にいらだつ。だが、権力が集中し、情報操作が可能な政治体制である以上、当然の報いである。

方方さんの「武漢日記」についても、その海外出版が決まると国内で激しいバッシングが起きた。武漢市にある湖北大は6月20日、過去にSNSで方方さんを支持したり、香港での抗議デモに理解を示したりした同大の梁艶萍教授について、「共産党の政治規律に違反し、社会に悪影響を与えた」として、党籍を剥奪《はくだつ》し、学生への指導資格を取り消す処分をした。党の威信に対する挑戦は許さない、という点で、共産党は一枚岩なのである。

## ――追跡と監視の仕組みはこうなっている

武漢封鎖のあと、中国政府が全土への感染拡大を防止するために採用したのが、ITを駆使したウイルス追跡システムだった。

5月26日付米紙ニューヨーク・タイムズ（電子版）によると、このシステムの公式名は「アリペイ健康コード」。浙江省《せっこうしょう》杭州《こうしゅう》市の当局と、同市に本社を置くアント・フィナンシャル・グループが2月に共同開発し、すぐに中国全土200都市に導入された。ちなみに、同社はアリババの傘下にあり、世界最大規模のオンライン決済「アリペイ」を運用し、海外にも進出している。

このアプリをスマホに落として個人情報、最近の旅行履歴、健康状態などを打ち込むと、感染リスクの低い順に、緑、黄、赤色の色彩QRコードが割り当てられる。緑であれば、移動は自由だが、黄色は1週間、赤色は2週間の自宅待機を要請され、行動が制約される。市民は職場や駅、スーパーなどの入り口で検温すると同時に、この色彩コードをチェックされ、緑であれば自由に出入りを許される。

だが同紙によれば、問題は二つある。一つは、当局も同社もシステムの詳細を明かさず、どのようなデータ、どのような仕組みを使って色彩の振り分けをしているのか、利用者にもわからない点だ。急に色彩が変わったり、黄色や赤色に識別されたりしても、その理由は明らかにされない。二つ目は、同紙が分析したところ、アプリには個人情報や位置情報が地元警察のサーバーに送られるプログラムが組み込まれている点だ。アプリは交通機関や公共施設など、至るところでチェックされ、情報が蓄積されるので、特定個人の追跡も可能だ。

感染拡大防止のために導入されたアプリだが、そのデータがどう使われ、収束後にその個人情報が廃棄されるかどうかもわからない。同紙の取材では、杭州市当局は、このシステムをさらに向上させた「個人情報インデックス」を企画しているという。これは睡眠時間や歩行数、飲酒・喫煙などの生活習慣を数値化し、1から100までの指標にするという構想だ。

そうなれば、こうした個人情報が就職や昇進、さらには解雇などの根拠に使われかねない。まさに、医療や健康など「公共の福祉」の名を借りた「監視システム」といえる。

中国はすでに2008年の北京五輪、2010年の上海万博といった大イベントを通して、監視システムを更新してきた。今回のコロナ禍は、デジタル・プライバシーの自発的提供を促し、そのシステムをさらに精緻《せいち》化する機会になっている。

アプリ導入は個人の自由なのだから、もしデジタル・プライバシーを守りたいなら、導入しなければよい。そう思う方もいるだろう。だが同紙3月1日付（電子版）の記事によれば、2月24日のブリーフィングで浙江省当局は、その時点ですでに同省の人口の9割にあたる5千万人がアプリを導入し、98・2％が「緑」だと説明していた。

5月26日付の記事では、同月に杭州市の警察当局が発表した「朗報」を伝えている。24年前に殺人事件を起こして逃走していた容疑者が、警察に自首してきたという。その男は、「健康コード」の認証が得られなかったため、どこにも行けず、どこでも働けず、数日路上で過ごした末に、警察に出頭してきたのだという。個人の「選択の自由」が、どこまで中国社会で認められるかを明かすエピソードといえるだろう。

## ――「新冷戦」は起きるのか起きないのか

中国は、「一帯一路」戦略によって、開発途上国にインフラを輸出し、経済的な依存を深め、国際的なプレゼンスを高めようとしてきた。米国は、日本をはじめとする中国周辺の諸国家を糾合《きゅうごう》し、その「膨張」を封じ込めようとしてきた。その構図だけを見れば、新たな覇権を目指して影響圏を拡大する中国と、それを封じ込めようとする米国中心の国家群とが対立する「新冷戦」であるかのような印象を受ける。

「たしかに、『新冷戦』という言葉が当てはまるほど、米中の覇権争いは緊張度を増している。ただ、通商や外交、その他の国際関係で、互いの影響圏をデカップリング（切り離し）できた過去の冷戦時代とは、時代背景が違います」と吉岡さんは指摘する。

冷戦時代に旧ソ連は、衛星国家の東欧諸国を従え、欧州では分断国家の旧東独を最前線に、米国を盟主とするNATO（北大西洋条約機構）と対峙《たいじ》した。アジアでは米国が、日本、韓国、台湾、フィリピンなどと二国間条約によって軍事同盟を結び、旧ソ連・中国の膨張を食い止めようとした。世界は世界は東西の盟主のいずれかに従うよう強いられ、各地でその代理戦争が、「局地戦」のかたちで頻発した。通商や外交、文化、スポーツなど、あらゆる分野で互いを切り離し、域内のみで循環する「デカップリング」の時代だったといえる。

米中の覇権争いが熾烈《しれつ》になることは間違いない。しかし、かつての冷戦のように、世界がすぐさま全面的に米中の勢力圏に白黒はっきり二分されることは想像しにくい、と吉岡さんはいう。それは、イデオロギーの対立が明確でないだけではない。国境を超えて利害は錯綜《さくそう》している。世界がグローバル化し、互いに緊密な経済・通商の依存関係を深めており、切り離すコストが大きい。さらに地球温暖化などの環境問題や、新型コロナウイルスのように、課題もまた、グローバル化しているからだ。

国連人権委員会では、新疆《しんきょう》ウイグル自治区や香港の人権問題で中国を批判する国は先進国を中心に約40か国。これに対して、中国を支持する国が常に多く、2倍を超えることもある。200か国近くが加盟する国連を「国際社会」とみるならば、中国の方が支持を集めていることも現実だ。

「少なくない国が、中国に接近しているように見えるのは、民主や人権を求める欧米と違って、自らも権威主義の中国は黙って投資をしてくれるだけでない。米国の相対的な経済力の低下に加えて、トランプ政権が自国第一主義に走り、国際協調を軽んじてきた結果、という側面がある」

では中国の覇権のもとで、米国の覇権と対峙するかといえば、中国にそこまでの求心力はない。

「中国は『一帯一路』に賛同している国々を『朋友圏』と呼んでいますが、彼らを抱え込む負担をまかなえる、とも考えていないのではないでしょうか。中国は内政不干渉を理由にしますが、中東など世界の紛争地域に外交や軍事で、首をつっこむつもりも、余裕もないと思います。かつての冷戦下では、米国の勢力圏に加われば、安全保障面でも経済・通商面でも、有利になるという計算が働いていた。でも今は、いずれかの覇権に与《くみ》することが、有利になるという計算がかなう国ばかりではありません。欧州も経済については中国市場を抜きには考えられない。『中国の野心』ばかりが取りざたされていますが、これは内向きになった『アメリカ問題』でもあるのです」

## 世界一の感染国アメリカはどこへ向かうのか

米国のコロナ禍による死者が50万人を突破した2021年2月22日、就任して間もないバイデン米大統領は「残酷で悲痛な節目を迎えた」と演説した。第2次大戦で40万5千人。朝鮮戦争で3万6千人。ベトナム戦争で5万8千人。最初の死者確認から1年足らずで、コロナの累計死者数が、3度の戦争で亡くなった米兵の総計を上回ったのである。

もっとも、これには注が必要だ。平時の死者ゼロが50万人になったわけではない。厚生労働省によると、通常の季節性インフルエンザでも死者は世界で約25万〜50万人、日本でも約1万人に上る。それにしても、コロナ禍がアメリカに甚大な被害をもたらしたことは否定できない。就任時にバイデン大統領が予測したように、その後も死者は増え続け、6月には60万人を超えた。

世界一の感染拡大の大きな要因が、トランプ大統領の政治姿勢にあったことは間違いない。トランプ氏は、当初から新型コロナの脅威を過小に見積もり、公衆衛生の専門家の助言にも耳を傾けなかった。むしろ、経済再開に向けて旗を振り続け、感染防止で厳しい制限を課す民主党の州知事を非難した。ある意味で、コロナ禍は米国において最も「政治化」され、その分断が犠牲者を激増させた。

だが、その揺り返しもまた、激しかった。

白人警官が黒人のジョージ・フロイドさんの首を膝《ひざ》で押さえつけ、殺害した事件をきっかけに、「ブラック・ライブズ・マター（BLM）」運動が燎原《りょうげん》の火のように全米に広がった。

積年の人種差別への憤懣《ふんまん》が爆発した結果だが、コロナ禍で黒人やヒスパニック、先住民族の人々に犠牲が集中していたことも、理不尽な差別と分断への抗議行動の火に油を注いだのは間違いない。

その運動の広がりを見て、私はコロナ禍に対するトランプ政権の軽視と、ＢＬＭ運動に代表される「差別と分断」への異議申し立てが、大統領選の帰趨《きすう》を決めると予感した。当時、藤原帰一《きいち》さんらに意見をうかがったのが、この文章である。

＊＊＊＊＊

## ――コロナ禍のなかで起きたフロイドさん事件の衝撃

アメリカが揺れている。白人警官が、非武装の黒人を路上に押さえつけ、死亡させた事件への抗議活動は、燎原の火のように全米50州に広がった。「分断のアメリカ」を浮き彫りにしたコロナ禍を、米国はどう乗り越えるのか。今回の抗議活動の行方は、その分水嶺《ぶんすいれい》だ。

事件のあらましを振り返っておこう。２０２０年5月25日午後8時すぎ、米中西部ミネソタ州のミネアポリス市の中心部で、20ドルの偽札を使ってタバコを買った客がいるという通報を受けたパトカーが食品雑貨店に駆けつけ、近くにいた黒人男性を尋問し、手錠をかけた。

その後、別のパトカーも駆けつけ、計4人の警官が男性を取り巻き、うち1人の白人警察官が、うつ伏せになった黒人男性の首を路上に膝《ひざ》で押さえつけた。

男性は「息ができない。プリーズ、プリーズ」と嘆願するが、白人男性は膝の圧迫を緩めず、約9

分後、黒人男性はぐったりとして、間もなく駆けつけた救急車に収容された。

亡くなったのは同市に住むジョージ・フロイドさん（46）。

フロイドさんが実際に偽札を使ったかどうかは定かではない。通報した店主はのちにメディアに対し、「偽札だとわかったから通報した。誰から誰に偽札が渡ったかはわからないし、私は店内にいたので、警察がどう捜査しているかも知らなかった」と弁明した。

だが、警察がフロイドさんを押さえつけたのは、実際にフロイドさんが偽札を使ったかどうかを捜査する前だ。警察に抵抗する素振りもないのに、軽微な容疑を口実に、あのような蛮行を正当化できるはずもない。

警察は当初、フロイドさんが抵抗したと発表したが、動画がフェイスブックで公開されると、無抵抗のフロイドさんを窒息死させた警官に対する抗議の声が広がり、市長は警官4人を解雇した。しかし、27日夜には警察署前に数千人が抗議に集まり、警察側が催涙《さいるい》弾を発射する騒ぎになった。デモの一部は暴徒化して放火や略奪に走り、翌28日には警察署にも火がつけられた。

ミネソタ州は州兵700人を投入して収拾を図ったが、地元メディアによると、30日までに郵便局や銀行、商業施設240軒以上が略奪などの被害にあった。

当初はフロイドさん事件について公正な司法の裁きを求めていたトランプ大統領も、抗議デモが全米各地に広がるにつれ、29日未明には「略奪が始まれば銃撃が始まる」とツイッターで威嚇《いかく》。さらに同日、ホワイトハウス前でデモがあったときには、「(敷地内に入れば) 凶暴な犬と恐ろしい武器」が待ち構えている、と応じた。

地元の郡検察は29日、膝でフロイドさんの首を圧迫した元警官のデレク・チョービンを第3級殺人の罪で起訴した。それでも抗議の声はやまず、州司法当局は6月3日、チョービン被告罪名をより罪の重い第2級殺人に切り替え、現場にいた他の3人の警察官も同幇助《ほうじょ》の罪で起訴した。だが、そのときまでに、デモは地滑り的に全米に広がっていた。

## ——国際政治学者・藤原帰一さんの見立て

私が、東大未来ビジョン研究センター長で、国際政治学者の藤原帰一さんにZoomでインタビューをしたのは、こうした反差別の抗議デモが全米に広がり、大きなうねりとなって吹き荒れていた2020年6月4日のことだった。

事態を注視してきた藤原さんは、開口一番、「憂慮《ゆうりょ》している。だがわずかの希望がある」と話した。これまでにも、白人警官らが、アフリカ系アメリカ人に、正当化できない暴力をふるい、不満や怒りが暴動にまで発展することは、よくあった。だが、今回の場合、従来の暴動とは違う点が二つある、と藤原さんは指摘する。

第一は、参加者の広がりだ。もちろん、今回もミネアポリスやニューヨークで放火や略奪はあったが、全米各地のデモを見ると、参加者には黒人だけでなく、白人やアジア系、ヒスパニックなど、さまざまなバックグラウンドの人々が目立つ。全米への広がりのスピードや、規模の持続という点でも、空前の動きだ。

第二の特徴は、デモのさなかに参加者の中から、暴力に対して暴力で応え、略奪や放火に先鋭化することを押しとどめ、市民的不服従に収斂《しゅうれん》させようとする動きが出ていることだ。

藤原帰一：国際政治学者。東京大学未来ビジョン研究センター長。幼少期をNYで過ごす。東京大学法学部卒業、同大大学院博士課程単位取得中退。フルブライト奨学生としてイェール大学大学院に留学。千葉大学助教授、フィリピン大学客員教授などを歴任し、1999年から東京大学大学院法学政治学研究科の教授を務める。

その典型的なシーンが、6月1日のホワイトハウス前のトランプ大統領の演説だった、と藤原さんはいう。トランプ氏は、ホワイトハウス前のデモを力で排除し、「法と秩序」の重視を鮮明にし、近くの教会まで歩いて聖書を手に写真撮影に応じるパフォーマンスまでして見せた。

もし、群衆が暴徒化し、市民生活を脅かしているなら、「法と秩序」のアピールは、暴力に不安を抱く白人らに一定の効果があるだろう。だが抗議する民衆の中から、暴力を自制し、この動きを市民的不服従の動きに変えようと手探りする動きが出つつある、と藤原さんは指摘する。その象徴が、片膝を立て、片膝を地面につける「差別への抗議」のポーズだ。

この立膝のポーズは2016年夏、NFL（ナショナル・フットボール・リーグ）の試合でサンフランシスコ・フォーティナイナーズのコリン・キャパニック選手らが、試合前の国歌演奏時に片膝を立てて起立せず、アフリカ系市民に対する警察の暴力に抗議したことに由来するといわれる。

キャパニック選手はチームを追放されたが、スポーツ大手のナイキは2018年、新製品発売のキャンペーンにキャパニック選手を起用し、大きな話題を集めた。コピーは「Just Do It」。「ただ、やるだけだ」とでも訳せるだろうか。続くのは「何かを信じよう。すべてを犠牲にするとしても」という言葉だった。

今回は集会やデモの群衆の中で、この立膝をつき、他の参加者に自制を促す人々が次々に現れた。取り締まりに当たる警官や州兵の中にも、立膝をつき、差別反対への共感を示すポーズをとる人が相次いだ。AFP通信は6月4日、立膝をつく警官らの写真10枚を配信し、その様子を伝えている。

抗議デモの広がりを後押しするかのように、ナイキはSNSを通して「For Once, Don't Do It」（今度だけは、許すな）というキャンペーンを始めた。いうまでもなく、2年前のキャパニック・キャンペーンのもじりだ。黒地の画面に白抜き文字で現れるのは、次のメッセージだ。

「アメリカに問題がないふりをするな　レイシズムに背を向けるな　無垢《むく》の命が我々から奪われるのを許すな　もう言い訳するな　関係ないと思うな　座視して沈黙するな　この変化から無縁でいられると思うな　変化に加わろう」

ライバル企業のアディダスは、すぐにこのメッセージに賛同してシェアした。こうした抗議への高まりを受けてNFLのロジャー・グッデル・コミッショナーは6月5日、ツイッターで、「私たちNFLは、人種差別と黒人への抑圧を非難する。これまで選手たちの声に耳を傾けていなかったのは過ちだと認める」と謝罪した。

## ――かつての公民権運動支えた不服従抵抗

南北戦争による奴隷解放後も、米国では長く黒人やマイノリティ差別が続いてきた。アメリカでは、第2次大戦で多くのマイノリティを動員したにもかかわらず、戦後も「分離すれども平等」の原則を維持し、黒人はアパルトヘイト下の南アフリカのように、レストランや公共交通機関、スポーツの場で白人の席から排除され、専用の施設を使うように強いられた。合衆国憲法にいう「公民権」は、私人間に適用されず、南部などの「人種隔離法」によって、こうした差別が法的に正当化されていたのである。

それを変えたのが、1955年に起きたモンゴメリー・バス・ボイコット事件だった。これは、アラバマ州モンゴメリーで、バスの黒人専用席に座っていた黒人のローザ・パークスが、白人客に席を譲るよう命じられたのを拒否し、逮捕された事件だ。

この事件をきっかけに、マーチン・ルーサー・キング牧師は、バス・ボイコットを呼びかけ、60年代にかけて、全米に、白人専用席への座り込み「シット・イン」や、ボイコット運動など、不服従抵抗の公民権運動が広がった。こうした運動には黒人だけでなく白人も多く参加し、61年に始まる「フリーダム・ライダーズ運動」では、黒人と白人の活動家が南部行きの長距離バスに乗り込み、白人至上主義の住民らから嫌がらせや暴力を受けながら、差別反対を訴え続けた。

こうした運動の高まりの結果、63年8月には首都で20万人以上が参加する歴史的な「ワシントン大行進」が行われ、暗殺されたケネディの後を継いだジョンソン大統領が64年4月、公民権法を制定して、公然たる人種差別に終止符を打った。

だが、制度上の差別がなくなったとはいえ、その後も社会に長く差別が続いたことはいうまでもない。

こうした歴史的な経緯を踏まえ、藤原さんは、今の差別反対運動が、不服従抵抗運動の方向に収斂すれば、アメリカ社会が、公民権運動のときと同じように、「分断社会」から脱出する足掛かりになるのでは、と期待する。

## ――コロナ禍が浮き彫りにした分断線と「差別への覚醒」

コロナ禍はアメリカに、世界最悪の災厄をもたらしただけでなく、その深い分断線をも浮き彫りにした。アメリカ世論調査学会に加盟する民間調査機関APMが5月27日に発表した調査によると、首都ワシントンと40州から得られた8万8千人の死者の内訳の分析の結果、黒人の致死率は白人の2・4倍、アジア系、ヒスパニック系の2・2倍だった。これは1850人に1人の黒人、4千人に1人のヒスパニック、4200人に1人のアジア系、4400人に1人の白人の命が奪われたことを意味する。黒人は全人口平均の13％を占めるが、死者における比率は25％。明らかに人口比よりも致死率が高い結果になった。さらにネイティブ・アメリカンはニューメキシコ州で白人の8倍、アリゾナ州で白人の5倍が亡くなるという結果になった。

藤原さんは、常態化していたこうした人種による格差の構造が、コロナ禍によって一気にあぶりだされていたところに、フロイド事件が起こり、今回の動きにつながった、と見る。

トランプ大統領は今回のコロナ禍で、当初は中国からの渡航者を止める以外、ほとんど対応策を取らず、「インフルエンザと同じで、いずれ収まる」と放言し、感染拡大防止策は各州知事に任せた。

コロナ禍が猛威を振るったのは米東西海岸が中心で、そこは以前から民主党の基盤だ。共和党が基盤とする中西部や南部では、比較的感染の広がりは緩やかにとどまった。

だがロックダウンで家にこもり、テレワークに切り替えられるのは、ミドルクラスより上の階層だ。月給ではなく週給、あるいは日給で暮らす人々は、生き延びるためにはレジや清掃、ゴミ収集などの仕事を続けざるを得ない。膨大な失業者が生まれ、経済格差はさらに拡大した。ちょうど感染拡大のピークが過ぎ、大学も休みで、人々は集まりに参加しやすい状態にもあった。

普段なら、暴力や略奪に向かう反差別の怒りが、こうした格差そのものを是正する平和的な活動に向けば、その影響は、2011年に起きた「オキュパイ・ウォールストリート」運動とは質の異なる、全米的なものになるだろう。藤原さんはいう。

「コロナ禍は、極端にいえば、働かなければ生きていけないマイノリティに過酷な犠牲を強いた。トランプ氏は、自分の底堅いコアの支持層4割を守れば、再選できるという戦略で、分断を煽《あお》っても平気、という立場だ。その分断政策に抵抗して、今回の事件を機に、アメリカの国民が平和的に分断を克服できるか、まさに分水嶺だといえるだろう」

かつての米大統領は、国内の分断に対しては党派を超えた協力を、国外に対しては国際協調を訴えるのが普通だった。だが、コア支持層さえ固められれば、国際協調の足並みが乱れても平気、という立場を取る点で、トランプ政権は異色だ、と藤原さんは指摘する。トランプ氏は新型コロナウイルスを「武漢発」として責任を転嫁し、米中の覇権争いの激化には「新冷戦」という言葉も使われるまでになった。だが藤原さんは、これには懐疑的だ。

「冷戦構造は、1950年に始まる朝鮮戦争以後に生まれた。米国は欧州では英仏、ベネルクス3国と協調し、アジアでは日本、韓国、フィリピンと同盟を結んでソ連や衛星国の同盟に対抗した。いわば、安定した同盟国同士が向き合うのが、かつての冷戦といえる。米中の対立が激化しているのは間違いないが、今のアメリカはNATOや同盟国の韓国にも経費の負担増を求めるなど、必ずしも安定していない。もし今の状況を表現するなら、朝鮮戦争以前の東西対立に近い」

だが、それは必ずしも朗報とはいえない。安定した「冷戦構造」下では、東西陣営に、全面戦争へのエスカレートに歯止めをかけるメカニズムが働いていた。紛争は世界各地の「代理戦争」や、ベトナム、アフガニスタンなどの「局地戦」として続いた。だが、「冷戦以前」の不安定な情勢では、むしろ偶発的な紛争が大規模戦争につながる恐れがある。藤原さんはそう警告する。

## アメリカはバイデン政権下で分断を克服できるか

おそらく、トランプ政権誕生後の4年間のアメリカを見た人は、その変貌《へんぼう》の激しさに驚いたことだろう。米国はどこへ向かうのか？　どうしてここまで変わってしまったのか？

だが同じ人たちは、バイデン政権誕生後の1年足らずで、同じような驚きを覚えたのではないか。これが、あのトランプ政権を生んだアメリカなのか？　ある人は伝統的な「国際指導者アメリカ」への回帰に胸をなでおろし、ある人は、いまだに懐疑の気持ちを抱きながら。

だが、このダイナミズムは、今に始まったことではない。トランプ政権の登場も、バイデン政権への交代も、「きしむアメリカ」の盾の両面なのだろう。つまり、米国の圧倒的な優位が揺らぎ、長く第2次大戦後の国際秩序を形づくってきた「パクス・アメリカーナ」の時代が終わりつつあることの表れといえるだろう。

むろん、その大きな要因は、軍事力・技術開発力・国際影響力のいずれの面でも躍進し、米国の地位を脅かす中国の台頭にある。だが、バイデン政権が目指すとみられる「民主国家連合による中国の牽制《けんせい》」という路線は、必ずしも冷戦時のような一枚岩ではない。英国や日本はいつも「変わるアメリカ」に忠実だが、独仏は対ロシアの脅威には米国と連携しても、米中対決が険しくなった場合、必ずしも米側一辺倒になるわけではない。足並みの乱れをそろえられるかどうかが、バイデン政権の試金石だ。

バイデン政権はまた、国内の「分断」をどう克服するかを問われる。一方では、共和党に影響力を保持するトランプ氏の影をどう追い払い、来年の中間選挙に勝利するかだ。他方、その選挙を優位に進めるには、バイデン氏を支えた若年層、マイノリティ、格差是正を求める支持層をつなぎとめる必要がある。

アメリカは、決して盤石な伝統に回帰したわけではない。以下は、バイデン政権誕生後、米研究の第一人者、古矢旬《じゅん》さんの話をもとにしている。米国のダイナミズムが「筋金入り」であることを知って、驚かされた。

＊　＊　＊　＊　＊

### ――抑圧された票の解放が高い投票率に

米大統領選は2020年12月14日、選挙人投票が行われ、民主党のバイデン候補が選挙人の過半数を制し、次期大統領の座を確実にした。だがコロナ禍に揺れ、激戦の末に勝利をもぎ取ったバイデン氏は「分断」や「格差」を克服できるのか。アメリカ研究第一人者の古矢旬・東大・北大名誉教授に話をうかがった。

今回の米大統領選で古矢さんが注目したのは投票率の際立った高さだ。

「今回の選挙の投票率は、1900年（73・9%）以来、120年ぶりの高さといわれる。南北戦争後から19世紀末にいたる間は『政党の時代』と呼ばれ、民主党も共和党も躍起になって票を掘り起こした。だが20世紀アメリカでは大統領選で5割から6割前後、中間選挙で4割程度の投票率の時代が長く続いた。前回の選挙でトランプ氏やサンダース氏が新しい票田を掘り起こし、その上に今回はコロナ禍による郵便投票、期日前投票で大量の新たな票が投じられたと思う」

米国は広い。アラスカに次ぐ面積のテキサス州は日本の1・8倍の広さだ。この大きさが建国以来、大統領選投票でもさまざまな隘路《あいろ》になった。米国では西に行くほど州の面積が大きくなる傾向があり、州都は州の真ん中に位置することが多い。東西南北、地理的にも権力や役所機構に平等にアクセスできるようにとの配慮からだ。だが、民主政にとってこの広さがしばしば問題になる。米大統領選は4年ごとの11月第1月曜日の翌日に行われるが、もともと平日の1日をつぶして遠方の投票所に行けるのは暮らしにゆとりのある階層だ。加えて、近年とくに共和党が州議会で多数を握る州では、民主党支持に傾きがちなマイノリティーズの投票を抑制する狙いから、有権者登録や投票に際して、公式のIDや写真付きIDの提示を義務化することによって投票資格条件を厳格化したり、投票所の数を絞ったりする制度改変が進められてきた。さらにはマイノリティーズの投票効果を減殺する目的から、極度に不自然な選挙区割（ゲリマンダー）も頻繁に行われてきた。

「今回、郵便投票や期日前投票が増えた背景には、むろんコロナ禍があるが、同時にそれは、いかにこれまで、とくにマイノリティーズの投票が不公正な投票システムによって抑圧されていたのかを示す結果でもあったといえる。その意味で、今回の高投票率は郵便投票が『抑圧された票の解放』を促したことを意味している」

この点を機敏に察知したトランプ陣営は、選挙前から郵便投票や期日前投票が大量の不

---

古矢旬：政治学者。東京大学・北海道大学名誉教授。米プリンストン大学で修士・博士号を取得。北大、東大大学院で長年にわたり教鞭をとる。『グローバル時代のアメリカ 冷戦時代から21世紀』（岩波新書）など、アメリカ政治外交史を中心に著書多数。

正投票につながると主張してきた。だが、そうした危惧が言い立てられただけに、州議会で共和党が優勢な州ほど、選挙管理を担う人びとは公正で厳密な投開票作業に努めたと報道されている。実際トランプ陣営がいくら訴訟を重ねて集開票過程での不正を主張しても、大量の不正投票の存在を裏付ける客観的な証拠は見つからず、ついにはバー司法長官すら、12月1日、その主張を裏付ける「証拠は見つからなかった」と発言し、退任に追い込まれる結果になった。

「今回の投票率の飛躍的な上昇は、これからその背後に大規模な不正の存在が証明されない限り、アメリカ・デモクラシーの投票制度の変更の大きな契機になる可能性がある。勝敗の結果だけでなく、また郵便だけでなくネットの利用も含めたアメリカの民主制度の質の変化にも注目したい」と古矢さんはいう。

## 二転三転した2大政党の勢力範囲

私たちは米国の2大政党である共和党と民主党が、それぞれ州ごとに堅い地盤を持っていることを知っている。今日ではシンボルカラーで共和党の赤、民主党の青で米国の地図を塗り分ければ、東西両海岸が青、南北にわたる内陸中央部や南部が赤になる。最近の大統領選ではこの大きな勢力範囲はおおかた安定しており、その中で選挙のたびに支持政党が変わるいくつかの「スイング・ステート」の結果によって勝敗が左右されてきている。当然ながら、時代や地域の経済事情などによって、「スイング・ステート」は変わる。私はもともと、この2大政党の支持分布は歴史や伝統に根差し、昔から変わっていない、と信じ込んでいた。

ところが、古矢さんによると、より長いスパンでみるなら、ことはそれほど単純ではないという。

「政党の時代」と呼ばれた19世紀末は、南北合わせて60万人に上る死者を出した南北戦争（1861～1865年）の影を引きずる時代でもあった。北部23州が共和党のリンカーン大統領の下に結束した北軍は南軍を圧倒し、奴隷制は廃止され、1870年の憲法修正15条で黒人にも投票権が与えられた。北軍は、戦後1877年に引き揚げるまで南部11州を軍事占領下に置いた。

しかし北軍が去ると、南部の白人勢力は「ジム・クロウ法」など、黒人の投票を制限するさまざまな規制を加えた。その中心になったのが民主党だった。こうして共和党・民主党はそれぞれ支持層を掘り起こし、2大政党による激しい選挙戦が繰り広げられた。投票率が上がったのはそのためだ。つまり北部を中心とする多くの州は共和党、南部は民主党というのが当時の勢力範囲だった。

その構図が劇的に変わったのが1932年の大統領選だ。29年のウォール・ストリート株式暴落に始まる世界恐慌に対し、政府の積極介入を唱える「ニューディール」政策を掲げた民主党のフランクリン・ルーズベルト大統領が選ばれ、36年には約60％の得票率で圧勝し、再選された。それまで優勢だった共和党の政権では、もう恐慌には対処できない。米国の有権者は、労働者の4人に1人が失業するという苦境からの脱却を民主党に託し、それまで南部が拠点だった民主党は都市部を中心に北部にも支持基盤を広げた。

ルーズベルトは戦時の1944年まで異例の4選を果たし、その死去後に政権を引き継いだトルーマンが第2次大戦を勝利に導いた。

トルーマンの後を継いだのは共和党のドワイト・アイゼンハワーだった。彼は第2次大戦中、欧州における連合国軍最高司令官を務め、民主党支持者にも受け入れられる国民的ヒーローだった。だがこのときにも共和党は、民主党の牙城《がじょう》である南部には浸透できなかった。

次に両党の勢力分布が大きく変わるのは、1960年選挙で誕生した民主党のJ・F・ケネディ政権以降だ。1955年のモンゴメリー・バス・ボイコット事件などで始まる人種差別反対運動は南部で激しい抗議活動を展開し、J・F・ケネディと弟の司法長官ロバート兄弟は、公民権法制定に向けて舵を切ろうとした。ケネディ大統領は1963年にダラスで凶弾《きょうだん》に倒れるが、政権を引き継いだリンドン・ジョンソンは、南部テキサス州の保守的な政治家であったにもかかわらず、翌年、公民権法を成立させる。だが、このことは、それまで民主党の堅固な一党支配下にあった南部（「堅固なる南部〈Solid South〉」）の白人保守派には全国民主党の「裏切り」と映った。

1964年選挙で共和党候補になったアリゾナ州出身のバリー・ゴールドウォーターは、反公民権法を打ち出し、南部白人保守層の取り込みを図った。南部は、これをきっかけとして大きく共和党に傾き、2党に分化し、やがて共和党の牙城へと変貌してゆく。つまり、南北戦争から100年をかけて、「民主党の南部」は「共和党の南部」に変わったことになる。

二転三転した勢力範囲は、アメリカの民主主義がいかに変化のダイナミズムに満ちたものであるかを物語っている。そう考えれば、今も米国には、巨大な地殻変動を起こす潜在的な可能性がある、と思わざるを得ない。

## ——124年前の選挙とトランプ登場との共通性

古矢さんはここで、124年前、つまり1896年の大統領選と今回の選挙との比較に踏み込まれた。これは共和党のウィリアム・マッキンリーが、民主党などをバックとするウィリアム・ジェニングス・ブライアンを破った選挙で、「政党時代」の掉尾《ちょうび》を飾る選挙になった。

古矢さんがこの選挙に注目するのは、民主党が敗北したとはいえ、南部だけでなく南東部から中西部にかけて広がる「バイブル・ベルト」や「グレイン・ベルト」といった地域にも勢力を拡大した選挙となったからだ。つまり南北戦争後、それまで固定されたかに見えた2大政党の地域対立の構図が大変動を起こす兆候である。

「1896年と今回の二つの選挙に共通するのは、その背景にそれまで米国経済の根幹を支えてきた産業構造の転換がある、ということです」

農業は、19世紀の米国の基幹産業であり、フロンティアを目指して西進する進取の精神に満ちた開拓の独立自営農民は、この時期のいわば代表的アメリカ人像であった。しかし南北戦争後、急速に工業化が進むアメリカでは、農業は国民経済の主導権を失い、しだいに停滞産業とみなされるようになっていく。逆に石油や鉄鋼、造船、自動車、電気などの重厚長大型の産業が育っていく。「第2次産業革命」の開始である。西部、南部の農民は、農産物の貯蔵や輸送に過大な運賃を請求する倉庫会社や鉄道会社と対立し、農産物価格の低下を招く連邦政府の通貨政策や大量の移民を受け入れる太平洋岸、工業化が進む大西洋岸の都市を敵視し、各地で抵抗運動や反乱を起こした。

古矢さんはその構図が、2016年大統領選でのトランプ氏当選の背景によく似ていると指摘する。21世紀の場合、衰退したのはかつて20世紀の米国を支えた鉄鋼、自動車、造船などの重厚長大産業であり、その衰退の象徴が「ラストベルト」だった。

代わって上り坂にあるのは、太平洋岸から南西部に展開したIT産業や宇宙産業、生命科学であり、大西洋岸のウォール・ストリートを中心とする金融業だ。製造業から金融業へと経済社会の中軸を転換させていったのは、1981年に政権の座に就いた共和党のロナルド・レーガン大統領だった。2016年、トランプ氏はこの転換によって長期衰退を余儀なくされたかつての製造業中心地域「ラストベルト」の復興を図り、「忘れられた労働者」に「偉大なアメリカを取り戻そう（MAGA）」と訴え、その票を掘り起こした。

トランプ氏が訴えかける衰退産業の担い手こそは、第2次世界大戦後のアメリカの経済発展を支えた中産階級を構成した人びとにほかならない。思えば、アメリカ連邦政府は19世紀以来つねに国民経済の中軸を担う中産階級を国策によって厚遇する政策を採り続けてきた、と古矢さんはいう。たとえば19世紀には農業振興策として、リンカーン大統領はホームステッド法（1862年）を制定した。これは未開発の土地、1区画当たり160エーカー（約65ヘクタール）を現実に耕作した農民に無償で払い下げるもので、これによって西部開拓に拍車がかかった。各州は農業大学を設立し、最新の農業技術を農民に分かち与えた。こうした国策によって、19世紀アメリカの農民を中核とする中産階級社会が形成された。しかし19世紀末には、この農本《のうほん》主義的世界が広範な産業主義の流れの中で衰退に向かっていく。

20世紀にアメリカを支えた製造業の労働者たちは、第2次大戦中のヨーロッパ、アジアの戦線を担って戦った兵士たちであった。彼らに報いるべくルーズベルト大統領はすでに戦時中にGI法（復員兵援護法）を成立させ、復員軍人に保証付き住宅ローンや職業訓練、大学の学資援助などを提供し、民間人として産業の現場に戻るまで、彼らを側面から支えた。続くトルーマン大統領もまた朝鮮戦争の復員兵士に、同様の立法により政府援助を与えている。それは世界の製造業の4割から5割を米国が占めた時代であった。かつての農民のように、彼ら製造業の労働者たちもアメリカの中産階級を構成し、豊かな生活を享受するとともに、誇りと自信をもって社会の中枢を担っていた。

しかし、脱工業化社会の到来に伴い１９７０年代以降、半世紀にわたりそうした彼らの暮らしは傾き、中産階層としての誇りも失われてきたという背景を抜きにしては、今回トランプ氏が７３００万票も得た理由は理解できない。古矢さんはそう指摘する。

## ――ポピュリズムは産業基盤転換期に台頭しやすい

古矢さんによると、このように産業基盤が転換する時期、政治的には「ポピュリズム」が生まれやすい。実際、ポピュリズムという言葉自体、１８９０年代の米国で農民運動の中から生まれた新語だったという。

19世紀末の米国のポピュリズムも、トランプ現象に伴うポピュリズムも、共通に二つの側面を併せ持つ社会運動である。

その一つは、衰退の危機に直面した人びとの不満や憤懣《ふんまん》に訴えるデマゴギーという側面である。社会の中軸を担ってきたという主流意識を持つ衰退階層の不満は、自らの衰退を招いた原因としてスケープゴートや陰謀の存在を求める社会心理を生みがちである。19世紀末の農民運動にはフリーメイソンやユダヤ人が秘密の国際組織によって権力を握っているという陰謀論がつきまとったし、トランプ大統領支持者の間に広がった陰謀論「Ｑアノン」もその変種で、トランプ大統領を陥れようとする「ディープ・ステート」の存在が、広く信じられるに至っている。

しかし、ポピュリズムには陰謀論とは逆に、より建設的に自らの経済的苦境の打開を政治制度の改変や国家介入の拡大によって成し遂げようとするもう一つの方向性もある。

１８９０年代の農民運動は、鉄道や倉庫の国有化を求めたり、倉庫を農民の結成する協同組合のネットワークが所有し運営する方向を模索したりする建設的社会運動でもあった。こうした改革運動から、１９０１年にはアメリカ社会党も生まれている。つまり、陰謀やデマゴギーの反面、こうした社会主義的な、もしくはコモンウェルス志向的な協同主義が当時のポピュリズムのもう一つの側面であった。

実はこの二つはその後も、ヤヌス（古代ローマの双面神《そうめんしん》）のように、ポピュリズムの二つの顔をなしてきた、と古矢さんはいう。

２０１６年には予備選挙でトランプ氏が３千万票を取ったが、民主党の予備選でもサンダース候補が３千万票を獲得した。

「陰謀論」を振りまくトランプ陣営と、「民主社会主義者」を自称するサンダース氏の陣営とは一見正反対に見えるが、ポピュリズムの歴史的な出自を振り返れば、その双面神の二つの顔とみるのが自然だ。

「サンダース現象は、左に大きく舵を切って、政治によって格差社会を変えるしかない、と訴え、マイノリティや若い世代をひきつけた。結果的に前回はそれがクリントン候補との激しい対立を生み、民主党の分裂からトランプ氏の勝利につながった。しかし、この流れは今も民主党内では健在で、サンダース議員だけでなく、エリザベス・ウォーレン、アレクサンドリア・オカシオ＝コルテスらがマイノリティや若い世代の女性たちをひきつけている。バイデン大統領は、この勢力とも折り合っていかねばならないでしょう」

だがサンダース氏やウォーレン氏らによるラディカルな社会変革に成算はあるのだろうか。古矢さんは、19世紀末との大きな違いを指摘する。

「当時は労働者も無産化し、抑圧された労働者による労働組合運動も盛んになっていった。今のアメリカ労働総同盟・産業別組合会議（AFL－CIO）の前身も生まれつつあった。つまり、労働運動は上り坂であり、資本に対抗する労農提携に向けた一定の実体的基盤があったことになる。しかし、今日ではネオリベラリズムとグローバル化の進んだ過去40年間に労組が壊滅的に衰退し、金融資本に対する強固な労農提携など望むべくもない」

それでは、たとえば今回の大統領選で活発化した「ブラック・ライブズ・マター（BLM）」運動のような人種差別や格差を超える動きは、その連帯の基盤とはならないだろうか。古矢さんは、それは日本で想像する以上に難しいだろうという。

「自分を何者かと規定するアイデンティティ・ポリティクスを経済的な再分配の運動と結びつけるのは容易ではない。白人中産階級には白人の誇りがあり、だから『多文化主義やポリティカル・コレクトネス』の時代、自分たちこそが、ないがしろにされ差別されている、と考えがちだ。BLM運動の担い手たちが、ラストベルトの白人労働者たちと暮らしが厳しくなるという経済的共通項をとおして連帯しようとしても、互いのアイデンティティが邪魔をして他を排除する傾向は克服できないでしょう。むしろ白人労働者は、人種的デマゴーグに惹かれがちです」

「今回の選挙はさまざまなアメリカ社会の分断を映し出している。経済格差、人種、文化とその分断は根が深く、連邦政府の政権が変わるだけで、一気に解決できるというものではない」

トランプ政権で特徴的だったのは、独断的な人事で国防・国務の閣僚や高官を次々に解任・更迭する一方で、経済・金融関係の補佐官や閣僚はあまり代えなかったことだ、と古矢さんは指摘する。政権初期から4年の任期を全うしたのはスティーブン・ムニューシン財務長官、ウィルバー・ロス商務長官、ピーター・ナバロ国家通商会議委員長ら金融界と関係の深いエリートたちだった。

「つまり最も不安定なトランプ政権の下で、最も安定していたのはウォール・ストリート出身の金融エリートたちでした。バイデン大統領の閣僚候補指名を見ていると、財務長官に前連邦準備制度理事会（FRB）議長のジャネット・イエレンを充てるなど、やはり金融エリートを重用する傾向がみられる。彼らがサンダース氏やウォーレン氏の求めるような富裕層への課税や再分配機能の強化に踏み込めるのかどうか、はなはだ疑問がある」

もともとトランプ政権がここまで持ちこたえたのはオバマ政権2期目で失業率が3％台にまで落ち、上向きに転じた経済環境を引き継いだからだった。今回のコロナ禍のような惨事があっても、金融緩和と連邦政府の財政出動で金融システムと産業を守れば、企業の内部留保はふくらみ、富裕層はより多くの給与や配当を受け取って一層豊かになる。ナオミ・クラインのいう「ショック・ドクトリン（惨事《さんじ》便乗型資本主義）」の再現である。

「そうした惨事便乗型の資本主義はいけない、というのがサンダース氏やウォーレン氏ら左派の考えでしょう。トランプ政権からバイデン政権になって、その方向に向かって変化が起きるのか。そこに注目したい」

## ――コロナ禍とアメリカの歴史と伝統

それにしても、コロナ禍に対するトランプ政権の無策ぶりは、目に余るものがあった。私がそんな感想を漏らすと、古矢さんは「トランプ氏の奇矯《ききょう》な行動が混乱をもたらしたことは確かだ。しかし、この感染急拡大は、彼個人だけの問題とはいい切れないかもしれない」と話す。

アメリカの「反知性主義」や「反科学主義」には建国以来の根強い伝統があり、それが今回のコロナ禍に影響をもたらした可能性は否定できない、というのだ。これはどういうことなのか。

人間社会が疫病に襲われるとき、祈禱《きとう》や呪術によってではなく、科学的に確立された公衆衛生、防疫の知識によって、これと立ち向かう。この点こそが、近代と前近代を分かつ指標だろう。

しかし、近代的な知や科学は、あらゆる問題を確実に解決する万能の手段ではなく、科学偏重《へんちょう》が悲惨な結果を招いた失敗の事例も少なくない。また時として知識人や科学者や専門家のおごりや専横が、広範な民衆の間に不信を招き、反科学や反主知《しゅち》主義の風潮を生むこともまれではない。近代、とりわけ米国にはその成り立ちから、こうした知識や科学を疑うというもう一つの伝統があった。米国の歴史家リチャード・ホフスタッターが「反知性主義」と呼ぶこの流れは、時に専門家や知識人を、庶民とは違って、人々を専門知識や科学でたぶらかし、エリートに成りあがって利用する、という見方をする傾向があるという。

合衆国憲法には、第9条に次の規定がある。

「合衆国は、貴族の称号を授与してはならない。合衆国から報酬または信任を受けて官職にある者は、連邦議会の同意なしに、国王、公侯または他の国から、いかなる種類の贈与、俸給、官職または称号をも受けてはならない」

このように特権を否定し、民衆から遊離した特権階級の存在を常に警戒するという憲法原則の上に建国したアメリカでは、特権をもつ貴族も、また普遍的人権の享受を制約された農奴も存在してはならないはずだった。むろんここでの最大最悪の例外が黒人奴隷制の容認であり、先住民殲滅《せんめつ》政策であった。この二つの巨大な矛盾にさえ目をつぶれば、少なくとも白人男性の間での特権の否定と平等が、アメリカのもともとの国是だった。彼らは19世紀には独立自営農民として分厚い中産階級を形成し、20世紀のアメリカでは重厚長大の製造業の労働者という中産階級を構成した。そこでは移動、契約、居住、職業選択は個人の自由であり、その徹底した平等と自由のもとに、社会の統合と安全が図られた。

だが農業技術を高度化するには科学を研究し、農業技術者を育てていかねばならない。工業についても同様だろう。産業が高度化し専門化すればするだけ、当然、教育機関や研究機関を整備する必要が生まれ、そこには技術や科学に関する新しいエリートの誕生が求められることになる。つまり、アメリカ社会は当初から、「エリート主義」と「中産階級主義」との矛盾を内在させてこざるを得なかったといえよう。

中産階級が安泰で、社会全体の暮らし向きが良くなっていく時期には、この矛盾は表面化することはないかもしれない。だが、いざ中産階級の暮らしが脅かされ、不安や不満が募ると、その内訌《ないこう》するフラストレーションはエリートの財力や地位などへの反感や反発、恨みつらみになって噴出することがある、というのだ。

もう一つの要因は宗教だ。

欧州のカトリックが強固な信仰組織を持ち、市民は宗教エリートである神父の下で教区に生まれ教区で社会に組み込まれるのに対し、アメリカのプロテスタントはバイブル一冊だけを持って移民し、日々聖書に向き合って信仰を強めていった。開拓時代の西部にはまだ教会のない地域も多く、宗教的な権威による解釈に頼ることもできなかった。こうして聖書がすべて、という「福音主義《ふくいん》」が根づいていった。

欧州では啓蒙《けいもう》時代以来、ラマルクの「用不用説」からダーウィンの進化論に至るまでに、歴史観や社会観において科学と信仰を分離する流れが定着したが、アメリカでは「福音主義」の影響下、額面通りに聖書の文言を受け取り、進化論を否定する流れが依然として根強かった。

1896年の大統領選で敗れた民主党のブライアンは、政界から引退した後は、宗教指導者として人気を博したが、1920年代には「進化論」論争の一翼を担っていく。進化論を公教育の場で教えることの是非を問うテネシー州の有名な「スコープス裁判」で、彼は進化論否定の立場から証言し、東部都市のエリート知識人の嘲弄《ちょうろう》の的とされた。しかし、このときの判決は、公教育の場で進化論を教えてはならないとした州法を認め、被告スコープスは罰金刑に処された。

「この一事に見られたように、都市化のいちじるしく進んだ1920年代のアメリカにあってなお、科学的知見が宗教によって否定されたことは、驚きです。しかもこの進化論論争は、この21世紀にあってもなおアメリカのバイブル・ベルトで戦われていることも忘れてはならないでしょう」

こうした「反知性主義」や「反科学主義」の伏流水は、産業構造の転換に伴う中産階級衰退の時期には「反エリート主義」になって表に噴出することがある。

「アメリカの場合は、個人が自己判断にしたがってこれでいい、と決める伝統がある。アメリカ社会は自己判断の強さを信じる人の集団であり、アメリカの民主主義の強さは、安易な妥協をよしとしない個々の自己判断に支えられている面もある。付和雷同に流されがちな日本とは対極的ですが、どちらがいいというのではなく、現代に生きる彼らも我々も、それぞれの文明史観のもとに生きている、ということなのでしょう」

古矢さんのお話をうかがって、日進月歩で技術が進む今の私たちも、いかに長い歴史や伝統のもとに、それぞれの道を歩んでいるかに気づき、この国の過去とこれからに思いをめぐらした。

# 第6章

# パンデミック後の未来に向けて

## 哲学者スラヴォイ・ジジェク氏と考えるパンデミックの意味

「隠喩としてのコロナ」で触れたように、大きな問題に直面したとき、私はいつも、「あの人が生きていれば、どう考えるだろう」と考える習慣がある。多くはスーザン・ソンタグやエドワード・サイードら故人だ。だがまだ活躍している方もいる。ここにご紹介する哲学者スラヴォイ・ジジェク氏がその一人だ。

私は2005年末と2008年末、当時在籍していた新聞社の取材で、スロベニアの首都リュブリャナに住むジジェク氏に長時間にわたってインタビューをしたことがある。

驚いたのは、ジジェク氏が、写真などで想像していたイメージをすっかり裏切るような人柄だったことだ。写真が醸すイメージは、取っつきにくく、カール・マルクスのように、いかつく圧迫感がある。だが、口を開けばその饒舌《じょうぜつ》はとどまることを知らず、ユーモアや皮肉を交えて最新のポップ・カルチャーや世界の流行に及ぶ。マシンガンのようにオタク的な雑学と古典の知識が速射され、いずれのインタビューも、あっという間に数時間が過ぎていた。

05年のインタビューのテーマは「分断」だった。冷戦の崩壊後、一時は世界が単一市場になり、自由主義の実現によって「歴史」のプロセスは完結する、という楽観論があった。だがジジェク氏は当時から、グローバル化が「統合」をもたらすのではなく、逆に分断をもたらす、という逆説を指摘していた。グローバル化は流入する移民を防ぐ「壁」だけでなく、国内に格差をもたらし、文化の「分離壁」を築く、という指摘だった。

次のインタビューは08年秋、「リーマンショック」の激震が続くさなかに行われた。ジジェク氏は9・11事件によって「リベラル民主主義」という夢が潰《つい》え、リーマンショックによって「市場万能の資本主義」という夢も破綻した、と話した。世界システムは、米国の一極支配から、多極化に向けて変わりつつある。そう語っていたジジェク氏は、コロナ禍について何を語るのか。どうしても聞いてみたい、と思った。

＊　＊　＊　＊　＊

## ――冷戦時代、東西両陣営の境界線上の国

スラヴォイ・ジジェクという名前の哲学者をご存じだろうか。スロベニア出身・在住で、日本でも多くの著書が翻訳されている。今回のコロナ禍のさなかに書いたエッセイが『パンデミック』(斎藤幸平監修、中林敦子訳)、『パンデミック2』(岡崎龍監修、中林敦子訳 ともにPヴァイン社)として出版された。前者の本の帯には「『最も危険な哲学者』による緊急提言!」というコピーが書かれている。

スロベニアは、旧ユーゴスラビアに属した国の一つだ。面積約2万平方キロメートルは岐阜のほぼ2倍、人口約200万人は日本でいえば福島や栃木、岡山などに近い。

旧ユーゴスラビアは「七つの国境、六つの共和国、五つの民族、四つの言語、三つの宗教、二つの文字、一つの国家」と呼ばれたように、異なる民族や宗教、言語が複雑に入り組む国だった。戦後は

共産圏に属したものの、統一した指導者チトーの下で旧ソ連とは一歩距離を置く独自路線を取り、西側メディアからは「チトー主義」と呼ばれたこともあった。

冷戦崩壊後、その旧ユーゴが激震に襲われる。1991年、スロベニア、クロアチア、マケドニアが相次いで独立を宣言し、クロアチアではセルビア人勢力との間で内戦が勃発。さらにボスニア・ヘルツェゴビナにも戦線が拡大し、各民族・各宗教勢力が各地で血で血を洗う内戦に巻き込まれた。

西側諸国に近く、工業が発達していたスロベニアは、独立も早く、その後の内戦でも、大きな被害を受けることはなかった。だが、同じ連邦の一員だった国として、国家の解体を間近に目撃したという点では、西側とは大きく異なる。

あらかじめ、こうした小史を振り返ったのは、ジジェクという思想家が、スロベニアという独自の歴史風土を背負っていると考えるからだ。

つまり、社会主義国の時代もイタリアとの往来は比較的自由で、西側諸国の商品や情報が入る土地柄だった。その意味では、社会主義圏の中でも「異端」に近かったろう。だが西側に近かった分だけ、いたずらな「幻想」は持たず、冷戦崩壊後に旧ソ連や東欧社会が急速に資本主義化したような道はたどらなかった。この点でも、スロベニアは、急旋回した社会主義圏の中では「異端」ともいえる存在だった。

つまりスロベニアは冷戦時代、二つの異質な体制の境界線上に位置し、両方の社会体制からは相対的な距離を保つ「辺境」だったのであり、それは冷戦崩壊後もあまりブレることがなかった、といえる。

ジジェク氏の思想は難解だが、その理論を使った映画批評や文明批評はきわめてわかりやすく、しかも修辞は華麗だ。彼の批評が多くの国、多くの言語で読まれるのは、「境界線の思考」に発するレトリックを駆使して、体制やイデオロギーをやすやすと超えて人々に届く表現力に満ちているからだろう。

## ――パンデミックが与えた衝撃

その思想家が、このコロナ禍を通して何を考えてきたのか。2021年5月13日、リュブリャナの自宅にいるジジェク氏にZoomで話をうかがった。

私はインタビューの前に「質問票」を送っていた。その第1の質問は、「あなたは以前、グローバル化が必然的に世界に分断を招くと語っていたが、コロナ禍でその動きは加速されたか」というものだった。これに対し、彼はこう答えた。

「スロベニアでは中道右派の民主党を率いるヤネス・ヤンシャ首相が昨年3月から3度目の政権を担っている。彼はハンガリーで徹底した反移民政策を掲げるオルバン・ヴィクトル首相と連携し、政治・経済・文化・メディアに圧力をかけ、それがコロナ禍で加速した。彼らは古い社会主義体制の手法を使って、ナショナリズム・反リベラリズムという新しいイデオロギーを押しつけようとする点で共通している。ある意味で、この政治的な動きは、コロナ禍よりも危うい」

ジジェク氏によれば、今回のコロナ禍を通じて、世界には、資本主義とナショナリズムが結合した「権威主義的ネットワーク」が形成されつつある、という。それはインド、ロシア、トルコ、旧東欧ハンガリーなどの国々だ。フランスですら、来年4月の大統領

スラヴォイ・ジジェク：哲学者。スロベニア生まれ。リュブリャナ大学をはじめ、哲学者として米欧大学で教鞭をとる。映画やサブカルチャーにも詳しく、精神分析や政治理論でも積極的に発言。『斜めから見る』（青土社）、『イデオロギーの崇高な対象』（河出文庫）、『パンデミック』（Pヴァイン）など著書多数。

選に向けた世論調査では、現職のマクロン大統領を、極右《きょくう》政党「国民連合」のマリーヌ・ルペン候補が猛追していると伝えられる。

だが、パンデミックの衝撃は、世界に相矛盾する影響を及ぼしており、その結果は、私たちが今後どう振る舞うかにかかっている、とジジェク氏はいう。

「私は米国のバイデン政権には批判的だが、彼らが打ち出した環境対策やキャピタル・ゲイン規制は、これまでの基準でいえば進歩的で、きわめて左派的だ。その意味でパンデミックは国際社会を組織化し、国際連帯のみを通して克服できる、という潮流をもたらしている。だが他方では、ワクチンを自国優先で確保しようとする動きがEUでもロシア、中国でも広がっている。これは『COVIDナショナリズム』とでもいうべき潮流だ」

だが、事情はさらに複雑だ、とジジェク氏は続ける。国際社会に二つの潮流が生まれただけでなく、米欧各国内部でも、異なる流れが生じている、というのだ。

「一方では、コロナ禍に対して、国民一律に現金を給付したり、最低賃金を引き上げて飢えから救うという試みがなされている。だが他方では、コロナ禍によって、富める1%はますます豊かになり、残る99%はますます追い詰められ、格差は拡大している。女性は、より苦境に立たされ、人種問題は米国でもフランスでも爆発寸前だ」

つまりパンデミックはここ1、2年、国際社会においても、各国内においても、相矛盾する潮流を生み、資本主義を「政治化《こば》」する状況が生まれている。こうした状況においては、それぞれの市民が、どのような潮流を拒み、どのような潮流を加速させるか、真剣な政治決断を迫られている、という。

「私の友人で最も左派的な人物ですら、『こうした黙示録《もくしろく》的な世界、医療の緊急事態においては、政治闘争をすべきではない』という。だが、こうした流動的な状況においてこそ、対話が大切だし、政治的な決断が必要なのだと私は思う」

## ——専制主義と民主主義、どちらが有効か

私の次の質問は、このコロナ禍に対し、「専制主義」と「民主主義」のいずれのシステムが有効か、という議論についてだった。中国は早々にコロナ禍を封じ込めたが、いったん爆発的な感染拡大を許した米英も、急速なワクチン接種の普及で巻き返した。ジジェク氏はこう答えた。

「中国の専制主義がコロナ禍に有効だったと際限なく繰り返すのはたやすい。だが、法的には中国の一部でありながら、まったくシステムの異なる台湾は、中国と同じ程度に効果的に対処した。社会主義だが中国とは異なるベトナムも、効率的に封じ込めた。中国スタイルの専制主義が、唯一の解決策とはいえない」

だがその一方、西側の「リベラル民主主義」を持ち上げることもできない、とジジェク氏はいう。

「冷戦後、この10年から15年の間、旧東欧やウクライナなどでは、西側民主主義をモデルとした抗議活動が相次いだ。だが、今欧州で起きているのは別のタイプの抗議活動だ。フランスの『黄色いベスト』運動がその典型だろう。これは専制主義に対するリベラル民主主義の抗議ではない。むしろ、『リベラル民主主義』に対する不満であり、自分たちの声が届かない、意見が代表されていない、自分たちが社会に受け入れられていないことへの抗議なのだ。私はそのことを憂慮《ゆうりょ》している」

だが、少なくとも西側民主主義は「自由」を保障している。専制主義のもとでは、公然と抗議活動

をすることも許されていない。そうした私の指摘に対して、ジジェク氏はこう答えた。

「これは幾分《いくぶん》皮肉なことだが、中国では人々は共産党がインターネットを規制し、電話を盗聴し、言論を統制していることを知っており、幻想は持っていない。だが西側世界では、中国と同じくらい社会統制が強まっているのに、人々はそのことに気づいていない。少なくとも米国やイスラエルなどでは、中国と同じほど監視が強まった。人々はどこにでも行けるし、何でも買えると思うだろう。何をするのも自由だ、と。だがその『自由』は、実はコントロールされ、規制されている。人々はそう気づき、リベラル民主主義そのものへの不満を募らせている。もちろん、リベラル民主主義は基本的に専制主義よりも良い。だがもはや、そのリベラル民主主義すら、解決策にはならない。そのシステム自体が危機に瀕《ひん》しているからだ。私たちは新しい形式の政治体制を見つけねばならない」

## ――環境危機

次の質問は、環境危機についてだった。最近の著書、とりわけ『パンデミック2』では、気候変動など環境危機への言及が目立つ。ジジェク氏に、コロナ禍で生じた変化についてうかがおうと思った。彼はこの間、コロナ後の生態学的な危機について、より悲観的になったという。

「このパンデミックは、ロックダウンが終われば正常に戻り、元の日常が戻るだろうか。いや、コロナが終わっても、ほかの生態学的危機はやってくる。コロナ禍は、人間と自然との関係が不安定化したことを示す第1幕であり、その後にはもっと長く続く危機がやってくる、と思うようになった」

ジジェク氏は、ワクチンが行き渡っても、あるレベルの危機を克服できるだけで、万事解決とはならないだろう、という。

「振り返ってほしい。1年前、すべてのメディアは口をそろえ、『2週間ロックダウンをすれば終わる』といった。昨夏には『2か月のロックダウンで終わる』といった。冬になると、今度は『半年のロックダウンで終わる』といい始めた。ワクチンが登場しても、いずれは効かない変異株が出てくる。今は『2023年、あるいは24年ごろには終わる』といい始めている」

異常気象による災害は、欧州でも激発している。だがジジェク氏は、自然災害だけでなく、人間の営みが生態を脅かすような別の破局もあり得るという。

「私の友人は2011年の福島第一原発の事故後に、EU代表の一人として訪日した。彼の話によると、日本政府は事故直後の一時期、首都圏の3千万人を避難させるシナリオを検討し、パニックに陥った、という。かつてであれば、戦争でしか起きなかったような破局が、今後はあり得る、ということだろう」

ジジェク氏は、だからこそ、「コミュニズム」が必要なのだという。もっとも彼のいう「コミュニズム」は共産党が一党支配するような旧ソ連型の共産主義のことではない。

「私がいうコミュニズムとは、国際協調、国際的な連帯を指す。ユニバーサルな保健・医療・ケアに優先順位を置く経済的な国際連携や協力を強めることだ。これは私のユートピアではなく、地球規模の緊急対応に必須の国際連帯だ」

## ――コロナ禍における精神の危機

ジジェク氏は、コロナ禍でもう一つ悲観的になった問題として、「精神の危機」を例に挙げた。

「報道によるとこの間、日本でも一時は減っていた自殺者が増えたという。欧州でも、精神科のクリニックに行く人が急増し、すぐに自殺しそうな危険性がなければ、診てもらえない状態になっている。これは、最も対処が難しいパンデミックの挑戦のように思える」

それは、どういうことか。ジジェク氏によれば、人間は社会的存在であり、その日常を支えているのは、法律や命令には書かれていないような暗黙の習慣やルールだという。道で知人と会えば、イタリアではハグし、日本ではお辞儀をする。そうした日々の複雑な慣習やルールが、人々を寛《くつろ》いだ気持ちにさせている。だが、コロナ禍によるロックダウンでそうした関係が断ち切られ、急に国家が人々の行動や態度について、こまごまとした指示をするようになると、人々は急な変化に耐えがたくなる。

「そうした行動制限は、感染防止には必要だし、私も指示に従う。だが、多くの人が、友人に会えなくなることを拒否し、マスクを強制されたくないと反発する気持ちも、私には理解できる。日常性を支えるルールや習慣を突然終わらせ、違うルールに従うことを強制されると、人によっては精神の危機、あるいは精神的破局を招きかねない」

その点でジジェク氏が最も危惧するのは、若い世代、とりわけ学校で学ぶ児童・生徒だという。

「一学年すべての学習がオンラインになったら、どういうことが起きるのか。子どもは学校で教科の内容を学ぶだけではない。友達をつくり、喧嘩《けんか》をし、社会性を身につける。そうした双方向的な社会性の形成が中断されるときに何が起きるのか、まだ誰も予測できない」

## ――コロナ禍で変わった世界観

私の最後の質問は、このコロナ禍を通して、ジジェク氏の世界観や哲学にどのような変化が起きたのか、というものだった。

「今回のコロナ禍を通して、欧米の多くの友人は私に、人類は傲岸《ごうがん》に過ぎた、と語った。我々人間は、自然よりも一段上に格上げされた特別な存在だとする考えを改め、多くの種の一つにすぎないことを自覚し、もっと攻撃的ではなく、謙虚であるべきだ、と。もちろん私も同意する。だが、同時にわれわれは環境や生態をコントロールしてきたし、ユニバーサルな存在として、環境や生態の危機に連帯して立ち向かう責任があるとも思う。われわれが地球の全植物、全動物とつながっており、その一員として、地球の全生命を生きながらえさせる責任がある。より控えめであると同時に、主人のようにではなく、全宇宙のケアテーカーとして仕えるべきなのだ」

哲学者としてジジェク氏がこの間、最も考えたのは「生きることの意味」をめぐる混乱だった、という。ジジェク氏の言葉を借りれば「欲望の能力」とは何か、という問題だ。

「かつては単純に、われわれがこれを望み、権威はこれを禁止する、といえた。だがパンデミックも2年目に入り、人々は楽しみや欲望のためではなく、抑うつのために、旅に出たり、イベントに参加したいと思ったりしているのではないか、と薄々気づき始めている。これは内的世界の秩序づけができなくなったということだ。つまり、欲望を禁じられているのではなく、本当は何をしたいのかわからず、混乱している。やりたいができないのではなく、自分が何をしたいのか、わからない。ある哲学者は、より多くの欲望を持つべきだというが、私はそうではないと思う。自発的に個人として、社会として『生きることの意味』を再定義し、ニュー・ノーマリティ（新しい常態）を作り直さねばならない」

## ──「サマラの約束」

最後に、ジジェク氏の著書『パンデミック』から、その締めくくりに書かれた「サマラの約束：古いジョークの新しい使い方」の文章を引いておきたい。ここに最もジジェク氏らしい修辞と機智《きち》、決意が表れていると思うからだ。

サマセット・モームは古い物語を下敷きに、「サマラの約束」という文章に改作した。次のような小話だ。

一人の召使がバクダッドの市場に使いに行き、死神に出会った。死神に見つめられておびえた彼は、帰ってくるなり主人に馬を貸してくれ、と頼んだ。一日走って夜にサマラまで行けば、死神に見つけられなくなるだろうからと。人の好い主人は馬を貸しただけでなく、自ら市場に行って死神を探し、召使を脅かしたことを咎《とが》める。すると死神は「しかし、脅かそうとしたわけじゃない。あいつをこの市場で見て驚いたのだ。彼とは今夜、サマラで会うはずだったから」と答えた。

この話は通常、「人の死は避けられないもので、逃れようと身もだえすることで余計に抜け出せなくなる」と解釈される。だがジジェク氏は全く逆にも解釈できるという。それは「運命を逃れられないものと受け入れたら、抜け出すことができる」というものだ。もしオイディプスの両親が預言の運命を避けようとしなければ天啓《てんけい》は成就せず、召使がサマラに向かわなければ、彼は死なずに済んだかもしれない。

このレトリックはコロナ禍でも使われた、とジジェク氏はいう。典型は「集団免疫説」に代表される保守派ポピュリストの言説だ。彼らは、脅威など知らないかのように行動すれば、つまり無視すれば、脅威とわかって行動するよりも、実際のダメージが小さくなるかもしれないという。疫学者の意見に従い、隔離とロックダウンによってウイルスの影響を最小化しようとすれば、経済崩壊と貧困の破滅的状況を招くだけだ。それはウイルス感染による比較的わずかな割合の死よりも、はるかに激烈だ、と。

だが、こうしたトランプ流の「仕事に戻ろう」という呼びかけは、労働者への気遣いを装うペテンだ、とジジェク氏はいう。理由は二つある。一つは、多くの貧しい賃金労働者には、気がつけば貧困がウイルスよりも大きな脅威になっていたという悲惨な状況があるが、その大きな原因は、福祉国家の解体に集中してきたトランプ氏の経済政策にあるということだ。もう一つは、実際に「仕事に戻る」人は貧しく、一方で富裕層は快適な自己隔離にこだわる。ほかの人たちを自己隔離させるために、自分は自己隔離できないエッセンシャル・ワーカーや、自己隔離する「家」さえない難民などには目をつぶった議論だ。

だが、「コロナウイルスをきっかけに強化された社会統制が、ウイルスが消えたあとも継続し、われわれの自由を侵害する」という左派リベラル系の憂慮も、今実際に起きている現実を見落としているという。

「起きていることは、全く逆だ。権力者たちは、お互いに適切な距離を保ちましょう、きちんと手を洗いましょう、マスクを着けましょうなどと叫び、この危機の結果を我々個人の責任にしようとしている」

そう書いた後で、ジジェク氏はこういう。

「臣民である我々から国家権力に伝えるべきメッセージは、我々は喜んで命令に従いますが、それは『あなた方』の命令であり、我々が命令に従ったとしても、それが完全にうまくいく保証はないですよ、ということである。国家の運営に当たる者たちがパニックになっているのは、状況をコントロールできていないからだけではなく、彼らの臣民である我々にそのことがバレていると知っているから、である。権力の無能が、今、露呈しているのだ」

つまりジジェク氏は、コロナ禍において大切なことは、保守派による「感染防止か、経済立て直しか」という二者択一の設問や、左派リベラル系の「社会統制か自由か」という選択でもなく、権力が無能であることを直視し、ただ「王様は裸だ」と叫ぶことだと考えているのだろう。彼はこの文章を次のように締めくくる。

「だから、『ウイルス危機のおかげで、我々の暮らしの本当の意味を突き詰めることができる』などというニューエイジのスピリチュアルな瞑想で、無駄にしてよい時間はない。本当の闘争は、どんな社会の形が放任資本主義の『新社会秩序』にとって代わるのかをめぐって行われる。それが我々の本当の『サマラの約束』なのだ」

ここまで読み進んだとき、私は本の帯に書かれた「最も危険な哲学者」という惹句《じゃっく》が、ストンと腑《ふ》に落ちた。

## 政治学者・宮本太郎さんと考える福祉のこれから

「一杯のかけそば」を覚えているだろうか。

ある大みそか、2人の幼い男の子を連れた母親が、閉店間近い札幌のそば屋を訪れ、申し訳なさそうに一杯のかけそばを頼み、3人で分けて食べる。その後も大みそかになると子連れで訪れる母親は、事故を起こして死んだ夫に代わり、賠償金を払い続けているらしい。歳月が過ぎ、医師と銀行員になった息子たちは母を連れ、「最高のぜいたくをしに来ました」といって三杯のかけそばを注文する。

戦後の福祉政策の変化を追い続けてきた宮本太郎さんは、この話を近著の冒頭に掲げている。この話がブームになったのは、バブル経済がはじける寸前の1989年。戦後を支えた「日本型福祉」が大きく揺らぐ分水嶺《ぶんすいれい》になった年だ。宮本さんは、当時の福祉制度を検証し、この話が実話かどうか、極めて疑わしいという。当時、最も支援が行き届かなかったのはひとり親世帯だったからだ。そうした制度的な問題を差しおいて、苦境を「自助」で乗り越えるという美談だったのではないか、というのだ。

「日本型福祉」とは「男性稼ぎ主の雇用保障に力を入れ、家族の扶養を確保する」点に特徴があった。行政や企業は男性の「雇用」を守り、家族の生活コストの一部も賃金として支払う。病気になれば医療保険、退職すれば年金でその後の家族の生計を支える。

バブル崩壊後、その根幹が揺らいだ。非正規労働者が増え、「男性稼ぎ主」一人が生計を支える時代ではなくなった。共稼ぎも増え、単身世帯も急増した。しかしそうした社会の変化に、福祉制度が追いつかなかった。その結果、十分な賃金を得られず、しかも福祉の恩恵も受けられない「新生活困難層」が急速に増えた。

実は、コロナ禍で最も大きなリスクを抱え、追い詰められているのは、この人たちだ。バブル崩壊後、日本は30年余りにわたって福祉改革に取り組み、そのために消費税も上げたのではなかったのか。福祉改革の到達点と限界を語っていただいた。

＊　＊　＊　＊　＊

## ――過去30年の福祉改革と三つの政治潮流

この30年の福祉改革の在り方を問う本が今年、コロナ禍のさなかに刊行された。『貧困・介護・育児の政治　ベーシックアセットの福祉国家へ』（朝日新聞出版）だ。

とりわけこの30年余りは、「財政」と並んで「福祉」が最優先の政治課題となったため、政権与党は次々に「改革」の手を打ってきた。だが、消費税増税の大義として打ち出された当初の政策理念はすぐに色あせ、財政当局の要求で支出は削減され、後退していった。この国に「社会民主主義」は根づかず、「新自由主義」に道を譲ったのか。あるいはそもそも、製造業が空洞化し、少子高齢化が進むこの国で、「社会民主主義」を唱えること自体、見果てぬ夢だったのか。

だが、この30年余りの福祉改革の是非を、一刀両断に論じることはできない。改革の理念はどこにあり、さまざまな政治力学が働いた結果、どこまで理念を達成し、どこに限界があったのか。「福祉政治」の第一人者で、歴代政権にも積極的に提言してきたのが、この本の著者、宮本太郎・中央大学法学部教授（福祉政策論）だ。２０２1年6月28日、Ｚｏｏｍで宮本さんに話をうかがった。

「福祉改革」を総括するにあたって、宮本さんは次の三つの政治潮流をキーワードにして政治過程を分析する。

（1）例外状況の社会民主主義
（2）磁力としての新自由主義
（3）日常的現実としての保守主義

これは、福祉国家の在り方を決めてきた三つの基本的な立場だ。だが日本では、この立場が政党ごとに分かれるのではなく、各政党ごとに混在し、それに各省庁や関連団体の利害も絡んで、対立の構図は極めてわかりにくかった。そこで宮本さんは、三つの立場によって福祉改革の結果を評価するのではなく、それぞれの潮流がどう影響して「貧困・介護・育児」の改革が実現したのかを、実証的に分析する手法を取った。つまりこの三つの概念を使って、福祉改革を動態的に解明したといえるだろう。

その成果を、あえて単純化して要約すれば、この30年余りの「福祉改革」には、次のようなパターンが読み取れる。

---

宮本太郎：政治学者。中央大学大学院法学研究科博士後期課程単位取得退学。ストックホルム大学客員研究員、北海道大学大学院法学研究科教授などを経て、現在は中央大学法学部教授。専攻は福祉政治、福祉政策論。『福祉政治　日本の生活保障とデモクラシー』（有斐閣）、『貧困・介護・育児の政治』（朝日新聞出版）など著書多数。

### (1)例外状況の社会民主主義

日本では、社会民主主義的な福祉の強化政策が打ち出されるのは、政権交代など政治的な例外状況に限られる傾向があった。

介護保険制度が実現したのは、1993年に非自民連立政権ができ、その後自・社・さきがけの連立政権に移行する流動的な状況下だった。

育児の分野で子ども・子育て新支援制度が、貧困分野で生活困窮者自立支援制度が生み出されたのも、2009〜12年にかけ、民主党と自民党の政権交代が繰り返される流動的な状況下だった。

社会民主主義的な政策が実現したのは、財務省が少なくとも新制度の導入に反対しなかったためだ。介護保険導入時には、消費税を3%から5%に、子ども・子育て支援新制度の導入時には消費税をさらに10%に増税する時期に当たっていた。つまり財務省には、こうした福祉改革を増税の切り札にしようという思惑があり、その限りにおいて政権や厚生労働省と折り合い、提携することになった。その意味で日本における「例外状況の社会民主主義」は、政党政治が流動化する過程で、財務省と厚労省が連携して取り組む改革案ということができる。

### (2)磁力としての新自由主義

いったん制度が導入され、政治が相対的に安定すると、財政当局は支出抑制に舵《かじ》を切り、新自由主義的な圧力が復調する。これは、市場原理を絶対視する「新自由主義者」が席捲《せっけん》するという意味ではない。表向きは「新自由主義」をうたわなくても、制度の運用にあたって、鉄粉が磁石に引き寄せられるように、新自由主義的な方向をたどらざるを得ない条件があったということだ。この「磁力」の源泉は「新自由主義」というイデオロギーではなく、「少子高齢化のなかで累積する国と地方の長期債務」「社会保障制度と税制への有権者の不信・高負担感」などにある、と宮本さんはいう。こうした要因が重なると、新自由主義の信奉者でなくても、そのように振る舞わざるを得ないような磁力が働く。つまり、財政その他の懐《ふところ》事情や制度への不信などが相まって、当初の制度設計を弱める方向に圧力がかかり、理念が後退する過程といってもいいだろう。

### （3）日常的現実としての保守主義

こうしてコスト削減への圧力が働くと、自助と家族の助け合いで困難を切り抜けるしかない、という保守主義が顔をのぞかせる。これも、イデオロギーというよりは、新たな制度ができても、十分な給付を得ることができないため、最後は自助か家族に頼るしかない、という「日常的現実」としての保守主義だ。

介護制度ができても、学業を犠牲にして介護を担う「ヤングケアラー」や「老老介護」、さらには認知症同士が介護の当事者になる「認認介護」などが、こうした「日常的な現実」の例だ。宮本さんはさらに、2015年に子ども・子育て支援新制度が実施されたにもかかわらず、翌年には「保育園落ちた日本死ね」というブログが国会で取り上げられ、流行語になったことも、「日常的現実としての保守主義」への回帰の例として挙げる。

こうして自助頼み、家族依存が日常化すると、税や福祉制度への不信が募り、さらに「磁力として の新自由主義」の潮流を強める負のサイクルが始まり、「社会民主主義」の理念は一層薄れていくことになる。

## ───「日本型生活保障」の三重構造

「生活保障」とは、雇用と社会保障を合わせた言葉だ。戦後日本では、「男性稼ぎ主の雇用保障に力を入れ、家族の扶養を確保する」という点に特徴があった。行政と企業は「男性稼ぎ主」の雇用を守り、大企業は家族の生活コストも賃金の一部として支払い、政府は所得控除でコストを還元する。

宮本さんがいう行政・会社・家族がつながる「三重構造」だ。

加えて日本は1961年に皆保険・皆年金を導入し、男性稼ぎ主の退職後や病気になったときに生じる不備を補った。

この仕組みはバブル崩壊後、大きく揺らいだ。雇用は不安定になり非正規が急増した。

少子高齢化で家族の標準モデルは崩れ、共稼ぎが増え、育児や介護を家族のみに委ねることはできなくなった。日本型生活保障ではカバーできない新たなリスクが生まれた。

これは安定雇用にも就けず、しかも従来の福祉制度からも弾かれる「新しい生活困難層」の増大を招いた。働けるが保険料を支払えず、さりとて福祉の恩恵も受けられない。「働いても生活が成り立たない」困窮層の急増である。

90年代は、そうした新たなリスクを抱えた生活困難層に、福祉がどう対応するかを迫られた時代だった。だからこそ、「福祉改革」が緊急の政治課題になったのである。

今にして思えば、従来型の福祉制度の限界は、バブル崩壊という経済ショックのみによってもたらされたわけではない。

その背後には、漸進的《ぜんしんてき》に進行していた人口動態の変化、とりわけ少子高齢化と人口減少があり、バブル崩壊によってその矛盾が一挙に顕在化したともいえる。さらにそのころから同時並行的に進んだ労働力の非正規化や共働き世帯の増加、晩婚化、未婚化などの社会の変化が、相乗的に日本社会の安定を揺さぶることになった。

## ――「日本型生活保障」ができるまで

政治がこの難題にどう立ち向かったのかを見る前に、従来の日本型生活保障が生み出された経緯を振り返ろう。その経緯を見れば、福祉について日本政治がどう合意形成するか、固有のパターンが明らかになるからだ。宮本さんはいう。

「戦後の55年体制のもとで、自民党に対する野党勢力の主流は西欧流の社会民主主義ではなく、マルクス主義でした。彼らの態度は基本的に、『福祉国家は資本主義の延命策』というものです。だから与野党の対立軸は、『社会民主主義』を採用するかどうか、という政策論争にはならなかった。基本的に、体制転換を目指す野党からの圧力によって政権与党が福祉政策を採用せざるを得ない、という状況が続き、『日本型生活保障』が形づくられた」

その典型例は国民皆年金・皆医療保険、最低賃金の制度を実現した岸信介政権（1957～60年）だ。岸はのちに回顧録で「民生安定の手段として社会保障政策を志向することは、政治家としては当然やるべきことであって、私としては別に気負ったわけではなかった」というが、これも当時の社会党など野党勢力からのプレッシャー抜きには理解できない。その後の池田勇人政権（1960～64年）が「所得倍増計画」を打ち出したのも、自民党自らが率先して政策を掲げたというよりは、野党を初めとする外からの圧力に応じたという面が強い。

さらに田中角栄政権（1972〜74年）は73年を「福祉元年」と位置づけ、70歳以上の高齢者の医療無料化や年金拡充を打ち出した。ただこれも、68年に飛鳥田《あすかた》一雄・横浜市長が80歳以上の医療保険の負担を引き下げ、69年の美濃部亮吉・都知事が70歳以上の医療無料化を行うなど、革新自治体からの圧力抜きには考えられない。72年暮れの総選挙では、共産党が24議席を増やすなど、足元に火がついた結果ともいえる。

「田中政権は、地方から人が流出するのを避けようと、いくつかの施策を打ち出した。まず、地元でも暮らせるよう、地方に公共工事を回した。農業をしながら冬場も土建業を営む第2種兼業農家が増え、地方で暮らせるようになった。大規模小売店舗法で、中小小売店を保護した。さらに、72年には道路運送車両法を改正し、軽乗用車にも車検を拡充した。全国9万の整備業の収入の4割は車検。これで、地域でも暮らせる人々が増えました」

宮本さんによると、野党の主流がマルクス主義の流れを汲む日本では、西欧型の「社会民主主義」の基本形である福祉国家の「所得の再分配」は深く根づくことがなかった。代わって、日本の自民党は、野党からの圧力に対し、「雇用の再分配」で社会の安定を図り、福祉の要請にこたえようとした。

これが、先に触れた「日本型生活保障」、つまり、男性稼ぎ主の雇用を守りつつ、企業は賃金の一部として家族のコストを支払い、政府が課税控除で世帯を支えるという特殊日本的な生活保障だった。男性稼ぎ主が病気になった場合は医療保険、定年で退職後は年金で家族を支えるという補完システムはそれなりに機能し、比較的安定した社会が作られた。こうして、先進国の中では唯一、女性の就業率が低下するという男性ジェンダー優位システムが構築された。

「これは、だれかが設計図を描いたというより、政治の力の平行四辺形のなかで、自然に形づくられた日本的システムといえるでしょう」

## ――限界を迎えた「日本型生活保障」

だがこうした「雇用を配る」ことを基本とした日本型福祉のシステムは、間もなく壁にぶつかる。早くも80年代には第二次臨時行政調査会（第二臨調）では福祉国家批判を背に政府支出の縮小が本格的に打ち出された。中曽根康弘政権（１９８２～87年）は、個人の自立や自助を強調して国民負担率の抑制など新自由主義的な政策を前面に打ち出した。生活保護の給付抑制や生活扶助基準の見直しが進められたのもこの時期だ。

しかし、宮本さんの著書によると、こうした新自由主義的な潮流に対し、それとは異なる福祉理念を刷新する動きが、当時の厚生省や研究者、福祉団体などから生まれた。これが86年の社会福祉基本構想懇談会による「社会福祉改革の基本構想」や、95年の社会保障制度審議会「社会保障体制の再構築（勧告）」などの構想にまとめられていく。

これは、新自由主義的な道を目指すのではなく、従来の福祉体制への回帰を求めるのでもなく、新たにビジョンを刷新し、時代の激動に見合った道を模索するという構想だった。

その刷新の第一は、従来の「救貧的・防貧的な社会福祉」から、「普遍的・一般的な社会福祉」へ転換し、福祉の対象を広げる方向性だった。これは北欧型福祉にもつながる理念の刷新を意味する。

第二の方向性は、それまでの措置制度を見直し、公的部門と並んで民間部門を活用し、利用者によるサービス選択を可能にする制度への移行を目指した。これは公的財源を基に利用者の多様なニーズに対応できる「準市場型制度」を導入することを意味した。

そして第三は、一部の人々の救済や保護ではなく、多くの人々の連帯と自立（自律）を支援するという考え方だ。

## ——「福祉刷新論」の成果

宮本さんは、こうした「福祉刷新論」が、1993年の非自民連立政権誕生から、94年の自社さ政権成立という、二政権にわたる「例外状況」において、「介護保険制度」として結実したという。

これは社会保障の給付が行政の職務権限によって行われる従来の「措置制度」から、利用者の権利としてサービスの給付を受ける福祉制度への転換を図るという意味では、画期的だった。介護保険も半分は国と地方からの税財源で支えられるが、利用者は保険料納付の実績を基に、サービスを権利として自治体に申請できる。しかもこの制度のもとで利用者は、ケアマネジャーを選んで最適なケアプランを作成してもらい、営利企業、非営利組織などを含む多元的な事業者にサービスの給付を求めるという独自の方式を導入した。

もちろん、こうしたビジョンが、その後も順調に定着したわけではない。少子高齢化とグローバル化が進んだ21世紀に入り、小泉純一郎政権（2001～06年）は構造改革と支出抑制に舵を切り、05年以降の介護保険改革では施設居住費と食費が外され、介護予防や地域包括ケアという考えが重視されていく。もちろん、いずれも「普遍主義的な福祉」の実現に向けた重要な考え方だが、問題はこうした方針転換が、支出抑制の口実に使われたことだ。介護予防サービスは多様化する一方、自治体によっては同居家族がいる場合には生活援助を受けられないなど、介護利用が制限される傾向が強まった。

また「地域包括ケア」も、それ自体としては意義のある考えだが、本来その実現を目指すのであれば、より大きなコストを必要とするのに、実際は「地域包括ケアシステム」を通して、要介護認定率を引き下げ、介護保険料を抑制することが奨励された。つまり、ビジョンとしては正しい方向が打ち出されたにもかかわらず、財政基盤の縮小に応じて、「磁力としての新自由主義」が次第に影響力を強め、制度を変質させてしまう。

こうしたビジョンの変質は、民主党と自民党の相次ぐ政権交代後に導入された「子ども・子育て支援新制度」や、「生活困窮者自立支援制度」でも同様だった。ビジョンそのものは価値があるのに、それが消費税増税の「切り札」として使われ、導入後は次第に支出抑制で制度が縮小するか、サービスが切り下げられてしまう。

## ――多様化するリスク

だが、だからといって、福祉改革が「新自由主義」にすべて骨抜きにされたとか、掲げたビジョンが羊頭狗肉《ようとうくにく》だったと切って捨てるのでは、議論は堂々巡りに終わる。多元的な福祉刷新というビジョンを妨げるものは何か、どうすればその障害を除去できるのか、一つ一つ躓《つまず》きの石を取り除くしかない、というのが宮本さんの立場だと思う。

「この30年の福祉改革の間に不満が高まったのは、所得税や消費税を負担しながら、その恩恵を受けられない人たちです。日本の場合、120兆円の社会保障費を支えるのは4割が税金、6割が社会保険料。ところが支出の9割は国民医療保険や国民年金など社会保険に充てられる。しかし、就職氷河期の世代やひとり親世帯など、年金保険料を払えない人や、非正規雇用で社会保険に加入できない人が数多くいます。この人たちは税負担はしているのに、税支出の大半が社会保険財源の補填に使われているために、税の恩恵にも与《あずか》れないわけです。その一方で、生活保護の受給資格も厳しく制限され、この人たちはこれまでの福祉制度の対象から外れてしまう。それが、重税感や、福祉への不信となって、政治にはねかえってしまう。生活保護への不信をあおる政治も横行しがちですが、生活保護を受給する人をバッシングするのでは、福祉の貧困化に拍車をかけることにしかなりません」

宮本さんはさらに、ライフサイクルにおけるリスクは、従来のような、病気やケガといった単発型にとどまらない。少子高齢化に伴い、リスクもまた多様化し複合化していると指摘する。

「たとえば、一口に年収200万円後半の世帯であると、生活保護は受けられませんが、介護が必要な老親の面倒を見たり、軽度の発達障害の子を抱えたりしているにもかかわらず、十分な支援を受けられない場合、生活保護以下に暮らしを切り詰めるしかない。コロナ禍で真っ先に追い詰められるのは、そうした人々なんです。明石市の泉房穂《ふさほ》市長は、多様で複合的な困難を抱えた世帯を新たな「標準世帯」と呼んでいますが、おおげさではありません。見いだすべき方向性は、福祉の切り下げ競争ではなく、誰にとってもリスクが多様化し複合化していることを見つめ、そのリスクに対し、私たちが連帯してどう乗り越えるかを考えることではないでしょうか」

## ――「社会民主主義」の限界

戦後の日本には、西洋型の「社会民主主義」を標榜《ひょうぼう》する政党がなかったことは前に触れた。では、グローバル化の時代に、西洋型の「社会民主主義」は手本になるのだろうか。

宮本さんは、かつての「社会民主主義」もまた、行き詰まりを見せている、という。

宮本さんによると、西洋の「社会民主主義」には、大きく分けて二つの類型がある。

一つは、英米を中心とする「アングロ・サクソン」型だ。米民主党改革派のビル・クリントンは、1992年、「おなじみの福祉は終わらせる」というスローガンを掲げて政権の座に就いた。ここにいう「おなじみの福祉」とは、長い間アメリカの福祉の主柱だったひとり親世帯への生活保護を指す。クリントンはこの「要扶養児童家庭扶助」（AFDC）を抜本的に改革した。給付期間を限定する一方、職業訓練や保育サービスを手厚くし、それでも就労が難しい場合には、自治体が雇用の機会を提供するという仕組みに改めた。「福祉依存から就労へ」軸足を移す改革だ。

英国でも労働党のトニー・ブレアが「ニュー・レイバー」の看板を掲げて1997年の総選挙で圧勝し、10年に及ぶ長期政権を率いた。彼はいわゆる「第三の道」路線を採用した。これは社会学者のアンソニー・ギデンスが唱えた福祉の改革案だ。安定した雇用や家庭を前提とした従来型の福祉国家は、雇用の流動化や、ひとり親世帯の増大などの新たなリスクに対応できない。そこで、職業訓練などの支援型サービスを「社会的投資」と位置づけ、社会を活性化するという考えだった。

ブレア政権は教育改革にも力を入れ、低所得世帯の子どもを支援し、若者の就労を促した。こうした流れを一口にいえば、福祉受給者を含めて人々が仕事に就き、人的資本として機能することを目指したものであった。教育や職業訓練による支援も掲げられたが最小限で、グローバル化を推し進めるアングロ・サクソン型の「新自由主義」に近かった。

二つめの類型は、スウェーデンに代表される北欧型の社会民主主義だ。「第三の道」が貧困が広がったあとに就労支援をする「事後的補償」を柱とするのに対し、北欧型は「事前的予防」に力を入れる。

これは就学の前からどのような経済状況であっても子どもに教育の質を保障し、その後も成人教育や職業訓練などを通して、継ぎ目なく学び直しの「生涯教育」の機会を提供するシステムだ。

スウェーデンは、こうした生涯教育を労働政策に連動させ、「同一価値労働同一賃金」の原則を守りつつ、生産性の低い企業から、高い企業へと働き手を誘導する仕組みを築いた。

福祉によって学び直しの機会を与えつつ、より成長する産業に人材を投入する路線だ。

だがこうした二つの「社会民主主義」モデルは、日本にはそのまま持ち込めないだろう、と宮本さんはいう。「第三の道」は、グローバル化を推し進める「新自由主義」と表裏一体だし、日本のように「新しい生活困難層」が広がった社会では、北欧型の制度もそのままでは適合しない。明日の生活費にも事欠く人々に、「生涯教育」を保障しても、すぐには支えにならないからだ。

さらに、ある程度は荒波をくぐって持ちこたえてきた二つの「社会民主主義」も、限界に近づきつつある、と宮本さんはいう。グローバル化によって貧富の格差はいよいよ大きくなり、経済のＩＴ化や産業構造の転換が急速に進んだため、「社会的投資」が追いつかなくなってしまったためだ。つまり、「社会民主主義」そのものを再設計するしかない、というのが西洋の現状なのだという。

## ――「ベーシックインカム」論の問題点

そこで近年注目を集めるようになったのが「ベーシックインカム」論だ。

これは、所得調査をしたり、就労を求めたりすることなく、無条件に、すべての個人に定期的に現金給付をする仕組みを指す。つまり、「福祉から就労へ」と誘導する「社会的投資」とは対照的に、就労や所得の条件とは切り離して一定の現金給付をするという考え方だ。多くの論者は、生活保護やさまざまな手当、年金などをこれに一本化するという。福祉に関わる膨大な行政コストを削って給付に回せば、より合理的だ、という考えだ。

だがこれには、既存の福祉制度を解体して一本化するという「新自由主義」的な立場もあれば、累進課税で財源を調達して再分配を図るという「社会民主主義」的な立場もあり、同一に論じることはできない。そもそも、人の暮らしを、国のある一つの制度にそこまで委ねてもいいのか、それで安全なのかという疑問もある。

これとは別に、「ベーシックサービス」という考え方もある。ロンドン大の社会政策学者アンナ・コートらが提唱した考えだ。

これは、「すべての人が、負担能力のいかんにかかわらず、ニーズに応じた基本的で十分なサービスを受けられる」ことを目指す考えだ。ここに言う「サービス」とは、医療、教育、ケア、住宅、輸送、デジタルアクセスなどの「公共サービス」を指す。

だがこの議論にしても、一人ひとり異なる多様なニーズの中から、どのニーズを「普遍的」なニーズとして切り出せるのか、具体論になると極めてあいまいだ。ビジョンとしては総論賛成でも、具体的な施策に落とし込むには議論が百出《ひゃくしゅつ》しそうなアイデアだろう。

## ――「ベーシックアセット」の福祉国家

こうした議論を踏まえて宮本さんが注目するのは「ベーシックアセット」というビジョンだ。もともとはカリフォルニア州パロアルトの「未来研究所（IFTF）」や、フィンランドのシンクタンク「デモス・ヘルシンキ」などが提唱した考えだ。

「アセット」とは「ひとかたまりの有益な資源」を意味し、私・公・共のアセットが重要とされる。「私」とは私的な資源で、「ベーシックインカム」が追求する現金給付と重なる。「公」とは公共の資源で、「ベーシックサービス」が国と自治体の公共サービスをすべての市民に行き渡らせようとすることと重なる。「ベーシックアセット」がこれに加えるのは、「共」の資源で、これは「コモンズ」のことを指す。

「コモンズ」とは、コミュニティや自然環境、デジタルネットワークなど、誰もが必要とする社会共通の資産のことだ。もちろん現実には、個人や企業が占有する場合もあるが、本来であれば、誰に対しても開かれているべき社会の基本財だ。

こうした人類共通の「コモンズ」を個人や企業が占有し、独占して利益を享受している場合には、たとえば「デジタル税」や「環境税」を課して、それを社会保障財源に充てる、という考え方も出てくる。「コモンズ」といえば一見抽象的に思えるが、実は極めて現実的なアプローチだと宮本さんは指摘する。

「とくにコミュニティというコモンズは、哲学者ジョン・ロールズが人間にとって最も大事な財とした『自尊の社会的基盤』、つまり私たちが自己肯定感を高めていく条件です。これをベーシックアセットにしていくということについては、視点の転換も必要です」

日本では地域の伝統的共同体は、官僚制によって動員され、しばしば人々を囲い込み、拘束してきた。そのようなアセットは誰も要らないだろう。これに対して、ベーシックアセットとしてのコミュニティについては、人々がそこに属することを自ら選択し、場合によっては出て行くことも可能でなければならない。

人々は、必要な現金給付と公共サービスを保障されることで、コミュニティとよい関係を築ける。家族コミュニティであれ、職場コミュニティであれ、地域コミュニティであれ、そこからしか生活の資を得ることができなければ、従属するしかなくなる。だめなら出て行ける（離婚できる、離職できる）ことや、家族であれば育児や介護の公共サービスが利用できることで、コミュニティはいきいきとして、アセットと呼ぶのにふさわしくなる。そのような観点から、誰にでも共通の尺度を当てはめるのではなく、個人や地域に応じたアセットの組み合わせが構想されるべきなのだ。たとえば現金給付は、ベーシックインカム論の主張するように同額の給付であることが重要なのではない。

こうして、これからの福祉のビジョンを考えるうえで「ベーシックアセット」に着目する宮本さんは、「このようにベーシックアセットは、決して現実離れしたビジョンではありません。そして実は日本には、こうしたビジョンを根拠づける法規範もあります」という。それは日本国憲法第25条なのだという。

## ――健康で文化的な最低限度の生活

憲法第25条には、次のような文言がかかれている。

「すべて国民は、健康で文化的な最低限度の生活を営む権利を有する。国は、すべての生活部面について、社会福祉、社会保障及び公衆衛生の向上及び増進に努めなければならない」

もちろん、「健康で文化的な最低限度の生活」は時代によって、国の財政力によって、意味するものは異なるだろう。「健康」という言葉も、感染症対策はもちろん自然環境を保全し集中豪雨など気候変動を抑えるなど、激変する時代環境に応じて意味するものは変わっていく。「文化的」という言葉も、今ならITへのアクセスが当然含まれるに違いない。つまり、コモンズを開いていく、ということだ。

だがそうしたことも含めて、この条文は、すべての人を、現金給付、公共サービスを通して、生活を成り立たせるコモンズにつないでいく宣言と読むことができる、と宮本さんはいう。

「最低限度の生活とは何なのかは人によって受け取り方が違う。憲法第13条の幸福追求権ともつなぎ、カスタマイズできてよい。これまで福祉の措置制度とつなげて解釈されがちだったこの条文を、より前向きに、コモンズを開いていくことも含めた、これから目指すべき福祉のビジョンに射程が広がるものと読み直してはどうでしょうか」

コロナ禍のさなかに、欧米各国や日本では一律に現金を給付して急場をしのいだ。これを、「ベーシックインカムが現実化した」とみなす論者もいた。だが、そうした一過性の現象を議論の前提にしてはならないだろう。

コロナ禍は、宮本さんがいう「新しい生活困難層」に、より多くの苦難を強いている。これまで福祉の恩恵を受けられなかったうえに、ぎりぎりの生活を支えてきた雇用までが流動化し、不安定なものになっている。まさにこうしたときにこそ、「福祉」の出番といえる。これまで30年の「福祉改革」の成果と限界を踏まえ、今こそコロナ後を見据えた「福祉」を再構築するときだろう。宮本さんの話をうかがって、強くそう思った。

# おわりに

新聞記者をしていたころ、何度か取材で世界を一周した。と書けばたちまち顰蹙《ひんしゅく》を買いそうだが、航空各社が連携する切符を買えば、欧州か米国へのエコノミー往復料金で、一周できる。そうやって、9・11の同時多発事件後や、08年のリーマンショック後に激動する世界の各地を訪ね、現地から報告をしてきた。

コロナ禍で思い浮かべたのは、そうした取材との違いだった。フリーで取材費が出ない、という懐《ふところ》事情ばかりではない。フリーになってもコロナ禍の前は、格安のチケットや安宿で経費を切り詰め、トランプ政権を生んだ米国、EUから離脱した英国、反中抗議デモが燃え盛る香港に出かけ、国際政治の現場を、肌で実感することができた。

コロナ禍では、それもできない。私が拠点にする札幌から、首都圏はもちろん、道内への移動も憚《はばか》られる状態が続いた。そんなとき、J－CASTニュースの蜷川真夫さん、宇留間和基さんから、ネット上での連載の話をいただいた。その打ち合わせで初めてZoomの使い方を教えていただいた。コロナ禍以前なら、札幌の地にいるフリーの立場で、世界規模の出来事を取材するなど、想像も及ばないことだった。

実際、人の縁を通してインタビューを申し込むと、行動を制限されて自宅におられた多くの方々は、快く申し出を受け入れてくださった。企画に誘ってくださったお二人と、取材に応じてくださったすべての方々に、深く感謝を申し上げたい。

だがネットと書籍は、まったく違う媒体だ。書籍化にあたって、朝日新聞出版の松岡知子さんはネット連載のすべてに目を通し、取り上げるべきテーマと削る箇所、全体の配列を提案してくださった。その意味でこの本は、松岡さんとの二人三脚がなければ生まれなかったといえる。松岡さんに、改めて感謝を申し上げたい。

コロナ禍を通して、変わったことがある。遠隔地ではオンラインを使わざるを得ないにしても、会える範囲では、より一層、対面取材が増えたことだ。もちろんこれも、相手のお許しがあっての条件つきだ。

今回の書籍化では掲載を断念せざるを得なかった多くの人々がいらっしゃる。その一人、共同通信で活躍してきた澤康臣《さわやすおみ》専修大教授は、私の取材に対し、こう答えてくださった。

「新型コロナは『コミュニケーション』を奪うウイルスだ。これは本質的に、ジャーナリズムにとってはピンチな事態だろう」

澤さんがおっしゃるように、コロナ禍はジャーナリズムにとって最も手ごわい敵だ。人と会うことの大切さ、現場で肌に感じることの代えがたさを、これほど痛感した経験はなかった。

澤さんをはじめ、書籍化できなかったインタビューに真摯に応えてくださった方々に、改めてお詫びとお礼を申し上げたい。また、ネット連載で毎回、難しいテーマに読者を誘う絶妙なイラストやコラージュを描き続けてくださった山井教雄さん、ほんとうにありがとうございます。

2021年8月　　著者

# 新型コロナウイルス年表

| 年 | 月 | 日 | 日本 | 日 | 海外・WHOなど |
|---|---|---|---|---|---|
| 2019 | 12 | | | | 中国・武漢で発生 |
| 2020 | 1 | | | 21 | 中国政府が法定伝染病に指定 |
| | | | | 23 | 武漢市封鎖 |
| | | 28 | 武漢からのツアー客を乗せたバス運転手の感染を発表 | | |
| | | 29 | 同乗のガイドも感染 | | |
| | | 31 | 湖北省滞在者の来日拒否決定(翌1日から) | 31 | 英国、EU離脱 |
| | | | | | 米国、中国全土に渡航中止勧告 |
| | 2 | 5 | ダイヤモンド・プリンセス号の10人感染判明 | 5 | 中国の死者490人 |
| | | | | 7 | 中国でSARS警鐘の李文亮医師死去 |
| | | 10 | ダイヤモンド・プリンセス号の感染135人に | | |
| | | | | 11 | **ウイルス名をCOVID-19に** |
| | | 13 | 新型肺炎で初の死者 | | |
| | | 17 | 国が受診目安を発表。一般参賀中止に | | |
| | | 19 | ダイヤモンド・プリンセス号で下船開始。船客2人死亡 | | |
| | | 24 | 専門家会議「今後1~2週間が拡大か収束かの瀬戸際」 | 24 | イタリアで感染者急増、200人超に |
| | | 26 | 安倍晋三首相、イベント2週間自粛要請 | | |
| | | 27 | 首相、全国の小・中・高に3月2日から春休みまで休校を要請 | | |
| | | | 北海道の感染者が50人超 | | |
| | | 28 | 鈴木直道・北海道知事が緊急事態宣言。週末の外出自粛要請 | | |

※日付は原則として現地時刻に依っています

| 年 | 月 | 日 | 日本 | 日 | 海外・WHOなど |
|---|---|---|---|---|---|
| 2020 | 3 | 5 | 中国・韓国からの入国制限発表 | 5 | 中国、習近平主席の4月上旬の訪日延期を発表 |
| | | 10 | 持ち回り閣議でフリーランス対策。マスク転売禁止も決定 | 10 | 習主席が武漢を視察。「ウイルスの勢いは抑えた」 |
| | | | | 11 | WHOがパンデミックと認定。「制御は可能」 |
| | | 13 | 改正特措法成立。緊急事態宣言の発出が可能になる | 13 | 米国が国家非常事態宣言 |
| | | 14 | 安倍首相会見。「緊急事態」は否定。「五輪」は予定通り | | |
| | | 18 | 全世界を対象に渡航「十分注意」(感染症危険情報レベル1) | | |
| | | 19 | 北海道の緊急事態宣言終了<br>大阪の吉村洋文知事、兵庫との往来自粛を要請 | 19 | 武漢の感染者が前日0だったと発表 |
| | | 25 | 政府、すべての海外渡航の自粛要請<br>東京都、週末と平日夜間の外出自粛要請。在宅勤務の奨励 | 25 | イタリアの死者は7503人、スペインの死者は3千人超 |
| | | 26 | 首都圏「移動自粛」を5都県知事が共同要請 | 26 | 世界の死者2万人超 |
| | | 30 | 五輪の開幕を2021年の7月23日に決定<br>タレント志村けんさんの死去を事務所が発表 | 30 | 世界の感染者70万人超 |
| | 4 | 1 | 安倍首相、1世帯2枚のマスク配布を表明 | 1 | 世界の死者4万人超。イタリア、スペイン、米、フランスの順 |
| | | 3 | 厚労省、病床確保のため、軽症者は自宅・施設で療養の方針示す | 3 | 世界の感染者累計100万人超。世界の死者5万人超 |
| | | 4 | 東京の感染117人。1日あたりの感染確認が100人超えは初 | | |
| | | 5 | 東京で新たに143人感染、累計で1千人超。国内死者100人超 | 5 | 世界の感染者累計120万人超。世界の死者約6万5千人 |
| | | 7 | **夕方、安倍首相が緊急事態宣言を発出**<br>7日から5月6日まで、東京・神奈川・埼玉・千葉・大阪・兵庫・福岡の7都府県が対象 | | |
| | | 8 | 全国知事会が緊急対策本部でテレビ会議。自粛で損失を負った業者への補償を国に要請 | 8 | 午前0時、武漢市の封鎖を77日ぶりに解除 |
| | | | | 11 | 世界の死者10万人超。最多のイタリアは1万8849人 |
| | | 13 | 北海道と札幌市が緊急共同宣言。市内の小・中・高が再び休校に | | |
| | | 16 | **緊急事態宣言の対象区域を全国に拡大**<br>補正予算案を修正し、国民への一律10万円給付を表明 | | |
| | | 18 | 国内感染者1万人超 | 18 | 世界の死者15万人超。感染者累計225万人 |
| | 5 | 4 | 緊急事態宣言の5月31日までの延長を表明 | | |

2020

8 厚労省、ＰＣＲ検査について相談する際の目安を変更。「37・5度が4日以上続く」という条件を削除

14 緊急事態宣言を39県で解除
宣言を継続するのは北海道、埼玉、千葉、東京、神奈川、京都、大阪、兵庫の８都道府県

18 １〜３月期の国内総生産（ＧＤＰ）が前期（19年10〜12月）より0・９％減り、年率換算で３・４％のマイナスと発表（速報値）

21 大阪、京都、兵庫の緊急事態宣言の解除を決める

25 北海道、埼玉、千葉、東京、神奈川の５都道県の緊急事態宣言を解除

15 世界の死者30万人超。米国（８万５８８４人）、英国（３万３６９３人）、イタリア（３万１３６８人）の順。感染者は累計で４４３万８３７１人

18 米バイオ企業モデルナがワクチンの臨床試験の初期結果を発表

6

1 首都圏、北海道などで、約３か月ぶりに学校の授業再開

19 東証日経平均、約３か月ぶりに２万２千円超
プロ野球リーグ、約３か月遅れの開幕。当面は史上初の無観客試合
通知アプリ「ＣＯＣＯＡ」の提供を開始

19 ブラジル保健省、累計感染者数が１００万人超と発表。死者も４万８千人以上

24 アフリカ大陸での感染者が30万人超

28 世界の感染者が１千万人を突破。最多は米国（約２５１万人）、ブラジル（約１３１万人）の順

29 世界の死者50万人超。米国（12万５千人超）、ブラジル（５万７千人超）、英国（４万３千人超）の順

30 中国全人代の常務委員会が香港国家安全維持法案を可決、即日施行

7

7 九州豪雨で死者56人、行方不明12人に

8 豪雨被害、岐阜・長野に広がる

11 沖縄の米軍基地で感染拡大、普天間飛行場とキャンプ・ハンセンでこの日までに61人の感染が判明

16 政府がＧｏＴｏキャンペーンの全国一律方針から東京除外に転換。
東京で過去最多の２８６人感染を確認

22 ＧｏＴｏトラベル始まる
政府がイベント制限の緩和を８月１日から８月末まで先送り

16 中国の４〜６月期のＧＤＰ速報値は、物価の影響を除く実質で前年同期より３・２％増加

18 世界の死者60万人超。最多は米国の13万９千人超

| 年 | 月 | 日 | 日本 | 日 | 海外・WHOなど |
|---|---|---|---|---|---|
| 2020 | | 23 | 全国で感染最多の981人、東京都は366人で初の300人超 | 30 | 米国の4～6月期のGDP速報値は、年率換算で32・9％減。統計が残る1947年以降で最大の落ち込みを記録 |
| | | 30 | 東京都は酒類提供の飲食店、カラオケ店に午後10時までの営業時間短縮を要請。8月3～31日の期間。協力金として20万円を支給 | 31 | ユーロ圏19カ国の4～6月期のGDP速報値が前期比で12・1％減。年率換算で40・3％の減 |
| | | 31 | 全国で感染最多の1571人。沖縄県が独自の緊急事態宣言。岐阜県が「第2波非常事態」を宣言 | | |
| | 8 | 11 | 日本の国内感染5万人超。7月下旬以降、増加ペースが加速 | 7 | アフリカでの感染者100万人超。死者は約2万2千人。検査態勢が整っていないため、実際の感染者はさらに多いとの見方も |
| | | 17 | 4～6月期GDP速報値で、前期比7・8％減、年率換算で27・8％の減。過去最悪のマイナス成長 | 11 | 世界の感染者2千万人超。世界人口の400人に1人が感染。米国（約509万人）、ブラジル（約305万人）、インド（約226万人）の順 |
| | | 28 | **安倍首相が持病の潰瘍性大腸炎の再発を理由に辞任を表明** | 11 | ロシアのプーチン大統領、ワクチンを世界で初承認と発表 |
| | | | | 18 | 米民主党大会、ジョー・バイデン氏を大統領候補に指名 |
| | | | | 31 | ビデオ会議システム「Zoom」の5～7月期決算で、純利益が前年同期比34倍の1億8574万ドル（約196億円）に |
| | 9 | 12 | 政府の分科会、10月1日からGoToトラベルに東京都民と都内への旅行を認める政府方針を了承 | 29 | 世界の死者100万人を突破。感染者も累計で3300万人以上。世界の約230人に1人が感染し、7800人に1人が亡くなる計算 |
| | | 14 | 自民党総裁選で菅義偉官房長官が新総裁に選出 | | |
| | | 16 | **菅内閣が発足** | | |
| | | 19 | 再度継続されていたイベント開催制限が緩和され、上限5千人だった人数が収容人数50％まで認められる | | |
| | | 25 | 政府、GoToキャンペーンを10月からイベント・商店街・イートにも拡大することを決定 | | |
| | | | 全世界からの入国制限も10月1日から緩和することを決める | | |
| | 10 | | | 2 | トランプ大統領がコロナ陽性と判明 |
| | | | | 5 | WHOの緊急対応責任者マイク・ライアン氏、世界人口の1割が新型コロナに感染した可能性があるとの推計を示す |

2020

（日本）

8 民間臨時調査会が報告書を公表

29 コロナ感染が国内で累計10万人超。確認された死者は1761人

11

1 新型コロナの水際対策緩和で、中国、韓国、台湾など11カ国・地域からの入国者が空港での検査不要に

7 国内の新規感染は1332人で3日連続の1千人超え。1300人台は8月14日の1357人以来

13 全国の新規感染1704人で2日続けて過去最多を更新。菅首相、GoToキャンペーンの見直しについては慎重姿勢

16 7~9月期のGDP速報値は実質で4~6月の前期より5・0%増。年率換算では21・4%増

18 全国の新規感染2202人で初の2千人超。東京、神奈川、埼玉、長野、静岡の1都4県で最多を更新。大阪や北海道でも200人超

24 政府、札幌市と大阪市を12月15日までの3週間、GoToトラベルの対象から外すことを決定

（世界）

19 中国の7~9月期のGDP速報値は前年同期比で4・9%増。4~6月期の3・2%増から伸びが拡大し、2期連続のプラス成長

25 フランスとイタリアで1日の新規感染が過去最多。フランスが5万2千人、イタリアが2万1273人

29 米国の7~9月期のGDP速報値は、年率換算で前期比33・1%増。
米巨大IT企業の7~9月期決算が出そろい、いずれも増収

30 ユーロ圏19カ国の7~9月期のGDP速報値は前期比で12・7%増。年率換算で61・1%増。前年同期比では4・3%減

11

3 米大統領選投票

6 モンゴルで初のコロナ感染を確認

7 米メディアがバイデン氏当選確実と報道

9 世界の感染者累計5千万人超。米国が最多だが、感染をいったん抑え込んだ欧州に激しい第2波。死者は125万人超

11 英国のコロナ死者5万365人で5万人を超える

16 米バイオ企業モデルナ、開発中のワクチンについて発症を防ぐ効果が94・5%あったとする最終治験の暫定結果を公表

20 米ファイザーとドイツのビオンテック、米食品医薬品局にワクチンの緊急時の使用許可を申請。最終治験の有効性は95%

23 英アストラゼネカとオックスフォード大、開発中のワクチンについて「有効性は70%」という最終治験の暫定結果を発表

| 年 | 月 | 日 | 日本 | 日 | 海外・WHOなど |
|---|---|---|---|---|---|
| 2021 | 12 | 1 | 営業の時短要請7都道府県に広がる。北海道、茨城、埼玉、千葉、東京、愛知、大阪で | 2 | 英政府、ファイザーとビオンテック開発のワクチンを承認。大規模な治験を踏まえて承認されたのは初めて |
| | | 12 | 全国の新規感染最多の3041人。初めて3千人超 | 8 | 英国でファイザーとビオンテック開発のワクチン接種始まる |
| | | 14 | 菅首相、GoToトラベルを、28日～21年1月11日にかけて全国一斉に停止すると発表 | 18 | ファイザー、コロナワクチンについて製造販売の承認を厚労省に申請。日本での申請は初 |
| | | 22 | コロナ死者が3千人超。わずか1か月で1千人増える | 19 | 英ジョンソン首相が、コロナ変異株は従来のものより最大で7割感染が広がりやすいとの分析結果を発表<br>米国では27万人余りがファイザーのワクチン接種を終える |
| | | 25 | 英国から到着した10歳未満～60代の男女5人が変異株に感染していたと発表。国内での変異株の感染確認は初めて | 27 | EU各国でワクチン接種が一斉に始まる |
| | | 28 | 南アで見つかった変異株(ベータ株)感染の30代女性を初確認 | 31 | 中国政府が国有製薬会社「中国医薬集団」(シノファーム)が開発したワクチンの使用を承認したと発表 |
| | | 31 | 全国の新規感染4520人で過去最多。東京都の感染者も1337人と初めて1千人超 | | |
| 2021 | 1 | 4 | 政府、ビジネス客ら11カ国からの受け入れを一時停止へ。外国人の入国は事実上、全面的に停止 | 6 | 米首都ワシントンでトランプ支持者が連邦議会に侵入し一時占拠 |
| | | 7 | **首都圏4都県に緊急事態宣言を発出**<br>全国の感染確認が最多の7571人。7千人超えは初。東京都は2447人で初の2千人超 | 11 | 世界の感染者が9千万人を突破。米、インド、ブラジル、ロシア、英、フランス、トルコ、イタリア、スペイン、ドイツの順 |
| | | 13 | **政府が緊急事態宣言対象地域に7府県を追加。**大阪、京都、兵庫、愛知、岐阜、福岡、栃木。国内感染が累計で30万人超 | | |

2021

24 国内の新規感染3990人。感染者が3千人台まで減るのは4日以来、20日ぶり

16 世界の死者200万人突破。米国(約39万1千人)、ブラジル(約20万7千人)、インド(約15万1千人)の順

18 中国の20年のGDP速報値は、実質成長率が前年比2・3%。主要国では唯一のプラス成長になったとみられる

20 バイデン氏が就任式で宣誓し、第46代米大統領に就任

28 米国の20年の実質GDP速報値は前年比3・5%減で、リーマンショック後の09年(同2・5%減)以来となるマイナス成長

2

1 国内の新規感染1792人。感染者が2千人を下回るのは42日ぶり。死者は80人

2 政府、栃木を除く10都府県で3月7日まで緊急事態宣言の延長を決定

3 特措法と感染症法の改正案が成立。特措法では「まん延防止等重点措置」を設ける

15 20年通年の実質GDPは前年比4・8%減で、リーマンショック後の09年の5・7%減以来、11年ぶりのマイナス成長

17 国内の新規感染965人で、約3か月ぶりに1千人を下回る
ワクチン国内接種を開始。首都圏8施設で計125人の医療従事者に

1 ミャンマー軍がクーデターを起こし、アウンサンスーチー国家顧問らを拘束

2 ユーロ圏19カ国の20年のGDP速報値は前年比6・8%減で、1995年に現行の統計を始めて以来、最大の落ち込み

12 英国の20年のGDP速報値が前年より9・9%減、過去最大の落ち込み。マイナス幅は主要7カ国(G7)で最悪になる見込み

22 米国の死者50万人超。第2次大戦、ベトナム戦争、朝鮮戦争の三つの戦争での米軍死者数を上回る

3

1 緊急事態宣言は首都圏を除く、大阪・京都・兵庫、愛知・岐阜、福岡の6府県で前倒し解除

5 政府、首都圏4都県に出している緊急事態宣言の再延長を決める。2週間延ばして21日までに

6 20年に自殺した児童生徒が479人と過去最多に。前年から4割以上増え、女子高校生は138人と倍増

| 年 | 月 | 日 | 日本 | 日 | 海外・WHOなど |
|---|---|---|---|---|---|
| 2021 | | 18 | 政府、首都圏4都県に出している緊急事態宣言について、期限の21日までの解除を決める | | |
| | | 20 | 国内の新規感染1517人。1千人を超えるのは5日連続 | | |
| | | 22 | 人口10万人あたりの新規感染者数で宮城が27・2人になり全国で最多。感染急拡大の山形市が独自の緊急事態宣言 | | |
| | | 23 | 首都圏4都県、午後9時までの時短要請について、4月21日まで継続する方針固める | | |
| | | 25 | 聖火リレーが福島で始まる | | |
| | | 28 | 大阪では323人の感染が確認され、313人の東京を上回る | | |
| | | | | 30 | WHO、武漢市の現地調査報告書を発表し「武漢の研究所から流出した可能性は極めて低い」とした |
| | 4 | 5 | 大阪、兵庫、宮城3府県6市で「まん延防止等重点措置」が初適用 | 5 | 北朝鮮、選手をコロナから保護するとして東京五輪不参加を決定 |
| | | 7 | 大阪の新規感染が878人で医療非常事態宣言。全国の新規感染は3450人で3千人超えは1月30日以来 | | |
| | | 12 | 東京、京都、沖縄の3都府県でまん延防止等重点措置始まる<br>高齢者向けワクチン接種開始。全国での接種本格化は5月以降 | | |
| | | 14 | 大阪の重症者向け病床が使用率94%に。国内の新規感染4309人。4千人超は1月28日以来。大阪は1130人、東京は591人 | | |
| | | 16 | 埼玉、千葉、神奈川と愛知をまん延防止等重点措置に追加決定 | 17 | 世界の死者300万225人、感染者1億3997万9449人 |
| | | 25 | **東京、大阪、京都、兵庫の4都府県に3度目の緊急事態宣言** | | |
| | | 26 | 国内死者が1万25人(クルーズ船含む)となり、1万人を突破 | 26 | インドの1日あたりの新規感染者35万人超、死者2800人 |
| | 5 | 1 | 国内の新規感染5986人。東京1050人、大阪1262人。重症者は過去最多の1050人になり病床が逼迫 | | |
| | | 7 | 4都府県の緊急事態宣言を5月末まで延長することを決定 | | |
| | | 10 | ワクチン接種の受け付け本格化。電話がつながりにくく通信制限も | | |
| | | 12 | **愛知、福岡の2県に緊急事態宣言。**期限を5月末まで延長 | | |
| | | 16 | **北海道、岡山、広島の3道県に緊急事態宣言** | 16 | 台湾の域内感染が新たに206人確認され、累計で550人に |
| | | 18 | 1～3月期のGDP速報値が前期比で1・3%減、年率換算で5・1%減。20年度の実質GDPは戦後最悪の落ち込みに | | |

| | | | | | |
|---|---|---|---|---|---|
| 2020 | 6 | 23 | **沖縄に緊急事態宣言**。沖縄の新規感染156人。北海道は5日連続600人超の605人で3日連続で全国最多 | 11 | 2年ぶりとなるG7サミットが英コーンウォールで開催 |
| | | 20 | 沖縄を除く9都道府県の緊急事態宣言を解除。解除後、岡山、広島を除く7都道府県では、まん延防止等重点措置に切り替え | 19 | ブラジルでコロナ死者が50万人を突破。米国に次いで2番目 |
| | | 23 | 河野太郎行革相が「職域接種」の受け付けを25日午後5時から一時休止と発表。モデルナ製ワクチンの供給が追いつかなくなるため | | |
| | | 24 | 1回目接種を受けた全国の高齢者が23日時点で5割超と発表 | | |
| | | 29 | 国内の新規感染者は1381人。東京都は前週同曜日を10日連続で上回る476人を確認 | | |
| | 7 | 2 | 各自治体でワクチン接種の新規予約を停止する動きが相次ぐ。ファイザー製ワクチンの供給量が希望量に追いつかないため | 8 | 世界の死者400万人超 |
| | | 8 | 東京五輪5者会議で、首都圏4都県の会場は無観客での実施を決定 | | |
| | | 8 | 政府、飲食店の酒類提供停止への働きかけを金融機関に求める方針を1日で撤回 | | |
| | | 9 | 五輪、北海道も無観客と決定。宮城、福島、静岡、茨城は人数を制限しての有観客に(福島は10日に無観客に方針転換) | | |
| | | 12 | **東京都に4度目の緊急事態宣言**。沖縄は延長 | | |
| | | 13 | 政府、休業要請などに応じない飲食店に対する取引停止を酒類販売事業者に求める方針を撤回 | | |
| | | 23 | **東京五輪開幕**。国立競技場で無観客の開会式 | 19 | 新規感染が1日5万人超の英国で、イングランドの都市封鎖の法的規制をほぼ解除。ワクチンで重症化を抑えられると判断 |
| | | 29 | 国内新規感染者は1万693人と全国で初の1万人超 | | |
| | | 30 | 埼玉、千葉、神奈川、大阪にも緊急事態宣言の発出を正式決定(翌月2日から) | | |
| | | 31 | 国内新規感染者は1万2342人で4日連続で過去最多を更新。東京は4058人。自宅療養者が急増 | | |

# 配信日一覧

| | |
|---|---|
| ダイヤモンド・プリンセス号で何が起きていたのか | 2020年4月25日 |
| 「行動変容」から「価値変容」へ | 2020年5月2日 |
| 隠喩としてのコロナ | 2020年5月9日 |
| 民間臨調報告書に見る「失敗の本質」 | 2021年3月20日 |
| 3人の識者に聞く「民主主義の危機と地方分権の希望」 | 2020年5月23日 |
| 「自己責任」論とコロナ禍 | 2020年9月26日 |
| ワクチン争奪戦に出遅れ　日本の「失われた20年」 | 2021年3月6日 |
| 日本はなぜＩＴ化に遅れてしまったのか　服部桂さんと考える | 2021年4月11日 |
| 変わる「働き方」と「地方の時代」 | 2020年8月22日 |
| アベノミクスの今と、資本主義の行方 | 2020年8月29日 |
| 坂東眞理子さんと考える「男女格差」 | 2021年4月24日 |
| 精神科医・香山リカさんと考えるパンデミック下の心理 | 2021年6月26日 |
| 哲学者・高橋哲哉さんと考える　歴史認識と「犠牲のシステム」 | 2020年8月15日 |
| 歴史家・磯田道史さんと考える「過去の知恵」 | 2021年1月2日 |
| 「中国式」の力と限界 | 2020年7月4日 |
| 世界一の感染国アメリカはどこへ向かうのか | 2020年6月13日 |
| アメリカはバイデン政権下で分断を克服できるか | 2020年12月27日 |
| 哲学者スラヴォイ・ジジェク氏と考えるパンデミックの意味 | 2021年6月5日 |
| 政治学者・宮本太郎さんと考える福祉のこれから | 2021年7月10日 |

外岡秀俊（そとおか　ひでとし）
ジャーナリスト、北海道大学公共政策大学院(HOPS)公共政策学研究センター上席研究員。
1953年生まれ。東京大学法学部在学中に石川啄木をテーマにした『北帰行』（河出書房新社）で文藝賞を受賞。77年、朝日新聞社に入社、ニューヨーク特派員、編集委員、ヨーロッパ総局長などを経て、東京本社編集局長。同社を退職後は震災報道と沖縄報道を主な守備範囲として取材・執筆活動を展開。『地震と社会』『アジアへ』『傍観者からの手紙』（ともにみすず書房）、『3·11　複合被災』（岩波新書）、『震災と原発　国家の過ち』（朝日新書）などのジャーナリストとしての著書のほかに、中原清一郎のペンネームで小説『カノン』『人の昏れ方』（ともに河出書房新社）なども発表している。

---

価値変容《かちへんよう》する世界《せかい》　人種・ウイルス・国家の行方

---

2021年９月30日　第１刷発行

著　　者　外岡秀俊
発 行 者　三宮博信
発 行 所　朝日新聞出版
〒104-8011　東京都中央区築地５－３－２
電話　03-5541-8814（編集）
03-5540-7793（販売）

印刷所　大日本印刷株式会社

---


Published in Japan by Asahi Shimbun Publications Inc.
ISBN978-4-02-331961-5
定価はカバーに表示してあります。

落丁・乱丁の場合は弊社業務部（電話03-5540-7800）へご連絡ください。
送料弊社負担にてお取り替えいたします。